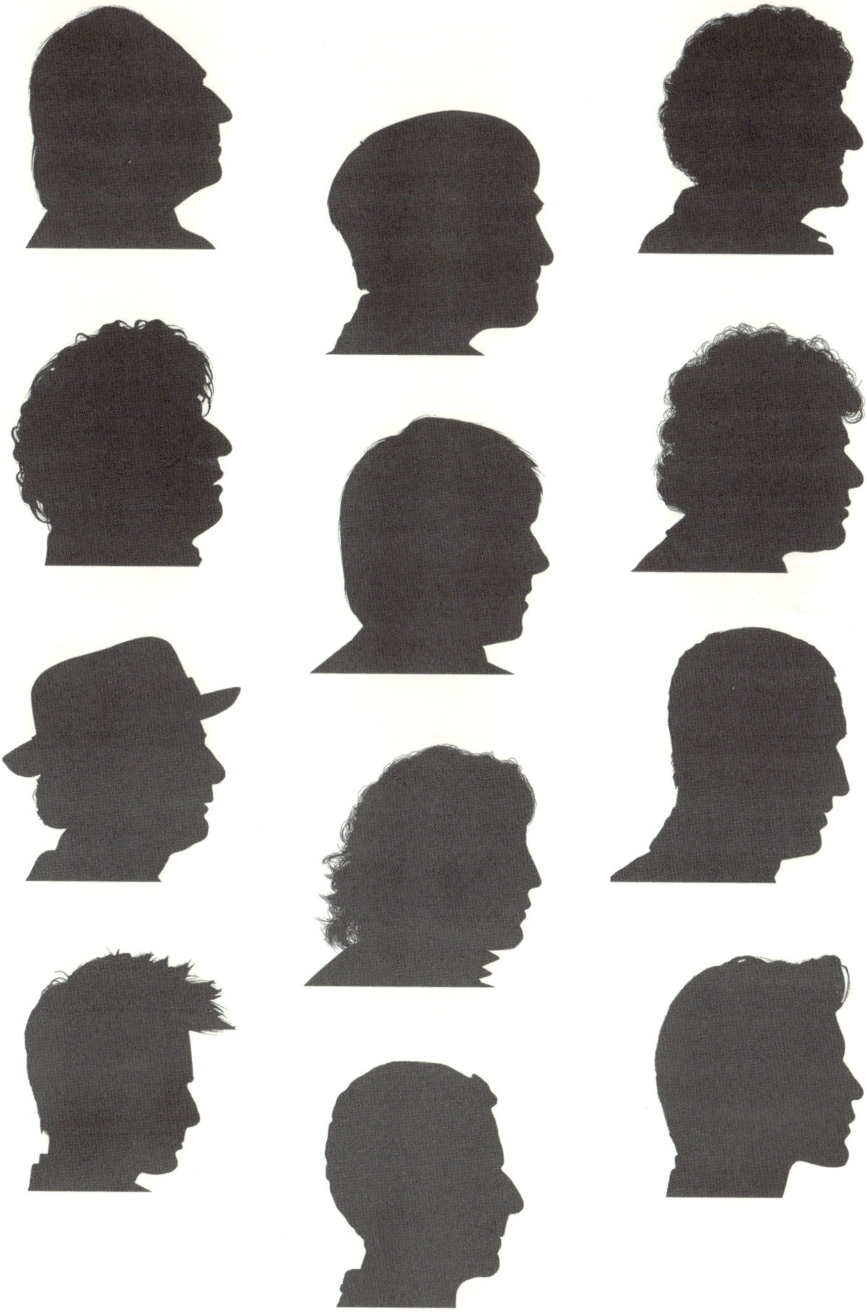

BBC

DOCTOR WHO

HOLLY BLACK
NEIL GAIMAN
DEREK LANDY
CHARLIE HIGSON
ALEX SCARROW
MALORIE BLACKMAN
RICHELLE MEAD
PATRICK NESS
PHILIP REEVE
MARCUS SEDGWICK
MICHAEL SCOTT
EOIN COLFER

12 DOUTORES 12 HISTÓRIAS

Fantástica
ROCCO

Título Original
DOCTOR WHO:
12 DOCTORS 12 STORIES

"Primeira publicação desta coletânea reunindo os 12 títulos citados acima, em 2014, pela Children's Character Books Ltd, foi feita mediante licença da Children's Character Books Ltd, companhia criada em associação pela Penguin Books Limited e pela BBC Worldwide Limited".

EDITORA ROCCO LTDA.
Av. Presidente Wilson, 231 – 8º andar
20030-021 – Rio de Janeiro – RJ
Tel.: (21) 3525-2000 – Fax: (21) 3525-2001
rocco@rocco.com.br | www.rocco.com.br

Printed in Brazil/Impresso no Brasil

Preparação de originais
EDMO SUASSUNA
REGIANE WINARSKI

CIP-Brasil. Catalogação na fonte.
Sindicato Nacional dos Editores de Livros, RJ.

D666 Doctor Who: 12 doutores, 12 histórias / Eoin Colfer... [et al.]; tradução de Regiane Winarski... [et al.]. – Primeira edição. - Rio de Janeiro: Fantástica Rocco, 2014.

Tradução de: Doctor Who: 12 doctors 12 stories
ISBN 978-85-68263-04-4

1. Ficção infantojuvenil inglesa. I. Colfer, Eoin. II. Winarski, Regiane.

14-15202 CDD–028.5
CDU–087.5

O texto deste livro obedece às normas do
Acordo Ortográfico da Língua Portuguesa.

Sumário

O Primeiro Doutor: Uma Mãozinha para o Doutor

EOIN COLFER

Tradução de
Regiane Winarski

I

Rua Strand, Londres, 1900

O Doutor não estava feliz com sua nova mão bio-híbrida.

– Absurdo. Não é nem mesmo uma mão propriamente dita – reclamou ele com Aldridge. – Só tem dois dedos, bem menos do que a cota humanoide tradicional.

Aldridge não era do tipo que aguentava tolices, nem mesmo de um Senhor do Tempo.

– Devolva, então. Ninguém está obrigando você a ficar com ela.

O Doutor fez cara feia. Ele conhecia o estilo de negociação de Aldridge, e, àquela altura, o cirurgião xing costumava utilizar alguma distração na conversa para confundir o cliente.

– Quer saber por que fechei meu consultório em Gallifrey? – perguntou Aldridge.

Distração utilizada no momento esperado. Cada vez que ele procurava a ajuda de Aldridge aquela história ressurgia.

– Talvez tenha sido por causa do nosso título? – perguntou o Doutor de forma inocente.

– Exatamente – confirmou Aldridge. – Chamarem a si mesmos de Senhores do Tempo? Que arrogância! Alguém já tinha registrado o nome de Imperadores Temporais, por acaso? Que pena, vocês poderiam ter abreviado para Temporadores.

Temporadores, pensou o Doutor. É quase *engraçado*.

Engraçado porque um Senhor do Tempo conhecido como Decorador de Interiores ficou famoso por ter sugerido esse mesmo título em uma reunião e acabou carregando o apelido de Temporador Destemperado para o resto de seus dias quânticos.

Mas o Doutor não podia permitir que nem um vestígio de sorriso nostálgico surgisse nos lábios; primeiro, porque seu sorriso costumava parecer uma careta macabra no rosto comprido, e segundo porque Aldridge exploraria o momento e aumentaria o preço.

– Cinco dedos, Aldridge – insistiu ele. – Preciso de uma mão inteira só para abotoar a camisa de manhã. Os humanos colocam botões nos lugares mais esquisitos, mesmo sabendo muito bem que o velcro existe. – Olhou o relógio de bolso. – Ou melhor, vai existir em meio século, mais ou menos.

Aldridge tocou um dos dedos curvos de cerâmica com o bisturi.

– O exoesqueleto tem dois dedos, é verdade, Doutor, mas a luva tem cinco, inclusive um polegar, todos controlados por sinais do exoesqueleto. Um tremendo milagre bio-híbrido.

O Doutor ficou impressionado, mas não se permitiu demonstrar.

– Eu preferiria um milagre biobiológico se não for um incômodo. E estou com uma pressa danada.

– Volte em cinco dias – respondeu Aldridge. – A carne e os ossos estarão prontos. Só preciso de uma amostra. – Ele enfiou um pote coletor debaixo do nariz do Doutor. – Cuspa, por favor.

O Doutor obedeceu, sentindo-se mais do que um pouco aliviado por Aldridge só precisar de cuspe. Algum tempo antes, depois do fiasco do Dopplegänger Inescrutável, ele precisou abrir mão de dois litros do raríssimo sangue ST-positivo, a partir do qual o plasma seria extraído.

– Cinco dias? Não daria para fazer o serviço com um pouco mais de rapidez?

Aldridge deu de ombros.

– Desculpe. Estou com um monte de homens-anfíbios lá atrás, todos sibilando para extensões das caudas. Está me custando uma fortuna a inserção de alugar um caminhão de bombeiros para mantê-los molhados.

O Doutor encarou Aldridge até que o corpulento cirurgião xing cedeu.

– Tudo bem. Dois dias. Mas vai sair caro.

Ah, claro, pensou o Doutor, preparando-se para as más notícias.

– Quanto vai custar exatamente?

Quanto talvez fosse a palavra errada, porque Aldridge costumava negociar com mercadorias, não com dinheiro.

O cirurgião coçou os pelos que cobriam o queixo como os espinhos de um ouriço. Se algum dos vândalos, batedores de carteira, ladrões ou patifes da Londres vitoriana entrasse na Aldridge Reparo e Restauração de Relógios na esperança de usar os dedos leves e seguir a rua Strand com um ou dois relógios reluzentes, teria uma péssima surpresa. Aldridge era capaz de inflar as bochechas e expelir um daqueles pelos cobertos de veneno com velocidade e precisão comparáveis aos nômades da floresta tropical de Bornéu com suas zarabatanas. O vilão acordaria seis horas depois, acorrentado na grade da prisão de Newgate com lembranças muito confusas dos dias anteriores. Os guardas da prisão passaram a chamar aquelas entregas ocasionais de "Bebês da Cegonha".

O Doutor apontou diretamente para o queixo de Aldridge.

– Você está tentando me intimidar, Aldridge? Isso é uma ameaça?

Aldridge riu, e sua barba tremeu.

– Ah, que que há, Doutor. Assim que é divertido. A negociação e tudo o mais. É o nosso joguinho.

O rosto do Doutor estava impassível.

– Mesmo que eu não tivesse perdido uma das mãos, não estaria sorrindo como um idiota. Eu não acho graça. Não faço joguinhos. Tenho uma missão séria.

– Você costumava achar graça – refutou Aldridge. – Lembra-se daquela coisa com as minhocas homicidas? Hilário, não foi?

– Aquelas minhocas expeliam óxido nitroso – explicou o Doutor –, conhecido na Terra como gás hilariante, então eu estava rindo contra a minha vontade. Não costumo me permitir euforias. O universo é um lugar sério, e deixei minha neta tomando conta de uma casa.

Aldridge apoiou a mão na mesa.

– Muito bem, e só faço essa oferta por causa da maravilhosa Susan. O que peço pelo aluguel da mão bio-híbrida e pelo desenvolvimento de uma nova mão em meu tanque de magia é... – Ele fez uma pausa, pois até Aldridge sabia que o que estava prestes a pedir não seria aceito facilmente por um Senhor do Tempo sem senso de humor. – Uma semana do seu tempo.

O Doutor não entendeu por um momento.

– Uma semana do meu tempo? – Então, a ficha caiu. – Você quer que eu seja seu assistente.

– Só por uma semana.

– Sete dias? Você me quer como assistente por sete dias inteiros?

– Você me dá uma mãozinha e eu lhe dou... uma mão. Tenho um cliente fiel e muito importante que precisa de um serviço. Ter um sujeito inteligente como você ao meu lado ajudaria muito.

O Doutor beliscou a testa com a mão que ainda tinha.

– Não é possível. Meu tempo é precioso.

– Você sempre pode se regenerar – sugeriu Aldridge com inocência. – Talvez o próximo cara tenha um senso de humor melhor, além de bom gosto para a moda.

O Doutor se eriçou de raiva, mas não tão dramaticamente quanto Aldridge e seus pelos faziam de vez em quando.

– Este traje foi escolhido por computador, para eu me misturar aos habitantes. Não tem nada a ver com moda. Na verdade, a obsessão pela moda é o tipo de distração frívola que faz as pessoas...

O Doutor não completou a frase, e o cirurgião preferiu não fazer isso por ele, apesar de os dois saberem que *morrerem* era a palavra que faltava. O Doutor não queria dizê-la, pois proferir a palavra poderia atrair a própria morte, e ao longo de sua vida o Doutor já tinha visto morte demais. Aldridge sabia disso e sentiu pena.

– Muito bem, Doutor. Em troca de quatro dias do seu tempo, vou fazer a mão para você. Não posso e não aceitarei menos do que isso.

O Doutor ficou aliviado, embora ainda irritado.

– Quatro dias você diz? Você dá a sua palavra, como um companheiro visitante deste planeta?

– Dou a minha palavra como cirurgião xing. Posso deixar a mão na sua TARDIS se quiser. Onde você estacionou?

– No Hyde Park.

– Você vem mantendo seu nariz longe da poluição? Na verdade, acho que tenho alguns narizes aqui caso deseje algo menos... evidente.

A conversa estava pendendo para as trivialidades, e o Doutor nunca gostou de conversa fiada e bobagens do dia a dia. Quanto à fofoca e à tagarelice, ele desprezava ambas.

– Quatro dias – repetiu ele. O Doutor ergueu o cotoco do pulso esquerdo, no qual ficara a mão esquerda, e, sem outra palavra, encostou os dedos que mais pareciam garras da mão bio-híbrida no peito do cirurgião xing.

Aldridge observou o gesto em silêncio e ergueu as sobrancelhas peludas até o Doutor ser forçado a perguntar:

– Você pode fazer a gentileza de conectar a mão bio-híbrida temporária?

Aldridge tirou um bisturi sônico do cinto.

– Cuidado com isso – pediu o Doutor. – Não precisa se empolgar.

Aldridge girou o bisturi como um bastão.

– Sim, senhor. Cuidado é meu nome do meio. Na verdade, Desastrado é meu nome do meio, mas isso não atrai clientes e me faz parecer um daqueles anões que vão ser muito populares quando os filmes entrarem na moda.

O Doutor não respondeu nem se mexeu, pois Aldridge já tinha começado a trabalhar em seu braço, conectando a mão bio-híbrida temporária ao pulso, cortando a carne queimada do cotoco e procurando as terminações nervosas.

Incrível, pensou o Doutor. *Ele nem parece estar prestando atenção, e não estou sentindo nada.*

É claro que aquela era a marca registrada dos cirurgiões treinados no monastério xing, sua precisão e velocidade incríveis. O Doutor já tinha ouvido uma história sobre como acólitos eram acordados no meio da noite sentindo dor porque o dedão do pé estava sendo amputado por um professor. Em seguida, era cronometrado o tempo que eles demoravam para reimplantar o dedão usando só fio dental, três grampos-lagartos e um vidro de minhocas incandescentes.

Hogwarts é que não é, pensou o Doutor, e percebeu que a referência só seria apreciada quase um século depois.

Em poucos minutos, o cirurgião já tirava a luva de plasti-pele que reagia ao pensamento e dava um passo para trás a fim de admirar o trabalho.

– Dê uma mexidinha.

O Doutor fez exatamente o que lhe foi pedido e descobriu, para seu constrangimento, que as unhas estavam pintadas.

– Por acaso essa seria a mão de uma dama?

– Sim – confessou Aldridge. – Mas era uma dama robusta. Muito masculina, como você. Odiava rir e tudo, então vocês dois vão se dar muito bem.

– Dois dias – disse o Doutor, apontando o dedo com uma unha curva pintada de esmalte vermelho.

Aldridge se esforçou tanto para sufocar a crise de riso que um dos seus espinhos voou na parede.

– Me desculpe, caro Senhor do Tempo. Mas é muito difícil levar você a sério com esse esmalte nas unhas.

O Doutor encolheu os dedos falsos até ficar de punho fechado, ajeitou o chapéu de astracã e decidiu comprar um par de luvas o mais rápido possível.

Aldridge entregou a bengala ao Doutor.

– Você não contou como perdeu a mão.

– Não. Não contei. Se quer mesmo saber, eu estava duelando com um Pirata de Almas que me feriu com uma espada incandescente. Se a lâmina não tivesse cauterizado a ferida, acho que você estaria olhando para um Doutor diferente agora. É claro, consegui compartimentalizar a dor por meio de pura concentração.

– Piratas de Almas – disse Aldridge com desprezo. – Eu me recuso a trabalhar para aqueles animais. Eles não entram aqui por uma questão de princípios.

– Humpf – resmungou o Doutor enquanto fechava o sobretudo do exército até o pescoço. Ele poderia ter dito *bá, enganação*, mas essa frase de efeito já pertencia a outra pessoa.

2

A rua Strand estava apinhada de vendedores ambulantes, de crianças selvagens que circulavam diariamente, vindos dos cortiços de Londres atrás de cavalheiros endinheirados como metal atraído por um imã, e também de bêbados de bochechas vermelhas em frente ao famoso pub Dog and Duck. Se alguém tivesse reparado no velho rabugento andando na direção de Charing Cross, não teria percebido nada de estranho no cavalheiro, fora o fato de que estava olhando para a própria mão esquerda com certa surpresa, como se ela tivesse falado com ele.

Um militar aposentado, poderiam ter suposto, analisando o sobretudo e o caminhar ritmado.

Um viajante do mundo, talvez, as pessoas poderiam ter concluído, por causa do chapéu russo.

Ou um cientista excêntrico, o que poderia ser inferido pelas mechas de cabelo branco balançando atrás dele, sem mencionar o cabo de marfim de uma lupa aparecendo no bolso.

Ninguém saberia que havia um Senhor do Tempo no meio da multidão naquela noite. Ninguém, exceto sua neta, Susan, que provavelmente era a única pessoa no universo capaz de fazer o Doutor sorrir só de pensar nela.

Havia numerosas coisas que não faziam o Doutor sorrir: conversa fiada, responder perguntas durante emergências, responder perguntas em momentos de calma total, as pinturas dos Subjuntivistas Gallifreanos (um bando de charlatães), a pasta terráquea de passar no pão chamada Marmite, o programa de TV humano *Blake's 7*, que era simplesmente ridículo, e o aperto grudento e pungente de uma multidão londrina vitoriana. Os londrinos toleravam um aroma inconfundível composto de duas partes de esgoto sem tratamento, uma parte de fumaça de carvão e uma parte de odor corporal sem banho. O grande fedor não discriminava ninguém e era exalado desde a rainha à lavadeira. A fedentina podia ser exacerbada pelo calor de verão ou pelos ventos, e o Doutor achava que não havia outro cheiro que odiasse mais no universo inteiro.

Quando chegou a Charing Cross, o Doutor não conseguia mais suportar o fedor e pegou uma carruagem. Recusou o meio sanduíche que o cocheiro ofereceu, colocou uma máscara filtradora de ar no rosto, escondida atrás de um lenço, e se encolheu no banco para desencorajar o cocheiro de fazer mais perguntas. O Doutor ignorou o trajeto, inclusive o desvio ao redor de Picadilly, onde um caminhão de leite havia virado e derramado a carga pela avenida, e se dedicou ao problema que havia lhe custado o sono de muitas noites e, mais recentemente, sua mão esquerda.

Os Piratas de Almas eram criaturas abomináveis: uma mistura da escória das espécies humanoides do universo, com apenas duas coisas em comum. Uma, como mencionado, era que eles tinham aparência quase humana; a outra era que eles não se importavam nem um pouco com a vida dos outros. Os Piratas de Almas tinham um *modus operandi* muito específico: escolhiam um planeta cujos habitantes ainda não tivessem recursos de hiperespaço, pairavam dentre as nuvens no céu e mandavam um representante montado em um raio trator antigravidade carregado de agente soporífero para os quartos das crianças adormecidas. O raio antigravidade era uma manobra inteligente, mas o agente soporífero nos raios era genial, porque, mesmo se as vítimas acordassem, o sedativo permitia que seus cérebros elaborassem um conto de fadas fantástico, e elas se deixavam levar sem resistência. Acreditavam ser capazes de voar ou viam o ser no raio como um aventureiro glamoroso que precisava desesperadamente da ajuda delas. De qualquer forma, não havia luta nem escarcéu, e, o mais importante, a mercadoria não era danificada. Quando as crianças sequestradas eram entregues à nave dos piratas, eram enviadas para a sala de máquinas e conectadas a capacetes sugadores de cérebro ou abatidas para o aproveitamento de órgãos e partes do corpo, que os piratas usavam em transplantes em si mesmos. Nada era desperdiçado, nem uma unha de dedo do pé, nem um elétron, e daí vinha o apelido dos bandidos: Piratas de Almas.

O Doutor caçara os piratas incansavelmente pelo tempo e espaço. Tornara-se sua missão, sua obsessão. De acordo com sua rede galáctica, a tripulação que tirou sua mão era a única ainda operando na Terra. O último encontro com eles fora bem naquela cidade, e agora a TARDIS tinha detectado a assinatura antigravidade deles de novo. Para os piratas, havia vinte anos que o capitão cortara a mão esquerda do Doutor, mas, para o Senhor do Tempo, que pulara anos na TARDIS, o ferimento ainda era recente.

Isso era o que Susan chamaria de *golpe de sorte*. Naves de Piratas de Almas costumavam enganar as autoridades durante séculos graças aos escudos impenetráveis, que tornavam difícil rastreá-las.

Eles devem ter perdido uma das placas protetoras, pensou o Doutor. *E isso deixou os piratas visíveis por alguns minutos, antes de concluírem os reparos. Tempo suficiente para a TARDIS encontrá-los. Muito bem, garota esperta.*

Infelizmente, o buraco que permitiu que o sinal da nave pirata vazasse agora estava fechado, e o Doutor não tinha como saber se os piratas ainda estavam pairando sobre o Hyde Park, escondidos entre as nuvens, ou se já tinham seguido para a próxima parada. Uma tripulação pirata típica visitava mais de cem ruas em ordem aleatória. Mas os piratas tinham a tendência de revisitar bons locais de colheita. Portanto, se alguém quisesse encontrá-los, só precisaria de determinação e muito tempo.

E eu tenho as duas coisas, pensou o Doutor. *E também uma neta engenhosa.*

Às vezes, engenhosa demais. Talvez fosse uma boa ideia verificar o que Susan andava fazendo, afinal. Às vezes parecia que ela ignorava de propósito instruções específicas porque, como ela dizia, *pareceu a coisa certa a fazer.*

E, mesmo que costumasse *ser* a coisa certa a fazer pelo prisma moral, raramente era o correto pelo ponto de vista tático.

Bem no momento em que o Doutor pensou em ligar para Susan, ela teve a mesma ideia, e o comunicador de pulso vibrou para sinalizar a chegada de uma mensagem. Surpreendentemente, vibrou uma segunda e uma terceira vez. Vários toques urgentes vieram em seguida.

O Doutor verificou a pequena tela e viu doze mensagens, todas de Susan, chegando ao mesmo tempo. Como era possível? Ele mesmo tinha projetado e construído esses comunicadores. Eles eram capazes de transmitir através do tempo se necessário.

E então ele entendeu.

Idiota. Idiota. Como não previra isso?

Aldridge vivia escondido na cidade. Sem dúvida, teria montado algumas antenas de interferência. Qualquer pessoa que esquadrinhasse o planeta não encontraria sinal do cirurgião e sua parafernália.

Susan ficou tentando falar com ele durante toda a noite, mas o Doutor estava na zona de interferência.

O Doutor foi para a última mensagem, que tinha chegado segundos antes, e pressionou o botão de executar.

– Vovô – disse Susan, ofegante, e ele conseguiu ouvir os pés dela batendo enquanto corria. – Não posso mais esperar. O raio chegou ao número catorze, como você previu. Repito, número catorze. Preciso ajudar aquelas crianças, vovô. Não tem mais ninguém. Venha rápido, por favor. Venha logo, vovô, venha logo.

O Doutor xingou a si mesmo por ser um tolo, jogou algumas moedas na direção do cocheiro e gritou para que o homem disparasse para o lado do Hyde Park onde ficava Kensington Gardens.

Ela tinha que esperar. Eu mandei que esperasse. Por que ela tem de ser tão aventureira?

Quando eles se aproximaram da fileira de casas idênticas no fim do parque, o Doutor ouviu o resto das mensagens de Susan, na esperança de conseguir alguma informação que pudesse ajudá-lo a resgatar tanto ela quanto as crianças.

Pelo que conseguiu entender, Susan fez amizade com três crianças no parque e conseguiu descobrir que os pais tinham ido para a Suíça, para um novo spa revolucionário, por causa dos problemas de nervos do pai. Com medo da maldição, eles deixaram um certo capitão Douglas, soldado da guarda da rainha, encarregado de proteger as crianças.

A maldição. A família, como muitas outras, acreditava que as crianças desapareciam por causa de uma maldição.

O Doutor viu a luz castanho-alaranjada do raio dos piratas entrando em uma casa. Ele pulou da carruagem, correu por um caminho iluminado pelo brilho pontilhado de lampiões a gás e subiu os degraus do número catorze. A porta era tipicamente vitoriana: sólida e impossível de ser arrombada por um golpe de ombro.

E minha mão bio-híbrida?, pensou o Doutor, decidindo testar a tecnologia de Aldridge.

Sem hesitar, ele deu um soco na porta com a mão esquerda, e o nó do dedo do meio bateu na fechadura de metal. Apesar das circunstâncias, ele sentiu um segundo de satisfação quando o metal da tranca foi esmagado com o golpe e o painel de madeira ao redor explodiu. Um dos dedos falsos da luva se partiu como uma salsicha cozida demais, mas o Doutor sabia que Aldridge compreenderia. Afinal, a vida de Susan estava em jogo.

Ele entrou no hall e subiu a escada, sem olhar para a direita nem para a esquerda. Os piratas iriam para o andar de cima, direto para o quarto. O Doutor soube qual quarto porque um brilho emanava por baixo da porta e ouviu um zumbido como o de uma colmeia distante e agitada.

O raio antigravidade.

Cheguei tarde demais. Susan, minha querida.

Com um grito quase selvagem, o Doutor arrebentou o polegar falso ao arrombar a porta, e o que viu lá dentro quase fez parar seus dois corações de Senhor do Tempo.

Era o tipo de quarto que se esperaria encontrar em uma casa normal de classe média alta em Kensington: papel de parede aveludado e estampado, gravuras emolduradas na parede... e um raio alaranjado escapando pelos janelões como uma cobra assustada. Talvez no mundo que não fosse o do Doutor, o raio alaranjado não fosse normal.

Susan estava suspensa no ar, flutuando pela janela, com um sorriso sonhador no belo rosto jovem.

– Vovô – disse ela. Os movimentos eram lentos, como se estivesse debaixo da água. – Encontrei mamãe. Vou vê-la agora, venha comigo. Segure minha mão, vovô.

O Doutor quase segurou a mão oferecida, mas, para fazer isso, teria que entrar no raio, assim como a compaixão de Susan pelas crianças a tinha levado a fazer. Mas era cedo demais porque, assim que ele respirasse no raio, o agente soporífero o afetaria também, e nem os Senhores do Tempo eram capazes de prender a respiração por muito tempo.

Atrás de Susan, o Doutor viu algumas pessoas suspensas no raio.

As crianças e o guarda foram levados. Preciso salvar todos e acabar com isso esta noite.

Assim, o Doutor se desviou do raio, ignorando os pedidos de Susan, embora isso partisse seu coração, e subiu no telhado por uma janela lateral, onde havia um Pirata de Almas com uma espada grande, esperando para pegar uma carona de volta à nave na ponta do raio antigravidade. O pirata era enorme e estava nu da cintura para cima, sua pele era uma colcha de retalhos de marcas e cicatrizes. A cabeçorra estava completamente raspada, com exceção de uma mecha trançada, que ficava ereta no topo como um ponto de exclamação.

Mano a mano, pensou o Doutor com raiva. *E esse pirata tem a mão bem maior do que a minha.*

3

O Doutor e o Pirata de Almas se encararam sobre uma área de telhas cinza escorregadias. O vento agitava a névoa em redemoinhos, e a vastidão do espaço se escancarava acima. O chapéu do Doutor foi arrancado e saiu girando pela confusão de telhados até um depósito de carvão dez metros abaixo.

Onde em breve acabarei também, percebeu o Doutor. Mas ele não tinha alternativa além de lutar com aquele pirata. Afinal, a criatura grotesca estava entre ele e sua neta.

– Igby mata cabelo branco – disse a criatura nojenta entre os dentes. Presumivelmente, ele estava se referindo a si mesmo na terceira pessoa e ao Doutor pela cor do cabelo, e não informando o Doutor da existência de um homem chamado Igby que tinha alguma coisa contra cabelo branco.

– Solte os prisioneiros – gritou o Doutor ao vento. – Você não precisa viver assim. Pode ficar em paz.

E, apesar de sempre ter detestado armas, o Doutor desejou ter alguma coisa mais substancial do que uma bengala para se defender dos golpes que viriam.

– Gosto de cabelo branco. Ele engraçado – gritou Igby com uma voz estrondosa mais forte que a tempestade. – Vem morrer, velho.

É bem provável que eu faça exatamente isso, pensou o Doutor sombriamente. *Mas, apesar das probabilidades, eu não posso perder. Às vezes, há coisas mais importantes na vida do que probabilidades.*

O raio antigravidade alaranjado pulsou, criando um cilindro em meio à névoa londrina, com as silhuetas das crianças abduzidas e hipnotizadas no meio, que tinham a certeza sonhadora de que estavam voando para seus paraísos feitos sob medida.

Aventuras alegres, árvores para subir, todos heróis.

Quanto tempo as fantasias deles se sustentariam até que a realidade da nave dos Piratas de Almas se manifestasse?

O Doutor avançou com cautela, escolhendo o caminho pelo telhado escorregadio e mantendo a bengala estendida o tempo todo. Assim que saiu de trás da chaminé, a força dos elementos o atingiu com golpes laterais de vento e jatos de chuva gelada. Ele lutou para manter o equilíbrio no declive traiçoeiro e, cada vez que uma telha se soltava do telhado e se espatifava nas pedras da rua, o Doutor se lembrava do perigo que corria.

Embora seja improvável que eu esqueça.

Igby esperava por ele, os olhos incandescentes com a sede de sangue, girando a espada em movimentos complicados que diminuíam o otimismo do Doutor a cada golpe.

Esse alienígena é um assassino experiente. Mercenário. Como eu, um pacifista com uma bengala, posso derrotá-lo?

A resposta era óbvia.

Igby era um surfista de raio antigravidade, isso estava claro pelo leve brilho alaranjado da pele dele, que lembrou o Doutor (se é que é possível lembrar o futuro) da gosma fedorenta e tóxica que as damas do século XXI gostavam de passar na pele para obter um bronzeado. Os surfistas de raios eram imunes ao agente soporífero presente no raio antigravidade, mas a exposição prolongada afetava bastante o QI deles.

Portanto, Igby parecia ser forte e rápido, mas talvez fosse um tanto lerdo.

Então, pensou o Doutor, *tenho uma tática.*

Faça o inesperado.

Eles se aproximaram. Numa avaliação superficial, o Doutor não tinha a menor chance. Igby estava em ótima forma e era coberto de músculos. Seus dentes eram de ouro, e em seu peito largo e nu estava tatuado o lema dos Piratas de Alma: *Nunca aterrissamos.*

O Doutor reparou que a sombra de Igby tremeu e mudou, e percebeu que o raio antigravidade estava sendo recolhido para a nave. Se isso acontecesse, toda a esperança estaria perdida. Mesmo se Susan sobrevivesse e ele a encontrasse novamente, ela seria uma pessoa diferente, com a maravilhosa alma corrompida.

– Não! – gritou ele. – Não vou permitir.

Igby gargalhou e balançou a cabeça na direção do Doutor, como se informasse a um amigo invisível que aquele velho era maluco. Mas ele também reparou no raio se retraindo e percebeu que era melhor terminar logo aquilo, senão acabaria ficando preso na Terra.

– Desculpe, coroa. Não brincar agora, só matar com a espada até morrer.

Igby partiu para cima do Doutor e o alcançou com duas passadas largas. O Doutor ergueu a bengala na frente do corpo para se proteger, mas Igby bateu nela com o bracelete de prata.

– Tolo – disse Igby com desprezo, e cuspe voou por camadas de dentes irregulares como uma cadeia de montanhas.

Ele ergueu a espada bem alto e golpeou com força terrível na direção da cabeça do Doutor. Não havia tempo para sutilezas. O pirata obviamente pretendia rachar um dos mais incríveis lóbulos frontais do universo com um golpe poderoso. Apesar de o Doutor não ter como saber, esse golpe em particular era um dos favoritos de Igby, e as linhas tatuadas em seu braço não representavam um recorde de dias passados na prisão, mas o número de cabeças que ele tinha partido, devidamente testemunhado por, pelo menos, dois colegas.

Quando golpeou, ocorreu a Igby que nenhum dos colegas estava presente para validar a morte, e ele virou a cabeça para verificar se alguma das câmeras na frente da nave estava direcionada para ele, e com o intuito de dar uma visão clara do rosto para a câmera, a fim de não haver pretexto para debate.

– Olhem – gritou ele na direção das câmeras. – Eu mato cabelo branco. Sem problema.

Igby sentiu um baque, como esperado, mas foi meio diferente do baque com que estava acostumado ao partir crânios e que vinha logo depois de um golpe fatal à cabeça.

Igby desviou o olhar para o Doutor e ficou mais do que surpreso ao descobrir que o coroa estava segurando sua espada com a mão esquerda.

– Igby – disse Igby. Foi a única palavra que saiu.

O pirata puxou a espada, mas ela estava presa na mão bio-híbrida do Doutor. Igby puxou de novo, desta vez com toda a sua considerável força. O Doutor foi erguido do chão por um momento, mas o polímero de ação temporária que grudava a luva bio-híbrida ao pulso do Doutor não fora feito para peripécias no telhado, e simplesmente se partiu com um estalo como o de um elástico. O puxão de Igby o jogou para trás com tal força que ele não conseguiu recuperar o equilíbrio.

O Doutor esticou os, agora expostos, dedos curvos de cerâmica para salvar o pirata, mas Igby estava fora de seu alcance. Ele só pôde encarar os dedos esticados para ele e murmurar a última palavra de sua vida desprezível.

– Gancho – gemeu ele, e deslizou de quatro pelo telhado até cair nas trevas abaixo.

O Doutor lamentava a perda de qualquer vida, por mais cruel que fosse, mas não havia tempo para lamentar a morte de Igby. O raio trator alaranjado estava se retraindo para a nuvem e, em poucos segundos, estaria fora de seu alcance. Talvez já estivesse.

Ah, como eu gostaria de já ter me regenerado para me tornar o Doutor alto com gravata-borboleta, pensou o Doutor, que tinha visões ocasionais de seus eus futuros. *Ele está sempre em forma e é tão ágil. Acho que todo o corre-corre por corredores... vai ser... pode ser, em um dos meus possíveis futuros... útil para alguma coisa.*

– Maldita sequência idiota de eventos – gritou ele para as intempéries impiedosas. – Uma pessoa não pode nem ter uma opção cabível?

Se as intempéries tinham a resposta, guardaram para si.

– Acho que não – murmurou o Doutor. – É melhor então escolher a opção não cabível.

Ele andou pelo telhado até a chaminé mais próxima o mais rápido que conseguiu, antes que seu subconsciente percebesse o plano lunático e tentasse impedi-lo. Subiu na chaminé e derrubou dois vasos de argila e um ninho de passarinho lá do alto. E, dali, mergulhou e foi erguido pelo brilho do raio trator dos piratas.

4

O raio antigravidade sugou o Doutor para seu interior, e ele supôs que ser devorado devia provocar uma sensação parecida. Na verdade, era mais do que suposição. Ele tinha sido engolido duas vezes antes, na mesma época, por baleias blarph no lago Rhonda, que achavam hilário comer banhistas e soprá-los pelo espiráculo. Depois, todas as baleias emergiam na superfície e se cumprimentavam com tapinhas e riam dos banhistas. As pessoas geralmente levavam tudo na esportiva; afinal, quem vai arrumar confusão com uma baleia blarph de vinte toneladas?

O Doutor afastou as lembranças, que seriam mais convenientes em outro momento, quando ele não estivesse suspenso no raio antigravidade da fragata dos Piratas de Almas.

Ele sabia que tinha poucos momentos de consciência antes do agente soporífero levá-lo a um sono tranquilo, quando pareceria que todos os seus sonhos estavam prestes a virar realidade. O Doutor se sacudiu vigorosamente para ficar acordado, enquanto prendia a respiração.

De repente, ele estava de volta em Gallifrey, com sua família, em segurança, enfim.

– Isso mesmo – disse sua mãe, e sorriu para ele, com o cabelo comprido roçando sua testa. – Fique aqui, meu pequeno Doutor. Fique aqui comigo e você pode me contar histórias dos mundos que visitou. Quero muito ouvir suas histórias.

Ela é tão bonita, pensou ele. *Do jeito que me lembro.*

– D'Arvit! – xingou o Doutor em voz alta. – Estou sendo drogado. – Ele começou a descrever o que estava acontecendo ao seu redor para permanecer alerta: – Há meia dúzia de almas presas no raio, três crianças e três adultos, contando Susan como adulta, detalhe do qual não tenho certeza, considerando que ela desobedeceu de propósito às minhas instruções. Todos em plena forma. Os piratas precisam de juventude e força para alimentar a nave. Não consigo ver o rosto de Susan, mas consigo perceber sua alegria. O que será que ela vê nos sonhos?

O raio era mais do que luz. Oferecia resistência quando tocado e tinha uma carga alta, para permitir a suspensão de matéria densa.

– Sei que estamos nos movendo – prosseguiu o Doutor, narrando a jornada. – Mas não há sensação de movimento. Nenhum tipo de fricção. Posso dizer com sinceridade que, apesar das circunstâncias sinistras, nunca me senti tão confortável.

Uma forma esguia passou por ele, e o Doutor soube, mesmo com o mais breve dos olhares, que era Susan. Ele a reconhecia da mesma maneira que um bebê reconheceria a voz da mãe.

– Susan, minha querida! – gritou, soltando ar precioso. Mas o sorriso de Susan nem hesitou, e ela não respondeu.

O Doutor viu na expressão da neta o quanto Susan era otimista em relação ao universo e percebeu como ela desabaria completamente nas mãos dos Piratas de Almas. Isso não podia acontecer.

Eles passaram pelas camadas sobrepostas de uma nuvem e saíram para as estrelas. A segunda estrela da esquerda piscou e estalou de repente, quando o escudo de camuflagem foi desligado, e, onde antes havia céu, agora estava a enorme nave-fábrica pirata.

O raio os levou até o compartimento especialmente modificado da fragata média de classe interplanetária. O ventre da nave estava marcado por muitos contatos com asteroides e disparos de armas. O Doutor conseguia ver claramente as partes soldadas, onde a nova placa fora presa.

Os portões espaciais estavam abertos, e o Doutor viu que o raio antigravidade tinha sido modificado para ser disparado de dentro da própria nave, o que era incrivelmente perigoso se o raio não fosse calibrado de forma apropriada, mas permitia que os Piratas de Almas levassem as vítimas direto para o convés de processamento.

– O canhão antigravidade dispara de dentro do portão de carga – disse o Doutor, mas conseguia se ouvir perdendo a batalha para ficar alerta. – As vítimas são levadas para dentro, geralmente de forma espontânea, e, em perfeita sintonia, cantam toda a letra da ópera monzoriana *Que resmungue o refutador.*

Pare! O Doutor censurou a si mesmo. *Use seu bom senso. Diga o que vê.*

– A nave dos Piratas de Almas funciona com base no mesmo princípio dos desprezíveis baleeiros ortonianos – continuou ele, sentindo um torpor afetar os braços. – Depois que as vítimas são depositadas na nave dos Piratas de Almas, são avaliadas pelo computador, e a nave decide o melhor uso para cada uma. A maioria é ligada a baterias, e a eletricidade é sugada delas, mas algumas são enviadas diretamente para a extração de órgãos. Os Piratas de Almas são humanoides, a maioria, mas não exclusivamente, oriunda do planeta Ryger. O sistema deles é extremamente resistente e pode aceitar todos os tipos de transplante, mesmo de espécies diferentes, como os terráqueos. Com transplantes bem calculados, um pirata pode ter uma expectativa de vida de trezentos a quatrocentos anos terráqueos.

Os portões gigantescos se escancararam e sugaram as vítimas para um amplo abatedouro. Fileiras de ganchos de carne estavam penduradas no teto de metal, e dois piratas com aventais de borracha prontos para encharcar os recém-chegados com mangueiras. Eles traziam espadas curvas, com lâminas incandescentes e presas a baterias nos cintos, para o caso de o computador recomendar amputação instantânea.

O raio foi desligado, e a carga caiu com um baque em um poço no convés. O Doutor confirmou que havia mais quatro além de Susan e dele próprio.

Seis para salvar, pensou ele. *E esses piratas estão em vantagem.*

Assim que os últimos vestígios grudentos do raio antigravidade sumiram, os Piratas de Almas levantaram as mangueiras e apontaram para as vítimas mais recentes, empurrando Susan, o Doutor e os outros quatro em um emaranhado de membros e torsos no canto do poço.

Os piratas riram.

– São tão burros – comentou um. – Olha, eu molho eles de novo.

Golpeado por água dos dois lados, o Doutor quase não conseguia respirar. Estava cego e não conseguiria reagir mesmo se quisesse. Mas não queria. Quando seu inimigo acredita que você está inconsciente, que ele continue pensando assim até você ganhar vantagem tática.

Ou, colocando com clareza: banque o morto até eles chegarem perto.

O segundo pirata largou a mangueira e verificou um painel de computador com enormes botões coloridos.

– A nave diz bipe, Gomb – disse ele, intrigado. – O que bipe quer dizer?

O que bipe quer dizer? Obviamente, os piratas deixavam os integrantes mais lentos da tripulação nos conveses inferiores. No caso de Igby, provavelmente o mais inferior possível.

– Bipe especial! – exclamou ele. – Temos Senhores do Tempo. O computador diz Senhores do Tempo. Cérebros valem muitos dinheiros. Cérebros grandes e bolhudos.

Mesmo escondido sob uma pilha de corpos no abatedouro, o Doutor se ofendeu por um momento.

Cérebro bolhudo, realmente.

Gomb olhou para a pilha de corpos adormecidos.

– Qual deles?

– Enfileira eles – ordenou o companheiro. – Eu diz pro capitão cara a cara e pode ser que consegue garrafa de grogue pra nós dois. Você encontra Senhores do Tempo.

O Doutor tentou soltar os membros do emaranhado, para poder ter chance em uma luta corporal, mas estava bem preso, no fundo de uma pilha de corpos, com o rosto a um metro do de Susan. Os olhos dela estavam abertos agora, e ele conseguiu vê-la voltar à consciência.

Ela está com medo, pensou ele. *Não posso permitir que morra aqui.*

Mas Susan ainda não estava morta, nem o Doutor.

– Vovô – sussurrou ela. – O que podemos fazer?

– Shhhh – disse o Doutor com delicadeza, desejando poder encorajá-la, mas as coisas piorariam antes de melhorarem, o que provavelmente nem aconteceria. – Sonhe um pouco.

O pirata Gomb pulou no poço, e suas botas fizeram ecoar um baque metálico no convés. Ele caminhou pelas portas espaciais fechadas até onde valiosos Senhores do Tempo esperavam com cérebros bolhudos. Gomb cantava em um tenor surpreendentemente límpido enquanto andava, o que foi tão inesperado quanto ouvir uma palestra de física quântica saindo pela boca de um lemingue.

> – *Grogue, grogue,*
> *Uma garrafa e meia,*
> *Ela cura constipação*
> *E ajeita cara feia.*

O Doutor achou que Gomb talvez tivesse composto aquele clássico sozinho.

Ajeita?

Gomb enfiou a mão na pilha de corpos, puxou duas crianças adormecidas, deitou-as lado a lado e arrumou a roupa de cada uma.

– Vocês vai conhecer o capitão – disse ele. – Fica o melhor possível pro capitão e pode ser que ele só drena sua alma em vez de cortar e usar as partes.

O pirata voltou à pilha e se inclinou na direção de Susan.

Foi o máximo que ele conseguiu, porque o Doutor tinha esticado a mão e apertado o botão da mangueira no cinto de Gomb. Não era um plano tão preciso quanto gostaria, mas, se ele estimasse a pressão da mangueira corretamente, e desde que o cinto do pirata não se rompesse, o resultado deveria ser vantajoso para os prisioneiros.

Vantajoso era uma forma de dizer: Gomb mal conseguiu registrar o que estava acontecendo quando a mangueira chicoteou com a pressão da água e o ergueu no ar, enrolou-se nele e o fez girar por um corredor, fora de vista.

O Doutor sabia que tinha poucos segundos até que a tentativa de fuga fosse descoberta por todos na nave. Eles deviam estar sendo vigiados por vídeo naquele exato momento.

Ele saiu de baixo dos humanos adormecidos e se virou para Susan.

– Minha querida – disse ele, secando os olhos dela –, você está ferida?

– Não – respondeu ela, mas estava apavorada. O Doutor percebeu que a neta começava a entender o que acontecia ali, olhando hipnotizada para os ganchos de carne balançando no teto.

– Susan, me escute – pediu o Doutor, segurando o rosto dela nas mãos; bem, uma mão e uma garra. – Vou nos tirar daqui, mas você tem que me ajudar. Está entendendo?

Susan assentiu:

– É claro, vovô. Posso ajudar.

– Essa é minha garota. Arraste os outros para o centro dos portões espaciais. Para dentro do círculo.

– Para dentro do círculo.

– O mais rápido que conseguir, Susan. Temos poucos instantes até a chegada de reforços.

Susan começou a tarefa de puxar os outros sequestrados para dentro do círculo. Eles deslizaram pelo deque molhado com facilidade, mesmo o adulto, que estava de uniforme de soldado.

O sobretudo encharcado do Doutor o fazia sentir como se estivesse vestindo um urso, então ele o tirou e subiu os degraus até o painel do computador. Os controles estavam programados para rygeriano, que o Doutor entendia muito bem, mas ele mudou a língua para o inglês da Terra e travou as preferências, o que poderia dar a eles mais um segundo ou dois quando precisassem.

O Doutor sempre foi do tipo que digita catando milho, e trabalhar com uma garra não o atrapalhou muito. Ele fez uma busca na nave para ver se encontrava prisioneiros, mas não achou ninguém além de seu próprio grupo. Os sequestrados do dia anterior já haviam sido utilizados, o que deixou o Doutor se sentindo bem melhor quanto à atitude que decidiu tomar.

Ele driblou os códigos de segurança básicos da nave pirata e reiniciou rapidamente os parâmetros do raio antigravidade e os controles da porta. Quando o computador aceitou seus comandos prioritários, o Doutor usou uma senha tão complicada que seriam necessários dez anos ou um milagre para fazer com que aquele computador fizesse qualquer coisa mais complexa do que jogar Paciência.

Os piratas não tinham dez anos, e o universo certamente não devia um milagre a eles.

Susan conseguiu reunir os prisioneiros no círculo no centro das portas do compartimento. O soldado estava tentando ficar de pé, e a criança menor, um garoto, vomitava intensamente nos sapatos. O Doutor o tomou nos braços, ignorando os gritinhos de protesto.

– Rápido – disse ele. – Todos juntos agora. Vocês precisam colocar as mãos em mim.

Era o mesmo que falar com macacos. Aqueles humanos estavam no meio de uma transição do paraíso para o inferno. Se tivessem sorte, era possível que suas mentes se curassem, mas, no momento, eles só conseguiam respirar.

Só Susan estava plenamente consciente. Ela abraçou o Doutor com um braço, o soldado com outro e pegou um garoto e uma garota que poderiam ser gêmeos entre os joelhos.

– Boa garota – elogiou o Doutor, e colocou o garoto enjoado nos ombros. – Essa é minha garota.

Eles estavam todos ligados agora, como um circuito.

– Aconteça o que acontecer, não rompam o circuito!

Susan assentiu e abraçou o avô com força.

– Não vou soltar.

– Sei que não – disse o Doutor.

Segundos se passaram, e o Doutor começou a ter medo de ter colocado tempo demais no timer. Os piratas chegariam a qualquer momento. Na verdade, o tumulto que ecoava pelo corredor sugeria que o momento tinha chegado.

Mais de uma dezena de piratas caiu por cima uns dos outros para chegar ao compartimento de carga, apontando as armas para o Doutor e os outros sequestrados. Mas eles não dispararam. Por que disparariam? Os prisioneiros representavam o trabalho de uma noite inteira. Pelo que parecia, eles conseguiram surpreender Gomb, mas um palhaço em uma caixa poderia surpreender Gomb de tão burro que ele era. E o que os prisioneiros poderiam fazer agora? Em número menor, cercados e desarmados? Não havia nada que pudessem fazer além de aceitar seu destino.

O capitão foi empurrando os outros com os cotovelos até chegar à frente do grupo. Era uma figura apavorante. Tinha três metros de altura, rosto achatado e escamas cinzentas, olhos profundos e brilhantes e uma cicatriz comprida dividindo o rosto verticalmente.

– O Senhor do Tempo – gritou ele, e parecia que alguém tinha ensinado um rinoceronte a falar. – Onde está o Senhor do Tempo?

– Estou aqui – respondeu o Doutor, verificando com toque e visão que o grupo de terráqueos ainda estava conectado.

A risada do capitão era estranhamente aguda para uma pessoa tão grande.

– É você, Doutor – disse ele, tocando na cicatriz do rosto. – Você não devia ter voltado.

O Doutor reparou que o capitão usava uma mão murcha pendurada no pescoço.

É *a minha mão, maldito!*

– Eu tinha negócios inacabados – disse o Doutor, fazendo contagem regressiva mental a partir de cinco.

– Nós dois temos negócios inacabados – disse o capitão.

Geralmente, o Doutor não era a favor de respostas ou frases de efeito, mas aquele capitão era um ser desprezível, e ele se permitiu ter a última palavra.

– Nosso negócio está concluído agora – replicou o Doutor, e as portas espaciais se abriram abaixo deles. O Doutor e o grupo mergulharam na noite escura, três mil metros acima dos lampiões a gás de Londres.

O capitão ficou decepcionado por ter perdido o prazer de cortar pessoalmente os órgãos do Doutor, mas a morte iminente do Senhor do Tempo o alegrou um pouco. Contudo, havia uma coisinha que o incomodava: se o Doutor tinha aberto as portas espaciais, em que outras funções do computador ele podia ter mexido?

Ele correu até a tela mais próxima e foi recebido por um texto complicado e nada familiar girando em círculos decrescentes.

– Doutor! – gritou ele. – O que foi que você fez?

Como se para responder a pergunta, o canhão antigravidade disparou um raio curto e gordo pelas portas espaciais que se fechavam. Foi só um disparo, que raspou nas portas ao sair antes que elas se fechassem.

Sorte minha, pensou o capitão. Ele não pensou *sorte nossa*, pois era um capitão egoísta e tirano que venderia a tripulação toda a uma fazenda de corpos para comprar um minuto a mais de vida para si mesmo.

Porque, se o canhão antigravidade fosse disparado com as portas espaciais fechadas, seria o fim da nave.

Mais uma vez, pareceu que o computador era capaz de ler sua mente, pois dirigiu todas as fagulhas de energia ao canhão e disparou direto nas portas espaciais fechadas.

O Doutor e seu grupo despencaram para a Terra, embora parecesse que Londres estava subindo em disparada para encontrá-los. Não havia espaço na vida deles para pensamento agora. A vida tinha sido reduzida à necessidade mais básica: sobrevivência. E, se sobrevivessem àquela noite, qualquer um deles, a vida jamais seria a mesma. Eles teriam ido até a beirada, espiado no abismo e sobrevivido para contar a história. Só o Doutor manteve as faculdades mentais, ao menos em parte, pois experiências de quase morte eram mais ou menos a especialidade dele.

Eles caíram emaranhados, mantidos unidos por apertos mortais e membros embaralhados. No meio do caos, o Doutor e Susan ficaram cara a cara. O Doutor tentou sorrir, mas o ar correu entre os lábios dele e inflou suas bochechas.

Não posso nem sorrir para minha linda neta.

Ele viu com o canto do olho um brilho alaranjado no céu acima.

Física, não falhe agora, pensou ele. E depois: *A física não pode falhar, mas meus cálculos podem ter sido errados.*

O brilho cresceu e virou um raio, que disparou na direção deles com precisão exata, deixando uma trilha de fagulhas atrás.

O Doutor puxou todos para si.

Viver ou morrer. Este momento decide.

O pulso antigravidade envolveu o pequeno grupo e desacelerou a descida deles em uma série de sacolejos e tremores. O Doutor viu a si mesmo flutuando de costas e a nave pirata adernar na lateral de um grande banco de nuvens. Oito andares de metal deformado.

Eles merecem isso, ele disse a si mesmo. *Estou salvando as vidas de crianças e vingando muitas outras.*

Mas ele se virou mesmo assim quando o raio antigravidade, que ele instruíra o computador a disparar, começou a corroer a nave por dentro, mudando a própria estrutura atômica do veículo até as moléculas se dissiparem e se espalharem no ar.

Susan o abraçou com força e chorou em seu ombro.

Eles sobreviveriam.

Todos ficariam bem.

5

Aldridge estava levemente surpreso.

– O Doutor derrotou uma tripulação inteira de Piratas de Almas? E praticamente com a mão amarrada nas costas, com o perdão da expressão?

Susan bateu com a unha em algo na bancada de trabalho de Aldridge que se parecia muito com uma TARDIS em miniatura.

– Sim, meu avô cuidou deles. Ele codificou o raio antigravidade da nave para o DNA dele mesmo, de forma que o disparo do raio foi guiado até ele e a nós por consequência. Foi genial, na verdade.

Aldridge afastou a TARDIS dos dedos de Susan.

– Tem um octotubarão gigante aí, e acho que ele não vai ficar feliz com você dando petelecos na caixa dele.

– Um octotubarão de verdade?

– Possivelmente. Por favor, pare de ficar mexendo nas coisas.

Susan estava contando a aventura para Aldridge enquanto eles esperavam que o Doutor acordasse da cirurgia.

– Então devolvemos as crianças para a casa delas e deixamos o soldado montando guarda na porta. Com sorte, elas vão pensar que foi tudo um sonho.

– A maldição está rompida – comentou Aldridge. – Não sei por que aquela família não se mudou. Não há falta de casas em Londres, principalmente para os ricos.

Susan começou a colocar anéis de uma bandeja em cada dedo, conseguindo pôr trinta anéis nas mãos.

– Então, sr. Aldridge. Como você faz aquele truque com os pelos da barba?

Aldridge se eriçou, como acontecia quando comentários sobre os pelos eram feitos.

– O *truque* da barba é disciplina. Você só precisa treinar e beber um copo muito diluído de veneno todas as noites. Agora, pode fazer o favor de colocar os anéis de volta na bandeja? Eu gerencio um negócio sério, sabe, não uma loja de brinquedos.

Um gemido soou no fundo da sala, seguido de um acesso longo de tosse.

– Onde ela está? – soou a voz do Doutor. – Susan?

Susan tirou os anéis rapidamente e os largou na bandeja.

– É o vovô. Ele acordou.

Ela correu para trás do biombo e encontrou o Doutor já se sentando em uma cama de hospital, cercado de equipamentos muito sofisticados que tinham sido disfarçados como objetos vitorianos comuns.

Alguém já tentou usar o que achou que era um vaso sanitário, Aldridge contou uma vez para Susan, em uma tentativa de fazer com que ela parasse de tocar nas coisas. *E os dois lados do traseiro acabaram sendo costurados.*

– Estou aqui, vovô – disse Susan. – Está tudo bem.

O pânico do Doutor desapareceu, como se soprado por uma rajada de vento.

– Que bom, criança. Que bom. Tive cada sonho por causa da anestesia. Cada pesadelo. Agora, acordo e encontro você ao meu lado e mal consigo lembrar que pesadelos eram.

Aldridge apareceu por trás do biombo.

– Tanta poesia, tanto sentimentalismo. Chega até a fazer um velho cirurgião derramar uma lágrima.

O Doutor olhou-o com uma expressão séria.

– Imagino que o transplante tenha sido um sucesso, certo, Aldridge?

– Aquela mão vai durar mais do que você, desde que não deixe que um pirata a corte fora – disse Aldridge.

O Doutor ergueu a mão esquerda e a examinou de perto. O único sinal de cirurgia era uma linha grossa e rosada ao redor do pulso.

– A situação ficou meio incerta por um tempo – disse Aldridge. – Você quase se regenerou duas vezes.

– Hum – disse o Doutor, e depois: – Hummmm.

Aldridge cutucou Susan.

– Ele faz essa coisa do *hummmm* quando está procurando defeitos, mas não consegue encontrar.

O Doutor se sentou e depois ficou de pé, esticando a mão para Susan inspecionar.

– Me conte, minha neta. O que você acha?

Susan beliscou a palma da mão dele e puxou os dedos um a um.

– Sinceramente, vovô? – disse ela. – Me parece meio grande.

Epílogo

Naquela noite cruel em que o Doutor lutou com Igby no telhado com vista para o Hyde Park, havia um homem sentado sozinho em um banco em Kensington Gardens. Ele tinha expressão séria, testa alta e olhos grandes e gentis.

Escritor por natureza, ele tinha tido pouco sucesso no teatro, mas ainda não encontrara a fagulha para uma ideia mágica que pudesse elevá-lo ao status do amigo Arthur Conan Doyle.

O jovem escritor puxou o bigode, um ato de nervosismo, e olhou para as estrelas em busca de inspiração. O que viu lá durou um piscar de olhos, e ele se perguntaria várias vezes se tinha mesmo acontecido ou se foi produto de sua imaginação para colocá-lo no caminho da imortalidade literária.

O que ele pensou ter visto foi o seguinte:

Crianças cercadas por poeira estelar voando na noite.

Duas pessoas lutando em um telhado.

Uma talvez fosse um pirata, e a outra parecia ter um gancho no lugar da mão.

O escritor ficou atordoado por meia hora, talvez, até conseguir revirar os bolsos da calça, tirar alguns pedaços de papel, morder a ponta do lápis e começar a escrever.

O Segundo Doutor: A Cidade Sem Nome

MICHAEL SCOTT

Tradução de
Bruno Correia

Prólogo

Agora estamos velhos.

Nossa idade não é contada em séculos, milênios, ou mesmo em éons.

Vimos o surgimento e o colapso de sistemas solares. Observamos galáxias girarem e rodarem, e assistimos ao universo inteiro morrer uma vez, apenas para renascer instantaneamente em música e luz.

Antes do Doutor, antes do Mestre, antes de Gallifrey e dos Senhores do Tempo, nossa raça controlava o universo. Acabou agora. Todos se foram. Restaram apenas poucos de nós.

Mas enquanto o restante de nossa raça desaparecia, os átomos misturados às estrelas, agarramo-nos a um simulacro de vida, dançando ao som da Música das Esferas. A raiva protegeu nossa existência, o ódio nos sustentou. Teremos nossa vingança. Dominaremos outra vez.

Somos os Devoradores de Mundos, os últimos dos Antigos. Somos os Archons.

Transmissão de dados descriptografados recuperada dos arquivos da TARDIS.

I

Londres, 1968

Um grito: agudo, horrorizado.

O som quase se perdeu em meio ao trânsito congestionado de sábado à tarde e a multidão agitada ao longo da Charing Cross Road. Poucas pessoas desviaram a atenção e olharam ao redor. Não vendo nada de errado, seguiram seus caminhos.

Um segundo grito ecoou, quase completamente encoberto pelo barulho das buzinas.

Apenas um jovem alto, de cabelos escuros, parado diante de um sebo continuou a procurar, a cabeça inclinada para um dos lados, os olhos semicerrados, ouvindo atentamente. Nenhum dos transeuntes prestava atenção nele e, uma vez que estavam em Londres e a cidade transbordava com as últimas novidades, ninguém sequer notou seu suéter preto de gola rulê, ou o fato de ele estar vestindo um *kilt* escocês vermelho, completo com o tradicional cinto *sporran*.

O jovem lançava mão de um truque que seu pai lhe ensinara quando caçavam faisões nas *Highlands*. Deliberadamente, focava sua atenção nos sons: primeiro, os carros e ônibus; depois, o barulho das ruas, o zumbido constante dos gritos, o burburinho das risadas. E então conseguia ignorá-los. Esperou por algo fora do normal, algo estranho, que não se encaixasse. Algo como...

O estalo de couro sobre pedra.

O barulho vinha de trás dele.

Agora sim, movendo-se depressa, o rapaz seguiu o som, que o levou até um beco de paralelepípedos. À primeira vista, estava vazio. Entretanto, ele tinha certeza de que aquele estreito corredor de pedra reverberaria quaisquer sons vindos de mais adiante na rua. Antes de avançar pelo beco, o jovem piscou para ajustar os olhos à penumbra.

O beco fazia uma curva à esquerda, e ao dobrar a esquina descobriu a origem do barulho.

Um homem de cabelos grisalhos e cavanhaque estava estatelado nas pedras sujas, e havia livros antigos encadernados em couro espalhados por todos os lados. Um bandido enorme com cabelos ensebados agachara-se ao lado do homem e revistava uma bolsa-carteiro surrada, retirando os livros e jogando-os no chão.

– Por favor... Por favor, tenha cuidado – gemia o homem idoso enquanto cada volume de capa de couro atingia o solo, com um estalo característico.

– Cadê a grana? – resmungou o bandido. – Cadê o dinheiro da loja?

– Não há dinheiro algum – respondeu o velho rapidamente. – Vendemos livros antigos, mas tem dia que não vendemos nada.

– Não acredito em você. Esvazie os bolsos.

– Não! – retrucou o velho, desafiador.

– Sim! – O ladrão sorriu, os lábios finos deixando à mostra dentes amarelados.

A raiva tomou conta do rosto do jovem escocês. Ele sabia que não devia se meter. Fora-lhe confiada uma missão importante, e ele prometera não se atrasar, mas havia sido criado dentro de um rígido código de honra, que incluía proteger os mais fracos e respeitar os mais velhos. Mantendo-se próximo à parede, ele avançou com presteza, sem que seus sapatos de sola de couro já gasta fizessem qualquer barulho sobre os paralelepípedos.

– Eu mandei *esvaziar os bolsos.* – O ladrão jogou a bolsa de lado e inclinou sobre o homem estendido no chão.

De repente, um grito cortou o ar; um rosnado gutural que espantou o bandido, paralisando-o. Do canto do olho, pôde perceber apenas um vulto rápido antes de um golpe forte atingir-lhe a lateral, arremessando-o contra a parede do beco. Bateu a cabeça nas pedras antigas, e pontos azuis e vermelhos de uma luz fria dançaram diante de seus olhos conforme ele caía de joelhos. O ladrão piscou e viu a figura de saia vermelha – ou melhor, de *kilt* – entrar em foco. Lutando para se levantar, lançou um soco desequilibrado, mas algo o atingiu bem no meio do peito, levando-o a cair sentado violentamente, as costas se chocando contra o calçamento.

– Se sabe o que é bom para você, vai sair correndo agora. E não vai olhar para trás.

Apesar de o escocês ter praticamente sussurrado, a ameaça era clara.

Encurvado e com ambos os braços cruzados sobre o peito dolorido, o ladrão recuou, virou-se e saiu correndo.

O escocês se ajoelhou, estendendo a mão para ajudar o velho a se sentar com cuidado.

– Você se feriu?

– Só o meu orgulho... e a minha calça. – O velho grisalho fez força para se levantar, afastando o cabelo da testa. – E meus pobres livros.

Ele agiu como se fosse pegá-los, mas o escocês já começara a retirá-los do chão.

– Você é muito corajoso – elogiou o homem, a voz grave ecoando pelas paredes do beco.

– Bem, eu não podia simplesmente continuar andando, podia?

– Sim, você podia. Os outros continuaram. – O velho estendeu a mão, coberta com uma luva de couro. – Obrigado, muito obrigado.

Ele sorriu sob o cavanhaque elegante e grisalho, os olhos escuros e curiosos por baixo de grossas sobrancelhas.

– Sou o professor Thascalos.

– Sou Jamie, Jamie McCrimmon.

– Escocês. Bem que achei ter reconhecido um grito de guerra gaélico. *Creag an tuire.* O que quer dizer? "A pedra do javali"?

Jamie entregou-lhe os livros.

– Você está dizendo que não foi o *kilt* que me entregou? – perguntou o jovem, dando um sorriso.

O velho riu.

– A moda de hoje em dia – respondeu ele dando de ombros. – Quem vai entender o que vocês, jovens, estão vestindo?

Jamie pegou a bolsa e segurou-a aberta enquanto o professor limpava cuidadosamente cada um dos livros, recolocando-os lá dentro. Algumas das capas haviam amassado e rasgado ao caírem nas pedras, e uma delas se soltara completamente.

– Você serviu no exército? – perguntou o professor.

Jamie balançou a cabeça.

– Na verdade, não.

– Mas reagiu como um soldado – observou o professor Thascalos. – Um grito no último segundo para desorientar o adversário, seguido de um ataque avassalador. Só se aprende isso com experiência. Você decerto já esteve em batalha.

O jovem escocês assentiu timidamente.

– Ah, bem, faz bastante tempo – comentou, de repente revelando um forte sotaque. – E não terminou nada bem.

Jamie não ia contar ao professor que a última batalha na qual esteve envolvido ocorrera havia mais de 220 anos. Ele entregou o último livro ao professor.

– Ficaram muito danificados?

– Os mais estragados podem ser reencadernados. Eu não deveria ter entrado neste beco, mas estava pegando um atalho para chegar à minha loja. Sou vendedor de livros na Charing Cross Road – acrescentou o velho, e então pegou a bolsa com os livros. – Mas isso você provavelmente já percebeu.

– Percebi – concordou Jamie sorrindo. – Vai prestar queixa à polícia?

– Claro.

– Já que está tudo bem com você, vou seguir meu caminho.

O professor enfiou a mão no bolso e retirou a carteira.

– Bem, deixe-me lhe dar algo...

Ele parou ao notar o olhar no rosto de Jamie.

– Nada de dinheiro então, mas olha... – Vasculhando a bolsa, ele achou um pequeno livro, envolto em um lenço negro de seda.

– Não quero ser pago...

– Não é pagamento, é um presente – insistiu o vendedor de livros. – Um muito obrigado.

Ele entregou o pacote a Jamie, que o pegou e o examinou com suas mãos grandes, desdobrando o lenço e passando o dedo sobre a figura gravada na capa de couro escuro.

– Parece bem velho.

– E é. É um dos livros mais antigos que possuo.

Jamie o abriu. As páginas grossas eram cobertas por letras espessas impressas em tinta negra, em uma língua que parecia ser alemão.

– Deve ser bem valioso.

– E é – repetiu o professor. – Mas quero que você fique com ele. Você salvou minha vida hoje, meu jovem – concluiu o professor pesarosamente. – É o mínimo que posso lhe oferecer.

– Não consigo ler o que está escrito.

– Poucas pessoas conseguem. Mas guarde-o. Você sempre poderá dá-lo de presente a alguém que talvez vá apreciá-lo.

Ele estendeu a braço e apertou a mão de Jamie.

– Já o atrasei demais e roubei muito do seu tempo. Muito obrigado. Você honra o seu clã. – O professor se afastou um pouco, ajeitou a bolsa no ombro e então virou, seguindo adiante pelo beco. Ele levantou a mão enluvada e sua voz ecoou nas pedras. – Cuide-se, Jamie McCrimmon. Aproveite seu livro.

Então dobrou a esquina e sumiu de vista.

Jamie fitou o livro negro, esfregando os polegares na capa. O couro parecia oleoso e levemente úmido. Supôs que tivesse caído em uma poça. Levou-o ao nariz e cheirou lentamente. Achou ter sentido um tênue odor de peixe e maresia nas páginas. Dando de ombros, voltou a embrulhá-lo no lenço, prendeu-o no cinto e partiu apressado. Talvez o Doutor gostasse do livro.

O professor Thascalos parou ao final do beco. Pôde escutar os passos de Jamie se afastando na direção oposta. Thascalos virou a cabeça para olhar a figura enorme à espreita na escuridão. O ladrão de cabelos ensebados deu um passo à frente, a boca aberta em um sorriso com dentes faltando.

– Você fez tudo certo – disse o professor calmamente, retirando um maço de dinheiro do bolso do sobretudo. – Combinamos cinquenta, mas lhe darei sessenta. – Ele desenrolou seis notas de dez libras do bolo e estendeu-as para o ladrão. – Um bônus por ter apanhado.

O homem olhou para o grosso maço de notas e umedeceu os lábios.

– Você está pensando besteira agora – disse o professor mantendo a calma, seu rosto transfigurando-se numa máscara implacável. – Pensamentos perigosamente estúpidos – acrescentou com frieza.

O ladrão olhou no fundo dos olhos escuros do professor, e o que quer que ele tenha visto fez com que desse um passo cauteloso para trás.

– Sim... Sim. Cinquenta. E um bônus. Muito generoso. Obrigado.

– Bom rapaz. Agora, vá embora. – O professor jogou a bolsa de livros para o grandalhão. – Tome, livre-se disto para mim.

– Achei que fossem valiosos.

– Apenas um – murmurou o professor para si mesmo, olhando na direção do beco. – De valor inestimável.

Entrando na penumbra, Thascalos observou o ladrão misturar-se a multidão que passava, sem ser notado. Então retirou um fino cilindro de metal do bolso, girou-o no sentido anti-horário e aproximou-o dos lábios.

– *Está feito* – disse em uma língua não ouvida na Terra desde a queda de Atlântida. – *Completei minha parte do acordo. Acredito que, quando chegar a hora, você honrará a sua.*

Uma breve música etérea ressoou pelo ar.

O professor fechou o cilindro e partiu com um sorriso sinistro nos lábios.

2

Havia uma cabine azul de polícia nos fundos da National Portrait Gallery, quase na direção oposta da estátua de Henry Irving. Nenhum dos turistas perdia tempo para olhar, ainda que alguns comerciantes locais tenham ficado um pouco perplexos com sua aparição súbita. Recentemente, fora anunciado que as cabines de polícia de Londres seriam desativadas e destruídas.

Jamie McCrimmon desacelerou o passo ao contornar a esquina da galeria e então parou. Havia turistas por todos os lados; alguns até mesmo tiravam fotos com a cabine azul como pano de fundo. Uma família de turistas, que só podia ser americana, em suas camisas floridas, bermudas combinando e sandálias estava bem na frente da porta.

– Ah, aí está você!

Jamie deu meia-volta.

O Doutor estava atrás dele, com sua costumeira aparência amarrotada e desgrenhada. Polly, uma das companheiras do Doutor que o conhecera antes da *regeneração*, certa vez o descrevera como "uma cama desarrumada". Jamie achava que era uma boa descrição. O denso emaranhado de cabelos pretos do Doutor estava despenteado, a gola, amassada, e a gravata-borboleta, levemente torta. Ele vestia uma casaca negra que saíra de moda décadas atrás e uma calça xadrez nas cores preta e branca que conseguia ao mesmo tempo ser larga e curta demais. Era impossível adivinhar a idade dele: parecia estar em seus quarenta anos, mas o escocês sabia que o Doutor tinha pelo menos quinhentos anos. Jamie ainda não decidira se achava que ele era um gênio ou um louco. Ou ambos.

O Doutor lambia um sorvete de casquinha.

– O que fez você se atrasar?

– Houve um pequeno contratempo... – Jamie começou a se explicar.

– Você conseguiu tudo da minha lista?

– Nada – admitiu Jamie, pesaroso. – Fui a todos os químicos que encontrei, e nenhum deles sequer ouviu falar naquele troço da sua lista, só em ouro e mercúrio.

O Doutor mordeu a parte de cima da casquinha.

– Então temos um problema – retrucou, linhas profundas marcando seu rosto ao franzir a testa. – Um problema sério.

Jamie assentiu, apontando com a cabeça na direção da cabine de polícia.

– Eu sei. Como vamos entrar?

Sem dizer nada, o Doutor entregou a casquinha mordida a Jamie. Enfiou a mão no bolso e tirou uma delicada flauta doce de madeira decorada com espirais azuis.

– Quando eu disser "corra", *corra* – instruiu ele. – Ah, e talvez seja melhor enfiar os dedos nos ouvidos – acrescentou, levando a flauta doce aos lábios.

Mesmo com os dedos enfiados nos ouvidos, e com sorvete gelado pingando no pescoço por conta da casquinha que segurava, Jamie ainda podia escutar a vibração do som no ar.

A pressão aumentou nos ouvidos e até os nervos de seus dentes protestaram. Pássaros aninhados em árvores e ciscando no chão voaram rapidamente em uma explosão de asas batendo.

– Corra! – ordenou o Doutor. Ele disparou, a cabeça inclinada na direção do céu, o dedo apontado para cima. – O que é aquilo? – gritou. – Ali... Tem uma logo ali.

Todos olharam para cima, na direção dos pássaros que cruzavam o céu de um lado para outro em disparada.

O Doutor abriu caminho em meio aos turistas, postou-se diante da cabine policial e destrancou a sua porta. Abriu-a apenas o suficiente para que pudessem entrar e fechou-a assim que Jamie conseguiu se espremer para dentro.

– Não queremos ninguém olhando, não é? – O Doutor sorriu e bateu palmas em sinal de deleite. – Está vendo? Simplicidade! Uma boa distração resolve quase tudo.

Não importava quantas vezes ele tivesse viajado naquela máquina extraordinária, Jamie sabia que jamais se acostumaria à ideia de que a nave do Doutor – a TARDIS – era maior por dentro do que aparentava ser por fora. Ele não fazia ideia de quantas salas, quartos, galerias, museus e bibliotecas estavam abrigados dentro daquela incrível nave. Supunha-se que havia até uma piscina olímpica em algum lugar do porão, mas Jamie jamais conseguiu encontrá-la. O rapaz interrompeu seus devaneios de repente, quando se deu conta de que o belo e ornado painel de controle central, que estava no centro da máquina, havia sido desmantelado, os pedaços espalhados por toda a sala hexagonal. O chão estava coberto por pedaços de fio, painéis de vidro e centenas de peças mecânicas de formato esquisito.

O Doutor atravessou toda aquela bagunça cuidadosamente.

– Não toque em nada – advertiu ele. – Sei exatamente onde tudo está. – O pé dele esbarrou em um cilindro achatado de metal, que girou até uma pequena pirâmide de rolamentos, espalhando-os em todas as direções, ricocheteados ao redor da sala. – Bem, quase tudo.

– Você pode consertar, não? – perguntou Jamie, cautelosamente. Quando saíra algumas horas antes, o Doutor estava deitado no chão, com a cabeça enfiada dentro do painel de controle, assobiando para si mesmo.

O Doutor estava no meio da bagunça e abriu os braços.

– Não desta vez. Acho que estamos presos – disse com pesar. – O Rotor Temporal está danificado. Eu não arriscaria retornar à corrente do tempo nessas condições.

Jamie passou por cima de uma bobina de cabo, que se contorceu pelo chão tentando segui-lo. Certa vez, o Doutor lhe explicara que essas naves não eram construídas, mas cultivadas, e eram sencientes de uma forma particular.

– Presos. Quando você diz presos...

– Quero dizer presos. Incapazes de sair daqui. Aprisionados. – O humor do Doutor mudou de repente. – Você tem certeza de que não conseguiu achar nada da minha lista? – perguntou ele, demonstrando irritação.

– Nada – assegurou Jamie, e contornou cuidadosamente um emaranhado de fios cheio de minúsculas pedras brilhantes.

– Não podemos comprar o ouro? – inquiriu o Doutor, distraído.

Jamie retirou a lista escrita a mão de uma de suas mangas e a desdobrou.

– *Uma tonelada de ouro* – leu. – Doutor, a menos que roubemos o Banco da Inglaterra, nunca vamos conseguir uma tonelada de ouro. E mesmo que tentemos o mercado negro, custaria uma fortuna. Conferi hoje de manhã no *Financial Times.* O preço do ouro é de trinta e sete dólares americanos por onça. Não faço ideia de quantas onças há em uma tonelada...

– Trinta e duas mil – respondeu o Doutor de pronto. Jamie tentou fazer as contas de cabeça e não conseguiu.

– Um milhão, cento e oitenta e quatro mil dólares – disse o Doutor, exasperado. – Você não aprendeu nada na escola?

– Eu nunca fui à escola.

– Ah. – O Doutor ficou envergonhado. – Não, é verdade. Como sou tolo. – Ele apontou na direção do teto. – Dinheiro não é problema. Tem bastante lá em cima, em um dos quartos. E há diversas joias que podemos vender. Ainda tenho as que Tutankamon me deu. Eu nunca vou usá-las. – Ele apertou uma mola com o pé. Ela saltou um metro no ar, chocou-se contra a parede e rolou pela sala. – Ó vida, ó vida.

O Doutor tamborilou delicadamente a mão sobre o painel de controle desmontado, então virou, apoiando-se contra o console, e se deixou cair devagar ao chão, com as pernas esticadas diante de si.

– Não há muito que eu possa fazer por esta velha garota. Posso juntar suas peças de volta, mas, para que se cure, ela precisa do equivalente a uma transfusão de sangue: ouro, mercúrio e Zeiton-7.

– Ninguém nunca ouviu falar nesse Zeiton-7 – interveio Jamie, observando a lista mais uma vez. Ele sentou-se no chão, ao lado do Doutor. – Você não consegue... Sei lá, fazer alguma coisa?

– Sou um doutor, não um mago. – O Doutor olhou a sala de controle à sua volta e balançou a cabeça negativamente. – Estamos presos em Londres, Jamie. Ficaremos presos para sempre neste lugar e nesta época – acrescentou ele, com calma. – E havia tanto que eu queria ver e fazer, tanto que eu queria lhe mostrar.

Eles ficaram sentados em silêncio por muito tempo. Jamie mudou de posição no chão duro e desconfortável e sentiu algo. Enfiou a mão no cinto e os dedos tocaram na seda que envolvia aquele pequeno e estranho livro.

– Tenho um presente para você – disse, recordando de repente. – Talvez isso o anime.

O Doutor olhou para ele.

– Gosto muito de presentes. – Ele franziu a testa. – Sabia que há muito tempo ninguém me dá um presente? Bem, não desde o meu tricentésimo aniversário, ou teria sido o meu quadringentésimo? O que é isso?

– Bem, ganhei como recompensa por algo que fiz de manhã. É um livro, e sei que você gosta de livros. Parece ser bem antigo, pelo que me contaram.

– Um pouco como eu – disse o Doutor, sorrindo. – Envelhecido, como um bom vinho.

– Ou um queijo mofado – murmurou Jamie com um sorriso brincalhão. – Aqui, quero que fique com ele.

Ele retirou o livro de seu embrulho de seda e entregou-o. O couro parecia levemente engraxado e aquecido. Os longos dedos do Doutor envolveram a capa preta desgastada. Quase que imediatamente, seus polegares começaram a traçar o desenho em relevo.

– Interessante. O que é isso? – pensou em voz alta, inclinando a capa contra a luz. – Parece um tipo de cefalópode...

– Cefloquê?

– Um polvo. – Apoiando o livro contra os joelhos, o Doutor abriu na folha de rosto, as páginas grossas crepitando ao serem viradas. – Não reconheço a língua – murmurou, o indicador acompanhando letra por letra. – Parece sumério, mas isto aqui é certamente um dos escritos vedas, enquanto este outro é rongo-rongo da Ilha de Páscoa. Não, não. Estou errado. É mais antigo, bem mais antigo. Onde você disse que conseguiu isso? – Mas antes que seu companheiro pudesse responder, o indicador do Doutor, que acompanhava as palavras no meio da folha de rosto, parou, e ele leu em voz alta: – *Necronomicon*...

Com um grito de puro terror, o Doutor atirou o livro longe.

– O *Necronomicon*.

Em algum lugar abandonado no tempo, no coração de uma pirâmide de vidro negro incrivelmente alta, essas palavras ressoaram como um sino.

– O *Necronomicon*.

O som reverberou pelo ar, fez com que o vidro vibrasse e criou uma música delicada e etérea.

Três vultos sinuosos, envoltos em longas tramas de sombra irregular, surgiram de uma piscina prateada, se contorcendo pelo ar rarefeito, movendo-se ao som da tênue canção. Mais dois pares se soltaram dos quatro pontos cardeais da treva profunda, e se juntaram à intrincada dança aérea. Os sete vultos se enrolaram uns aos outros, dobrando e se curvando para formar padrões misteriosos e belamente ornamentados, antes de enfim se consolidarem em um círculo preto perfeito. As paredes espelhadas da torre e o piso davam à escuridão uma aparência viva, como olhos gigantescos arregalados.

– O *Necronomicon*.

– Ah, Jamie, o que você fez? – perguntou o Doutor com a voz embargada.

– Não sei... Quer dizer, é apenas um livro.

– Ah, mas é muito, muito mais que um simples livro.

O Doutor e Jamie encararam o volume de capa de couro no chão. Em meio a um emaranhado de fios e peças, ele pulsava em ritmo lento e constante.

– É como um coração batendo – sussurrou Jamie. – Doutor, eu não... não sei, eu só... – O jovem escocês estava confuso. Ele se inclinou para a frente – Quer que eu o jogue fora?

O Doutor levantou a mão.

– Não toque nisto! – retrucou bruscamente. – Se você preza sua vida e sua sanidade mental, jamais o tocará de novo.

Ele abriu e fechou a mão direita. A ponta dos dedos com os quais tocara o livro estavam feridas e escurecidas.

De uma hora para outra, a capa do livro começou a piscar com uma fraca luz vermelha, e finas linhas brilhantes cobriram de tentáculos a criatura gravada no couro negro. A pesada capa se abriu e as páginas grossas começaram a virar sozinhas, como se sopradas por um vento imperceptível. O livro parou em uma página ilustrada em preto e cinza com pirâmides estreitas e torres. Abruptamente, uma série de pequenas luzes douradas – como janelas – apareceram na imagem. Uma centelha saltou das páginas e caiu nos fios que aninhavam o livro. Uma segunda centelha – parecida com uma pequena brasa amarelada – elevou-se e permaneceu suspensa no ar, antes de tomar a forma de uma teia de fios prateados no chão. Imediatamente, a teia se retorceu e tremeu, pulsando em vermelho e preto. Então uma fonte de fagulhas irrompeu do livro e começou a se espalhar pelo chão, quicando como pequenas contas em chamas. Os fios se mexeram com a onda de força; porcas e engrenagens giraram por conta própria.

E então o painel de controle tossiu.

Era um barulho quase humano, uma mistura de suspiro e um arquejo.

– Ah, não não não não não não... – O Doutor se pôs de pé e alcançou a alavanca no centro do console.

Ele puxou com força – e ela se soltou em sua mão. O Doutor olhou para a peça, estupefato.

– Ah! Bem, isso nunca aconteceu antes.

A TARDIS respirou novamente: uma arfada áspera.

O Necronomicon havia se tornado um retângulo de centelhas em brasa e o ar em geral seco e levemente mofado da TARDIS foi tomado por um cheiro desagradável de peixe podre.

– O que está acontecendo, Doutor? – perguntou Jamie.

Ele observava de olhos arregalados toda a confusão de fios, porcas, parafusos e engrenagens desmontadas sendo tragada de volta para o painel de controle central, como se as peças estivessem sendo atraídas por um campo magnético. Jamie desviou do caminho de um fio que foi sugado para baixo do painel, se contorcendo como uma cobra.

– Doutor? – gritou.

Mas o Doutor era incapaz de falar. A sala se enchera de componentes que voavam na direção da unidade de controle. Ele pareceu dar um passo de dança quando um grosso tubo de metal veio em disparada na direção dele, mergulhando para o interior do console. Fumaça negra tomava conta da sala.

– Acho que está tudo bem – respondeu o Doutor, tão logo cessou toda aquela agitação. Ele sorriu de nervoso, balançando a cabeça. – Por um momento, achei que íamos decolar – acrescentou ele, a voz trêmula –; mas, como estamos sem energia, de modo algum poderíamos...

As luzes da TARDIS piscaram, apagaram e se acenderam intensamente. E a nave chiou mais uma vez. Uma inspiração seca e áspera, seguida por uma expiração sussurrada. E, de novo, dessa vez mais depressa. E então um som familiar e inconfundível. A TARDIS estava decolando.

– Impossível – gritou o Doutor.

– Você não disse que estávamos presos aqui?

O Doutor apontou a mão na direção dos fios remanescentes no chão.

– E estamos. Não deveríamos ser capazes de ir a lugar algum. Não deveríamos poder sair daqui.

As luzes tornaram a escurecer e todos os mostradores do console se acenderam com um brilho verde estranho e macabro. Uma leve vibração reverberou pelo chão.

Jamie sentiu uma variação no ouvido interno e de repente uma pressão no estômago.

– Estamos em movimento – afirmou ele.

– E rápido. – O Doutor colocou a ponta dos dedos sobre o painel de metal, sentindo sua vibração. – Muito rápido. Gostaria de saber para onde estamos indo.

Ele olhou o livro no chão. As centelhas haviam cessado e o livro se fechara. Da capa saía uma fina fumaça cinza. As bordas das páginas estavam chamuscadas, mas fora isso o livro parecia não ter sofrido qualquer dano. O Doutor não fez qualquer menção de mexer naquilo.

– Onde você conseguiu esse livro, Jamie?

– Tentei contar para você. Salvei um velho senhor de um assalto. Bem, talvez ele não fosse tão velho. Ele me deu o livro como recompensa. Eu disse a ele que não conseguiria lê-lo...

– E ele lhe sugeriu dá-lo de presente.

Jamie assentiu, e perguntou:

– Foi tudo planejado, não?

– Sim, foi.

– Você faz ideia de quem pode ter sido?

O Doutor deu de ombros.

– Quando você já viveu tanto tempo quanto eu, é normal fazer alguns inimigos. – Ele apontou o livro com a cabeça. – Mas poucos são os que têm tamanho poder. Contudo, tenho um que sempre foi fascinado por esse terrível livro. – Uma pequena pontada de pesar pôde ser notada na voz do Doutor. – Não o encontro há muito tempo. O Necronomicon é o Livro dos Nomes Mortos. Uma coletânea de conhecimentos sombrios e sinistros. E é... bem antigo.

– Até mais velho que você? – perguntou Jamie, dando uma risadinha.

– Mais velho que a Terra. Mais velho até que meu planeta natal. Mais velho que a maioria dos sistemas solares. Foi escrito por uma das raças que governavam a galáxia em um passado muito remoto. É o compêndio completo de todo o conhecimento dela e fala dos Tempos antes do Tempo.

– E essa raça, creio que vocês não sejam amigos, certo? – perguntou Jamie em voz baixa.

– Ah, esses indivíduos estão extintos há muito tempo. Eles existem apenas nas memórias de meia dúzia de mundos espalhados por aí, onde ainda são louvados como deuses. E eu luto contra seus adoradores – acrescentou o Doutor calmamente. – Eles não vão muito com a minha cara.

– Você faz ideia de para onde estamos indo?

– Nenhuma. – O Doutor se ajoelhou e observou bem de perto o livro fumegante, o que fazia suas narinas arderem. – Tem cheiro de poder antigo e segredos macabros. – Ele se sentou, batendo as mãos para limpá-las. – Reluto em voltar a colocar minhas mãos nisso novamente. Está claro que foi o meu toque que o ativou.

– Eu consegui mexer nele.

– Mas você é apenas um humano. Diga-me, quando lhe deram o livro, ele estava embrulhado em algo?

Jamie colocou a mão no bolso do *sporran* e timidamente estendeu o lenço negro de seda.

O Doutor se inclinou para a frente até seu nariz quase tocar o tecido. Ele inspirou profundamente e fechou os olhos.

– Ah, esse odor me é familiar. Esse velho era alto, de olhos escuros, cavanhaque grisalho e luvas negras.

– Sim, ele mesmo. E as luvas, sim, ele usava luvas. O nome dele era professor Tas... Tascal?

– Thascalos – sussurrou o Doutor.

– Isso mesmo. Quem é ele?

– Alguém que eu não encontro há muito tempo. Mas pelo menos agora sabemos para onde estamos sendo levados – disse o Doutor com a voz grave.

– Para onde?

O Doutor dedicava toda a sua atenção em embrulhar cautelosamente o livro fumegante com o lenço negro.

– Para o nosso fim, Jamie. Para o nosso fim.

E o livro pulsou junto com as palavras do Doutor.

3

– Parece que estamos viajando há dias – resmungou Jamie.

– Oito horas na contagem de tempo humana – respondeu o Doutor, sem desviar o olhar de um pequeno globo que parecia uma lâmpada aumentada, enquanto cuidadosamente enrolava dois fios, um dourado e outro prateado, em sua base.

– Achei que a TARDIS pudesse se locomover instantaneamente para qualquer lugar do tempo ou espaço.

– Ela pode, e normalmente consegue.

– Então por que está demorando tanto?

– Em todo o nosso tempo juntos, nunca viajamos para tão longe. – O globo brilhou, apagou e acendeu. – Ah, funcionou! Você sabia que eu sou um gênio?

– É o que você vive me dizendo. – O globo emitia uma pálida luz azul. O Doutor o encarava intensamente, girando-o devagar entre os dedos. – Consegui conectar isso aqui aos sensores tempo-espaciais do exterior. Agora, vejamos...

O globo se tornou negro por um momento e então ficou repleto de pontos prateados. Uma faixa de névoa branca apareceu ao longo do centro.

O Doutor arquejou, aterrorizado:

– Ah, pela madrugada! Porcaria!

– O que foi? O que você está vendo? – perguntou Jamie, tentando enxergar a imagem.

– Isto! *Isto aqui!* – O Doutor apontou para o globo.

Jamie observou, dando de ombros.

– Os pontos são estrelas – explicou o Doutor, exasperado.

– E a linha branca cortando o meio... – complementou Jamie, mas prontamente ele percebeu a resposta da sua pergunta. – É a Via Láctea.

– Sim.

– Ela parece bem distante.

– Parece porque está.

Enquanto falavam, a nuvem alongada da distante Via Láctea se esmaecia até desaparecer na escuridão do espaço. Então, uma a uma, as estrelas foram se apagando até que nada restou além da completa escuridão.

– Parou de funcionar? – perguntou Jamie.

– Não – respondeu o Doutor em um tom sombrio. – Ainda está funcionando.

– Mas o que aconteceu com as estrelas?

– Elas se foram. Estamos seguindo rumo ao limite do espaço.

Uma explosão repentina acordou Jamie, e ele percebeu que havia adormecido de exaustão em meio a um emaranhado de fios. O interior da TARDIS estava repleto de uma fumaça branca tóxica. Tossindo, ele se pôs de pé e outra detonação arrancou um painel do teto, que ficou pendurado por um emaranhado de longos tubos transparentes. O Doutor estava deitado sob o painel de controle central, e Jamie pôde escutar aquilo que o Doutor chamava de chave de fenda sônica. O rapaz não sabia ao certo para que ela servia, mas tinha certeza de que não funcionava como uma chave de fenda.

Então os mostradores do console se acenderam com uma luz azul-esverdeada, e começaram a piscar como se estivessem dançando.

– É você que está fazendo isso? – perguntou Jamie.

– Fazendo isso o quê? – A voz do Doutor saiu abafada e distorcida. Jamie supôs que ele estivesse segurando a chave de fenda sônica por entre os dentes.

Uma chuva de centelhas multicoloridas pipocou por todo o painel de controle. Dois dos mostradores borbulharam e derreteram.

– Incendiando o painel! – gritou Jamie, afastando-se.

O Doutor saltou de baixo do console e se levantou. Pulando de um pé para o outro, ele abanava as chamas azul-esverdeadas que subiam pelos mostradores com as mãos. Jamie reapareceu com um extintor de incêndio vermelho bojudo, estampado com os dizeres *Propriedade do Metrô de Londres.*

– Não... – guinchou o Doutor.

– Sim!

Apontando o bocal para as chamas, Jamie apertou o gatilho e encharcou o painel de controle. Uma imensa labareda alcançou o teto, onde foi engolida por uma espessa nuvem branca de vapor. Quando a fumaça dispersou, o painel era uma catástrofe enegrecida.

– Veja só o que você fez – acusou o Doutor. – Você estragou tudo!

– Estragar? Eu não comecei o incêndio...

Repentinamente, o Doutor levantou a mão e girou para o outro lado.

– Você está escutando? – sussurrou.

– Não escutei nada – respondeu Jamie, olhando ao redor.

– Exato. – O Doutor virou-se de volta para Jamie. – Aterrissamos – declarou em tom grave.

4

– Parece com todos os outros planetas rochosos e inóspitos que já pousamos – murmurou Jamie. Ele deu uma olhada pela porta da TARDIS, usando uma máscara de respiração no rosto.

O Doutor passou por ele e pisou na areia negra e ondulada que se estendia ao redor.

– Ei, como você sabe se é seguro respirar? – A voz de Jamie saiu abafada por causa da máscara.

– Não sei. Mas aposto que não fomos trazidos até aqui para morrermos sufocados. – Colocando as mãos no quadril, o Doutor inclinou a cabeça para trás, examinando o céu noturno.

Jamie removeu a máscara e inspirou rapidamente. O ar era seco e amargo, com um tênue odor de ovos podres.

– Enxofre – afirmou o Doutor, respondendo à pergunta que o escocês estava prestes a fazer.

– Detesto quando você faz isso – resmungou Jamie. Colocando-se ao lado do Doutor, ele também olhou para cima. Pouquíssimas estrelas eram visíveis, e elas eram pouco mais que pequenos pontos ao longe. Surgindo no horizonte havia uma tênue faixa vertical de estrelas. – Lá está a Via Láctea – disse, espantado. – Mas devo estar errado – acrescentou, meneando a cabeça para o lado. – Ela não tem essa aparência.

– Parece que viajamos para bem longe – comentou o Doutor, olhando ao redor. Ele cruzou os braços e um calafrio percorreu-lhe o corpo. – Estamos no limiar do espaço conhecido, em um lugar chamado de a Grande Desolação.

– Meu palpite é que esse é um daqueles lugares de onde ninguém jamais retornou, certo? – perguntou Jamie.

– Ninguém – respondeu o Doutor. – Este é o lugar aonde os mitos vêm para morrer.

⋆ ⋆ ⋆

Um som vindo do coração silencioso da pirâmide reverberou pelas paredes inclinadas de vidro negro.

Lento e profundo, o barulho passou pela piscina circular prateada, alcançou o piso e fez o fluido estremecer. Uma série de espessos círculos concêntricos se espalhou pela superfície, e então uma forma surgiu, elevando-se na escuridão. Com a cabeça coberta por um capuz e vestindo uma capa cinza que pingava, a ela se juntaram uma segunda e terceira figuras, então o líquido prateado começou a borbulhar conforme outras quatro figuras surgiam de dentro dele. Formando um V irregular, as sete figuras ficaram de frente para a única entrada da pirâmide.

O barulho ressoou novamente, cada vez mais alto e intenso, até se tornar distinguível: uma risada – insana e malévola.

– Este planeta é habitado? – perguntou Jamie.

O Doutor estava debruçado no chão, estudando intensamente a areia com uma enorme lupa.

– Incrível – disse, levantando a vista. – Habitado? Talvez tenha sido, mas não mais. Este mundo é tão antigo que mal dá para calcular. – Ele apalpou o chão e uma nuvem de partículas finas se levantou, envolvendo sua cabeça. – Esta areia tem a consistência de talco – informou ele, tossindo. – Boa parte já virou pó. Por que a pergunta?

Agachado na parte mais alta de um pequeno monte, Jamie apontava.

– Bem, a menos que eu esteja bem enganado, estou olhando para uma cidade.

O Doutor se pôs de pé e espanou a poeira de si.

– Bobagem. Este lugar está desabitado há éons. Provavelmente é apenas uma cordilheira de formato esquisito. Ah! É uma cidade!

Jamie mordeu os lábios e não disse mais nada.

O Doutor enfiou a mão no bolso, retirou uma luneta de latão e ajustou o foco.

– É uma cidade – repetiu.

– Por que é tão brilhante?

– É feita de vidro negro – explicou o Doutor, entregando o telescópio ao rapaz.

Jamie levou o instrumento ao olho. A paisagem urbana entrou em foco: uma vasta metrópole de enormes e pontiagudos prédios de vidro escuro contra um céu sem estrelas, cada prédio entalhado com o que pareciam ser fios de ouro. Eram altos e esguios, triangulares e pontudos, alguns deles dobrados em ângulos esquisitos e irregulares. Jamie não podia ver janela alguma. O jovem escocês afastou a luneta do rosto quando a imagem começou a perder nitidez e embaçou. Ele piscou com força, os olhos lacrimejando.

– É difícil ficar olhando.

O Doutor assentiu.

– Ela foi construída por criaturas que não viviam totalmente nesta dimensão.

– Você já a viu antes?

– Não. Duvido que qualquer criatura viva atualmente tenha visto este lugar. Meu povo contava histórias sobre ele. É a Cidade Sem Nome: o lar dos Archons.

– Amigos...? – sugeriu Jamie, esperançoso.

– Inimigos de toda e qualquer criatura viva. – O Doutor pegou a luneta e tornou a usá-la. – Não consigo enxergar qualquer sinal de vida – murmurou, levando a luneta ao lábio inferior. – Acho que me lembro de algo sobre a Cidade Sem Nome. – Ele balançou a cabeça. – É um inferno ter uma memória como a minha: ter visto e ouvido tanta coisa e não conseguir se lembrar de tudo.

– Será que há algo sobre ela na biblioteca da TARDIS? – perguntou Jamie.

– Ah! A biblioteca! Você é um gênio, Jamie, um gênio! Se eu puder ativar os arquivos da TARDIS, tenho certeza de que terá algo sobre a Cidade Sem Nome.

Ele entregou a luneta a Jamie antes de virar e disparar de volta para a nave.

Jamie estava prestes a segui-lo quando viu movimento a distância: uma nuvem negra em forma de redemoinho vinda da cidade.

– Doutor, acho que teremos companhia em breve.

Ele apontou a luneta na direção da nuvem que se aproximava depressa, mas só conseguiu ver espectros na escuridão. Nenhuma das formas aparentava ser humana.

O escocês bateu com a mão na lateral da TARDIS e colocou a cabeça pela porta aberta.

– Doutor, tem algo vindo para cá. Precisamos partir agora!

O Doutor estava inclinado sobre o console, entrelaçando desesperadamente um punhado de fios.

– Mais um minuto! Preciso apenas mandar um pouco de energia para a biblioteca. Lembro vagamente de já ter lido algo sobre a Cidade Sem Nome.

– Não temos um minuto.

Jamie olhou por cima do ombro. A nuvem se aproximava, e ele pôde entrever um tênue brilho refletido: armas!

– Agora, Doutor. Agora! – gritou Jamie, correndo para dentro da TARDIS.

– *A-Ci-da-de-Sem-No-me.* – Grave e ríspido, o som repentino pegou o Doutor e Jamie de surpresa. As sílabas bem marcadas ecoaram pelo interior da TARDIS.

– *A Cidade Sem Nome.*

O Doutor tentou forçar uma risada.

– Nossa, levei um susto. A voz da TARDIS normalmente é feminina.

Ele enrolou um fio do emaranhado sobre o console queimado, retirou sua chave de fenda sônica do bolso e voltou a atenção para os outros fios. A chave de fenda sônica chiou e de repente surgiu um cheiro de borracha queimada e metal derretido.

– *A Cidade Sem Nome.* – A voz começou grave e lenta, então acelerou até a velocidade normal, tornando-se suave e inconfundivelmente feminina. – Lar dos Archons...

– Pare – ordenou o Doutor. – Não queremos saber a história dos Archons. Por que a Cidade Sem Nome é tão importante? Por que o nome me soa familiar?

Sem tirar os olhos da porta, Jamie se aproximou do Doutor.

A voz feminina continuou:

– *A única menção à Cidade Sem Nome consta no Necronomicon, o Livro dos Nomes Mortos. A partir da Música das Esferas, os Archons construíram sua cidade sobre uma piscina de ouro, cercada por canais de mercúrio e Zeiton-7.*

O Doutor cravou os dedos nos braços de Jamie.

– Então é isso! É a nossa chance de voltar para casa.

– Mas como?

– A TARDIS não é uma simples máquina – retrucou o Doutor. – Os antigos modelos TT Tipo-40 Mark-III são orgânicos; são cultivados, não construídos. Se pudermos levar esta garota esperta até a cidade, podemos tratá-la com ouro, mercúrio e Zeiton-7. Daí em diante é por conta do mecanismo autorreparador. – O Doutor bateu palmas. – Ela vai ficar novinha em folha. – Ele ergueu o olhar para o monitor. – Qual a localização exata do mundo dos Archons?

– *O lar dos Archons está na Lista Proibida. Os dados foram suprimidos dos registros.*

– Por quê? – perguntou Jamie em voz alta.

– Essa é a grande questão, meu caro amigo escocês. – O Doutor apontou a porta com a cabeça. – Vá e veja se nossos amigos estão chegando.

Jamie correu até o lado de fora e deu de cara com um enorme espectro negro.

– Doutor...

O grito de alerta de Jamie foi interrompido por três enormes garras que seguraram seu suéter e o levantaram do chão. De repente suas pernas estavam balançando no ar. Por alguns instantes, ele vislumbrou dezenas de gigantescas figuras símias de cor negra-metálica se aproximando da TARDIS, antes de atingir o chão com força, fazendo levantar uma nuvem de poeira fina.

– *A Cidade Sem Nome... A Cidade Sem Nome... A Cidade Sem Nome...*

– Sim, sim, sim, já sei. – O Doutor arrancou os fios e a voz da nave estalou e cessou.

Um estrondo metálico ecoou pela nave.

Então outro, e mais outro.

Algo estava batendo na nave. Quando Jamie fora arrastado para fora, a primeira reação do Doutor tinha sido ajudá-lo, mas sabia que de nada adiantaria, e ainda por cima deixaria o interior da TARDIS exposto e desprotegido.

Lançando-se sobre o painel de controle arruinado, o Doutor empurrou uma alavanca manual; a porta da nave estremeceu e, em seguida, fechou-se com um guincho agudo.

– Sinto muito, Jamie. Mas acho que você estará mais seguro aí fora do que aqui comigo.

O Doutor logo formulou uma teoria: um ser humano como Jamie não interessaria àquelas criaturas, que claramente haviam tido bastante trabalho para trazer o Doutor em sua TARDIS àquele lugar esquecido. Ele cutucou o Necronomicon com o dedo do pé. Nada era acidental.

O Senhor do Tempo pegou um pedaço de fio da bagunça no chão, enrolou-o em volta de sua chave de fenda sônica e, em seguida, conectou a outra extremidade do fio ao monitor. Uma imagem se formou na tela, dissolveu-se em estática branca e em seguida reapareceu lentamente, mostrando o exterior da TARDIS.

– Ah, porcaria.

A TARDIS estava cercada por criaturas que, à primeira vista, pareciam robôs de metal negro. Dezenas delas se moviam ao redor da nave, os três dedos em forma de garra arranhando a superfície azul. Comparando-os com o exterior da TARDIS, calculou que deveriam ter pelo menos dois metros de altura. Tinham duas pernas arqueadas e quatro braços: eram criaturas que podiam tanto se apoiar sobre duas pernas quanto correr com os seis membros. Apesar da altura e corpulência, pareciam velozes. As cabeças eram domos polidos inexpressivos com uma única alongada forma oval vermelha-cintilante no lugar dos olhos. Não tinham bocas. Quando se moveram, o Doutor notou que os seres eram translúcidos. Então percebeu que não eram feitos de metal: eram criaturas de vidro.

A TARDIS se inclinou, lançando o Doutor ao chão. A última coisa que ele viu antes de a imagem no monitor se dissolver em estática foram as enormes criaturas levantando a nave para colocá-la nas costas.

– Bem, eu queria chegar à Cidade Sem Nome – comentou o Doutor, deslizando pelo chão até parar contra uma das paredes. Virando a cabeça para o outro lado, ele viu o Necronomicon preso a uma teia de arame como se fosse uma mosca. Retirou um lenço todo amassado e manchado do bolso, envolveu-o em sua mão direita e pegou o livro antigo. O que mais teria ali sobre os Archons e a Cidade Sem Nome?, pensou.

Quando acordou, Jamie não fazia ideia de quanto tempo tinha passado – poderiam ter sido minutos ou horas. Virando-se, ele se colocou de pé devagar, segurando um gemido de dor. Passou a mão no cotovelo e notou que os dedos da mão esquerda estavam dormentes. Todo o lado esquerdo de seu corpo ia virar um enorme hematoma, provavelmente da mesma cor daquela areia preta. Olhou em volta: uma criatura o tinha arremessado em uma cratera quase circular. A espessa camada de areia fina e fofa do fundo da cratera o salvara de ferimentos mais graves.

O Doutor!

Com certa dificuldade, Jamie escalou até sair da cratera, a poeira fina rodopiando ao seu redor, entrando nos olhos e nariz e cobrindo a língua. Quando alcançou a beirada, viu a Cidade Sem Nome adiante ao longe, o que significava que a TARDIS deveria estar bem atrás dele.

Jamie se virou.

E a TARDIS não estava lá.

Seu olhar seguiu a trilha de pegadas na areia... E agora, bem afastada dali, a nuvem de poeira seguia rumo à cidade.

– Ah, Doutor... – Jamie suspirou e partiu atrás da nuvem.

Os símios de vidro negro carregaram a TARDIS para a cidade nas costas. Dentro da nave, o Doutor apoiara uma escada em cima do painel de controle arruinado. Ele tentava se equilibrar em cima de um banquinho de madeira, que por sua vez era sustentado pela beirada dos últimos degraus da escada. A parafernália o deixava próximo da porta, que estava bem acima da sua cabeça. Devagar e com cuidado, ele passou a chave de fenda sônica por um dos painéis circulares da parede. O painel se soltou, caindo e quicando no chão. O Doutor sorriu: aqueles painéis eram praticamente indestrutíveis. Bem à sua frente estavam as janelas quadradas da porta exterior da TARDIS. Cuidadosamente ele soltou o lacre hermético e descascou a membrana que imitava vidro. Após colocar a película em um dos bolsos, pôs a cabeça para fora e olhou ao redor.

Ele estava dentro das muralhas da Cidade Sem Nome.

Os olhos do Doutor começaram a lacrimejar de imediato. Os ângulos, formas e perspectivas dos edifícios eram todos *errados* e quase dolorosos de se encarar. Ao mesmo tempo, as pirâmides de vidro preto com entalhes de ouro refletiam umas às outras infinitamente, causando-lhe vertigem.

Piscando com força na tentativa de se concentrar, o Doutor virou-se na direção para onde a TARDIS estava sendo carregada.

Bem à sua frente, no centro de uma vasta praça, viu um imponente portão: dois enormes pilares negros de vidro se elevavam centenas de metros no céu escuro, sustentando um lintel de ouro que deveria ter facilmente duzentos metros de uma ponta a outra.

– Um Pórtico do Tempo – murmurou o Doutor, estupefato. Ele já tinha visto esses portais antigos em centenas de mundos, incluindo a Terra. Milênios atrás, os Senhores do Tempo os haviam tornado inúteis e obsoletos, mas antes disso eles eram utilizados para transportar pessoas e mercadorias entre pontos fixos no tempo e no espaço.

O Doutor olhou em volta. As vielas e ruas irregulares estavam tomadas pelos símios de vidro. Deviam haver milhares – dezenas de milhares – deles. Flutuavam ao redor da TARDIS, esticando os braços para tocá-la à medida que a nave era carregada em direção ao maior edifício do centro da Cidade Sem Nome: um triângulo sem janelas impossivelmente alto, de vidro negro cintilante, com entalhes dourados.

– Como um troféu ou uma relíquia – murmurou o Doutor. Enquanto observava, uma linha vertical irrompeu do centro do triângulo de vidro, e uma abertura surgiu no topo de uma série de degraus irregulares. O portão era composto por uma sequência de linhas serrilhadas e inclinadas. Para além do portão, não havia nada a não ser escuridão impenetrável.

O Doutor cautelosamente desceu do banquinho e da escada. A TARDIS balançava, fazendo-o cambalear para a esquerda e para a direita, e depois para a frente.

– Parece que estamos subindo os degraus.

Recolocar a membrana da janela ou o painel circular da parede era claramente impossível, por isso, envolvendo a mão no lenço mais uma vez, o Doutor buscou no chão o Necronomicon. O livro se abriu na página com a ilustração da Cidade Sem Nome. Prestando bastante atenção no texto, ele se pôs a traduzir laboriosamente das línguas antigas. Quase que inconscientemente, começou a assobiar.

Jamie percebeu que a gravidade naquele planeta antigo era um pouco menor do que a da Terra. Correu dando saltos longos, indo rapidamente em direção à Cidade Sem Nome, que emergia do chão do deserto como lâminas irregulares. Ainda podia enxergar a nuvem de poeira esvoaçante... Até que ela desapareceu de súbito.

Eles haviam entrado na cidade.

– Doutor, ainda vou morrer por sua causa – murmurou ele.

Jamie se agachou, e então se pôs a correr a toda velocidade, lançando-se no ar em um salto. Ele precisava alcançá-lo: nunca se perdoaria se algo acontecesse com o amigo. E também estava ciente de que tudo era culpa sua. Nunca deveria ter aceitado o livro, o Doutor lhe advertira inúmeras vezes sobre o risco de falar com estranhos.

A relação de Jamie com aquele homenzinho estranho era complicada. O Doutor salvara sua vida em mais de uma ocasião, e ele já tinha devolvido o favor salvando o Doutor. Em suas aventuras, Jamie aprendera a aceitar o Doutor como seu *Laird*, ou suserano, e, como membro de um clã, ele devia lealdade eterna ao seu superior. Jamie sabia que o Doutor não era humano; não conseguia entender *exatamente* o que ele era, embora tivesse crescido ouvindo histórias de criaturas lendárias da Corte Maldita, que assombravam os vales mais longínquos da Escócia. Suspeitava que o Doutor pudesse ser um dos Sith sombrios. E também sabia que os seres humanos raramente retornavam ilesos de aventuras com seres fantásticos.

Silêncio.

A TARDIS foi endireitada e o Doutor deslizou pela parede, aterrissando em um emaranhado de fios e peças de metal. Permaneceu agachado por muito tempo, tentando captar algo, mas nada escutou. Por fim levantou e olhou pela moldura vazia na porta, de onde retirara a película que imitava vidro. Demorou alguns instantes para que seus olhos se acostumassem à escuridão. Ele viu outra TARDIS e depois uma segunda e uma terceira; estava cercado por centenas de cabines de polícia azuis.

Reflexos.

Estava olhando para reflexos.

O Doutor estava dentro da enorme pirâmide de vidro negro, e suas paredes espelhadas refletiam e distorciam tudo ao seu redor. Ele podia ver uma massa comprimida de milhares de símios de cristal parados mais adiante, os "olhos" deles agora apagados. Quase diretamente à frente, a poucos metros, um enorme triângulo estava traçado em ouro no chão e, no centro, havia uma piscina de líquido prateado, com a borda em ouro. Erguendo a mão direita, o Doutor apontou a chave de fenda sônica para a piscina, apertou o botão e, em seguida, examinou o resultado. Como suspeitava: mercúrio.

Ele abriu a porta e colocou a cabeça para fora, olhando depressa para a esquerda e para a direita. Não houve nenhum movimento. O Doutor respirou profundamente: o ar tinha um cheiro mofado e azedo, com aquele odor característico de peixe morto.

Ele se espremeu para fora da porta entreaberta, movendo-se abaixado em meio às fileiras de símios de cristal imóveis, e se agachou na beira da piscina de mercúrio. Examinou a superfície metálica e observou sua pobre nave danificada, em seguida. Precisava levar a TARDIS até a piscina. Cruzou os braços com firmeza sobre o peito, e balançou para a frente e para trás: se pudesse assumir o controle dos símios, poderia fazê-los carregar a nave danificada...

Uma gota de mercúrio, uma pelota de metal do tamanho de um polegar, emergiu da superfície da piscina. Começou a vibrar e flutuou.

Outra apareceu. E também flutuou pelo ar.

E mais outra.

Um fio cintilante de música pairava no ar, um som único e sussurrante.

De repente, longas cordas de metal se alongaram na direção do teto que não podia ser enxergado, e bem lentamente uma cabeça surgiu de dentro do líquido prateado. Uma segunda cabeça apareceu, uma terceira, e, em seguida, mais quatro.

– Archons – sussurrou o Doutor com espanto.

Em um redemoinho de música, as sete figuras emergiram do mercúrio.

5

A Cidade Sem Nome estava vazia.

Jamie correu pelas ruas, sua imagem ondulada sendo refletida pelas paredes de vidro. Procurava por qualquer evidência de movimento, qualquer pista de para onde o Doutor havia sido levado. Mas a cidade parecia deserta.

Ele correu até uma enorme praça e parou diante de um pórtico gigantesco, preto e dourado. O rapaz olhou ao redor: todas as ruas da cidade convergiam para aquele ponto. E todas levavam a um edifício.

Diante de si viu a mais alta das pirâmides de vidro negro. Era a única que possuía uma porta – e estava aberta. Sem hesitar, Jamie correu para lá. Em momentos como aquele, ele desejava mais que nunca ter consigo sua *claymore*, embora não soubesse como uma grande espada escocesa poderia ajudá-lo contra símios de vidro.

O Doutor assistia horrorizado enquanto os governantes da cidade de vidro surgiam do mercúrio em um redemoinho de música etérea.

Em sua longa existência, ele já vira criaturas monstruosas e hediondas, mas nada parecido com aquelas. O odor de água estagnada e peixe podre açoitava suas narinas. Cada criatura estava envolta em longos trapos tremulantes, que escondiam a maior parte da pele, mas ele recebia pistas da real aparência delas conforme flutuavam pelo ar. Uma delas, maior que as outras, parecia um polvo, com membros que se contorciam, enquanto outra tinha uma cabeça de enguia espreitando de dentro do capuz. Outra parecia ter uma garra de caranguejo, meio escondida pela manga da capa, e por todos os lados ele tinha vislumbres de afiadas ventosas de lula e carne pálida.

– Você é o gallifreyano. Não vamos honrá-lo com seu título. – As palavras eram líquidas e pegajosas. O Doutor não sabia qual criatura falava.

Pairando no ar, as sete criaturas começaram a se mover em uma bela e intrincada dança, os trapos provocando uma brisa fétida. Circulando umas às outras e ondulando no ritmo daquela música cintilante, elas se arrastaram em uma massa contorcida – tentáculos deslizando sobre garras, barbatanas interligando-se a ventosas –, até que, por fim, todas se encaixaram, formando uma entidade enorme. Uma monstruosidade de tentáculos, bicos e garras. O Doutor olhou para ela com admiração: era ao mesmo tempo horrível e hipnoticamente bela.

– Uma vez fomos muitos, agora somos tudo o que restou. Somos sete, somos um. Somos os Archons.

O Doutor se afastou lentamente da piscina. Ele precisava chegar à nave. Se conseguisse entrar...

Um enorme olho branco-leitoso no centro do grotesco ser encarou o Senhor do Tempo. Abaixo do olho, um bico abria e fechava, rodeado por tentáculos que se contorciam. A cabeça se inclinou para a frente e uma enorme pupila negra dilatou-se; o Doutor sentiu como se estivesse olhando um poço sem fundo.

– Esperamos muito tempo por você. – A voz era fluida, sussurrada e ameaçadora. – E pela TARDIS. Nossa TARDIS.

Desorientado e enjoado por todos aqueles ângulos bizarros, Jamie atravessou o portão e olhou para o fundo da pirâmide. Os olhos demoraram alguns instantes para se acostumar e, quando conseguiu enxergar com clareza, deu um salto para trás. A pirâmide estava abarrotada de símios translúcidos de seis patas. Havia milhares deles, talvez até mais, mas era difícil saber por causa daquela confusão de linhas intermináveis e reflexos. Estavam de pé, imóveis, em longas fileiras irregulares viradas para o centro da pirâmide, onde a pequena figura do Doutor estava agachada diante de uma piscina prateada.

A respiração de Jamie ficou presa na garganta: flutuando no ar sobre a piscina havia um pesadelo monstruoso se contorcendo, balançando tentáculos de polvo diante do rosto do Doutor.

Jamie sabia que precisava ir até lá. Ele se aproximou do símio mais próximo e cutucou-o com cuidado. O vidro era suave e frio ao seu toque, mas a criatura não reagiu. Em um movimento mais ousado, Jamie se aproximou e acenou com a mão na frente do rosto da criatura. Não houve resposta.

– Você não é tão assustador assim – comentou ele sorrindo. Lançando-se ao chão, começou a engatinhar e deslizar sobre o piso liso por entre as pernas dos símios na direção do Doutor.

– *Sua* TARDIS? – O Doutor se levantou, empertigando-se. – Acho que não.

– Criamos a tecnologia da TARDIS. – A voz pegajosa e sussurrada crepitava, e longos filetes de baba escorriam da boca em forma de bico. A música ressoava em torno da criatura. – As sementes originais das TARDIS foram criadas por cientistas-magos Archon.

O Doutor balançou a cabeça negativamente.

– Eu acho que não – repetiu ele. – O segredo da viagem no tempo foi criado pelo meu povo.

– E o seu povo roubou essas sementes de nós. Os Senhores do Tempo as clonaram, fazendo nascer suas próprias naves. E, em seguida, a fim de manter o mistério do tempo para si mesmos, sua raça declarou guerra contra nós. – A música subia e descia conforme o Archon falava. – Eles nos abandonaram aqui, nos deixando para apodrecer.

O Doutor continuou a balançar a cabeça, mas sem tanta convicção. A história da origem de Gallifrey e dos Senhores do Tempo era envolta em mistério.

O Archon se inclinou, tentáculos e garras balançando diante do rosto do Doutor, salpicando-o com mercúrio rançoso.

– Você faz ideia do que é passar a eternidade em isolamento? Tem alguma noção do que são milênios de solidão?

O Doutor assentiu.

– Eu conheci a solidão – respondeu em tom grave.

– Nós somos os últimos dos Archons. Presos aqui na Grande Desolação, assistimos à morte do nosso povo. Mas eles não terão morrido em vão se pudermos vingá-los.

O Doutor começou a recuar da borda da piscina. Se pudesse virar e correr, será que conseguiria chegar à sua nave?

– Você sabe do que precisávamos todos esses milênios?

O Doutor fez que não com a cabeça, mas já tinha uma boa noção da resposta.

– De uma TARDIS – prosseguiu o Archon. – E justo quando já não tínhamos mais esperança, um ser de sua espécie apareceu diante de nós. Ele nos fez uma oferta. Não era tolo o suficiente para pousar. Orbitando o planeta, ele nos contou de uma TARDIS danificada, uma nave sem um Rotor do Tempo, descontrolada e indefesa. E ele poderia fazê-la chegar aqui.

– Sem dúvida vocês o pagaram bem.

– Quando os Archons retornarem em sua fúria e vingança, vamos cumprir com o que prometemos a ele. Ele governará galáxias. – Os tentáculos da criatura balançaram, ventosas abrindo e fechando como pequenas bocas cheias de dentes pontiagudos. – Ele deve odiar muito você.

– Certamente.

O Archon então flutuou por cima das cabeças dos símios de cristal, pairando sobre a TARDIS. Dezenas de tentáculos curvados em forma de gancho pendiam sob as vestes cinzentas em farrapos. Eles envolveram a nave danificada e levantaram-na no ar sem o menor esforço.

O Doutor assistiu com espanto ao Archon retornar à piscina de mercúrio carregando a TARDIS. Lentamente, quase com delicadeza, a nave foi baixada no metal líquido prateado.

– O tempo dos Archons finalmente retornou – anunciou a gigantesca criatura. – A TARDIS é a chave para a nossa fuga. Uma vez que ela esteja reparada, vamos fundi-la ao Pórtico do Tempo e ativaremos o portal. Todas as galáxias e todos os fluxos temporais serão comandados por nós. Vamos levar nosso exército de volta no tempo a Gallifrey, quando ele ainda era um mundo nascente, e vamos transformar seu planeta em uma rocha estéril. Quando acabarmos, a sua raça nunca terá existido.

– Vocês não podem... – começou o Doutor.

– Nós vamos.

– Se Gallifrey for destruída e os Senhores do Tempo não realizarem seu trabalho de policiar e proteger os fluxos temporais, então as histórias de muitas galáxias e tempos serão alteradas. Incontáveis milhões de mundos vão morrer – disse o Doutor, desesperando-se.

Um tremor percorreu o Archon e a criatura pareceu a ponto de se dividir.

– Vamos reconstruir o império Archon.

O Doutor assistia enquanto a piscina de mercúrio se esvaziava. A nave absorvia o metal líquido, drenando a piscina como uma esponja. Ele viu quando a nave sugou a cor dourada da beirada, que se tornou cinza-pedra. Um a um, os arranhões e as cicatrizes na superfície azul da TARDIS esmaeceram e desapareceram.

Com a queda do nível de mercúrio, o Archon foi obrigado a baixar ainda mais a TARDIS para mantê-la submersa no líquido.

O Doutor se aproximou da piscina e olhou para baixo. Ele podia ver o brilho verde característico do Zeiton-7 no fundo. Ouro, mercúrio e Zeiton-7: todos os nutrientes necessários para reavivar a TARDIS doente. A nave já parecia nova e brilhante: "bem alimentada" foi a expressão que lhe veio à mente.

Ele notou um lampejo de movimento com o canto do olho, e de soslaio viu Jamie engatinhar por entre as pernas dos símios de cristal. O Doutor deu as costas ao Archon.

– E o que você vai fazer comigo?

O riso ondulado da criatura era repugnante.

– Ora, Doutor, vamos comê-lo. Você será um lanche saboroso.

– Você vai ter uma indigestão – retrucou ele. – E o que vai fazer com esse novo império Archon? – prosseguiu, elevando a voz e fazendo-a ecoar de leve. Olhando diretamente para Jamie, ele articulou com a boca, sem emitir som: "prepare-se". Ergueu a mão, os cinco dedos abertos, então dobrou o polegar: quatro... três...

A bela música aumentou em um crescendo e a criatura tremulou em sua dança intrincada.

– Vamos governar novamente. É o nosso destino. Nós somos Archons.

Ainda de costas para a criatura, o Doutor retirou do bolso sua flauta doce, levou-a aos lábios e tocou as primeiras notas de "The Skye Boat Song".

As portas da TARDIS se abriram.

– Agora, Jamie! Agora!

O Doutor atirou-se para a frente e saltou em direção a porta aberta da nave, que agora estava pendurada sobre a piscina vazia. Um enorme tentáculo envolveu sua perna de imediato, tentando puxá-lo para fora. Jamie saltou em cima do tentáculo que se contorcia, e libertou a perna do Doutor bem na hora que a porta da TARDIS se fechou, cortando o tentáculo ao meio. Vazando uma gosma verde, o membro arrancado se debatia desesperadamente no chão de metal da TARDIS, como um verme gorducho.

– Eca, cara, isso é nojento! – murmurou Jamie.

O interior da nave estava intacto e o Doutor correu para o painel de controle, que reluzia.

– Ah, como é bom tê-la de volta, garota esperta – murmurou, empurrando duas alavancas e trazendo a nave de volta à vida. A TARDIS rosnou e se livrou do Archon, subindo no ar. Ela flutuava no centro da pirâmide, rodopiando ao redor da criatura.

– Tudo é novo outra vez. – O Doutor dançava.

Todos os monitores se iluminaram, mostrando o Archon dividindo-se em sete partes distintas, cada criatura agarrando-se à caixa azul, garras e tentáculos se debatendo e segurando. A nave balançou e mergulhou.

Jamie olhou para o Doutor já esperando por algo.

– Você tem um plano – disse ele.

– Isso é uma pergunta ou uma afirmação? – perguntou o Doutor.

– Uma afirmação. – Jamie sorriu. – Você sempre tem um plano.

– Pegue a gaita de fole, Jamie. Faz muito tempo que você não toca.

– Minha gaita?

– Sim, sua gaita.

Sem mais uma palavra, Jamie saiu correndo.

– Você está preso aqui, gallifreyano – proclamaram os Archons, sete vozes em uníssono. – Não há como escapar.

O Doutor ativou uma alavanca no console e, em seguida, sentou-se no chão com as pernas cruzadas.

– Não tenho a intenção de escapar. – Amplificada, sua voz ecoou e ressoou por todo o edifício de vidro.

Jamie reapareceu com o instrumento debaixo do braço.

– O que eu toco?

– Algo barulhento. Talvez uma *ceol mor*?

– Mas você me disse uma vez que uma *ceol mor* soa como unhas arranhando um quadro-negro.

– Exatamente. – O Doutor sorriu. – Apenas toque, Jamie.

Acomodando a bolsa debaixo do braço, e deslizando o bocal por entre os lábios, Jamie começou a soprar e bombear a bolsa.

– Toque bem alto, Jamie – pediu o Doutor, pegando a flauta. – Acho até que vou acompanhá-lo.

O som era indescritível.

Estridente, agudo e irritante, ressoava distorcido em todo o interior da pirâmide, engolindo completamente a música delicada e frágil que embalava os Archons.

Chiando e cuspindo, as criaturas se afastaram da TARDIS que girava.

Os sons ficavam cada vez mais altos em um crescendo incrível. A nova música atingiu os Archons de maneira certeira, fazendo-os se debaterem em um frenesi, colidindo com as paredes de vidro e batendo cegamente uns nos outros. Eles tentaram se reunir na enorme criatura, mas o resmungo distorcido da gaita de fole fazia com que se contorcessem em formas espirais feias e irregulares.

Os Archons se jogaram contra a TARDIS novamente, garras e bicos arranhando o exterior, tentáculos tentando arrombar a porta.

– Experimente "Scotland the Brave" – sugeriu o Doutor.

Suas mãos dançavam pelo console enquanto Jamie tocava, alterando os subsônicos e harmônicos que eram emitidos pelos alto-falantes escondidos da nave e lançando os Archons em movimentos aleatórios bizarros. Um deles, um crustáceo de carapaça grossa e com garras, foi cegamente de encontro à lateral da pirâmide, e uma rachadura como uma teia de aranha branca surgiu na superfície negra.

– Mais alto, Jamie! – pediu o Doutor. – Essas criaturas devem ter passado a eternidade bailando ao som da Música das Esferas. Deixe-os dançar uma nova canção.

Um uivo de microfonia lançou dois dos Archons voando pirâmide acima, chocando-os contra o ápice. Outra rachadura apareceu e, mesmo com a gaita de fole guinchando no volume máximo, o som era o de um trovão, seguido de outro e mais outro. E então um enorme estilhaço de vidro caiu. Ele se bateu em dois dos Archons, levando-os ao chão em um emaranhado de barbatanas feias e dentes afiados. Cacos de vidro maciços caíram junto com os Archons sobre centenas de símios, abrindo um clarão nas fileiras cerradas e reduzindo-os a pó.

Todo o edifício começou a tremer. Uma trama de rachaduras irradiou pela superfície e espalhou-se pelos edifícios adjacentes. Os Archons sobreviventes lançaram-se para longe da TARDIS e tentaram fugir desesperadamente, mas já era tarde demais: a pirâmide explodiu em uma detonação de vidro. A chuva mortal de enormes estilhaços afiados caiu, enterrando completamente as criaturas horrendas e pulverizando os símios de cristal. A explosão reverberou por toda a Cidade Sem Nome e criou uma reação em cadeia na qual os prédios desmoronaram um após o outro.

A TARDIS girou subindo por uma abertura no teto quebrado, e o Doutor e Jamie observaram em silêncio toda a cidade desabar e se desfazer em pó preto. Em pouco tempo, apenas o Pórtico do Tempo permanecia de pé em meio às ruínas.

O Doutor levou a flauta doce aos lábios e soprou uma única nota. Rachaduras irradiaram ao longo das colunas negras do portal. Ele estalou como gelo e o lintel de ouro desabou, partindo-se em uma dezena de peças maciças.

O Doutor abriu os braços sobre o painel recém-restaurado, pressionando o rosto contra o metal aquecido.

– Por alguns minutos fiquei preocupado com você – sussurrou.

– Fico preocupado quando você conversa com a nave – disse Jamie.

– Shhhh, você vai magoá-la.

– Como é que você sabia derrotar os Archons? – perguntou Jamie.

Com o pé, o Doutor cutucou o Necronomicon, jogado no chão.

– O livro que mandaram para nos destruir também serviu para arruiná-los. Ele fala das origens deles. Os Archons têm suas raízes nos oceanos de mundos mortos há muito tempo. Eles já foram habitantes do fundo do mar, viviam em grandes reinos submarinos onde caçavam e se comunicavam por sonar. Você os viu dançar pelo ar, movendo-se de acordo com a bela música criada pela brisa fantasma que soprava pelas margens afiadas daquela cidade. Você acabou lhes dando outra canção para dançar, algo que os desorientou e confundiu. Eles nunca tinham ouvido uma gaita de fole antes. E, claro, eu ajustei o som. Deve ter sido agonizante para eles.

Jamie começou a balançar a cabeça afirmativamente quando se deu conta.

– Ei! Você está dizendo que a minha música não é bonita?

– Meu querido, ela nos ajudou a escapar, não é? Isso a torna a música mais linda do universo.

– E o professor que me deu o livro? O que faremos com ele?

– Nada. Não saímos em busca de problemas, Jamie. E nós vamos encontrá-lo novamente – respondeu o Doutor. – Cedo ou tarde, ele vai aparecer. É assim que ele é – acrescentou, brincando com a flauta por entre os dedos. – Agora venha. Vamos tocar!

Girando à luz de mil sóis, azul e agora brilhando como nova, a TARDIS voou de volta para a Via Láctea com o rastro tênue de "Scotland the Brave" em seu caminho.

O Terceiro Doutor:
A Lança do Destino

Marcus Sedgwick

Tradução de
Paulo Reis

I

– Você anda muito misterioso, Doutor.

O Doutor ergueu uma sobrancelha.

– Deixe eu me expressar melhor – disse Jo, cutucando o ombro dele com o dedo indicador. – Mais misterioso do que de costume.

O Doutor lutou com a alavanca de câmbio de Bessie, o calhambeque amarelo que ele adorava dirigir, e franziu a testa. A caixa de câmbio respondeu com o ruído de engrenagens tentando se devorar mutuamente, mas aceitou a derrota quando o Doutor engatou a terceira marcha. Ele sorriu, olhando a movimentada Piccadilly à frente. O dia estava quente, e a capota do carro fora abaixada. Algumas pessoas arregalavam os olhos e apontavam quando eles passavam.

Jo afundou um pouco mais no assento enquanto o Doutor acenava para alguns passantes.

– Sabe o que eu adoro em Londres? – comentou ele, virando-se brevemente para ela.

Jo suspirou.

– Tenho certeza de que não consigo adivinhar.

– É a única cidade no universo em que você dirige um carro de setenta anos sem problema algum.

– Quem falou que você não terá problemas? – murmurou Jo.

O Doutor acenou novamente, e Jo fechou os olhos.

– Não podíamos ter vindo de metrô?

– Ora, minha querida... onde foi parar o seu senso de estilo?

Jo ficou olhando para o Doutor, boquiaberta.

Ele vestia um paletó de veludo sintético verde por cima de uma camisa roxa de babados, cuja gola era grande o suficiente para cobrir um pequeno iate. Era um traje de encher os olhos, mesmo para a moda de

1973. Com toda a honestidade, porém, era até bastante discreto. Para os padrões do Doutor.

Jo fechou a boca. Pelo menos ele não estava usando a tal capa de Inverness. Mas ela detestava que ele não lhe contasse o que estava acontecendo, por isso resmungou:

– Doutor! Quer fazer o favor de me contar o que estamos fazendo?

O Doutor virou na Dover Street, travou uma rápida batalha com a caixa de câmbio de Bessie e freou no topo de Hay Hill.

– Nós vamos a um museu.

– Isso você já me contou. Uma coleção particular. Para ver alguma coisa?

– Não – respondeu o Doutor, sorrindo. – Para roubar algo.

2

– Nunca imaginei que você fosse um ladrão de arte – comentou Jo.

Eles tinham parado para olhar a nobre fachada do museu: apenas uma entre as muitas magníficas mansões georgianas, com três ou quatro andares, em Mayfair.

– De arte, não – corrigiu o Doutor. – De antiguidades.

– Tem algo aí dentro que lhe interessa?

– Correto – respondeu o Doutor. Os olhos dele esquadrinhavam o prédio, como se tentassem enxergar através das paredes.

– Algo perigoso?

– Correto novamente.

– E a UNIT mandou você aqui – concluiu Jo em tom triunfal.

O Doutor se virou para ela e disse:

– Minha querida, a UNIT não me *manda* a lugar algum.

Jo resolveu provocar o Doutor um pouco. Com olhos cintilando, continuou:

– Mas você trabalha para eles, não é? Assim como eu.

O Doutor a encarou:

– Ofereci meus serviços como consultor a eles durante minha... estadia no planeta. De forma absolutamente livre, sem vínculos. Não sou funcionário deles e posso ir embora a qualquer momento se assim desejar. Agora vamos. Precisamos entrar e dar uma olhada nesse negócio.

– Que negócio? – perguntou Jo, mas o Doutor já seguia adiante, subindo os degraus.

Talvez não fosse o momento certo. Ele parecia mesmo muito preocupado, e na verdade Jo sabia que não convinha lembrar ao Doutor que ele só concordara em trabalhar para a UNIT ao ser exilado na

Terra pelo Alto Conselho dos Senhores do Tempo, após ser condenado por violações temporais. E, embora o Alto Conselho já permitisse que o Doutor viajasse livremente pelo tempo e pelo espaço, Jo sabia perfeitamente bem que não convinha mencionar o exílio.

Ela se apressou escada acima, saindo da luz do dia e entrando na penumbra fresca do museu.

O Doutor desaparecera lá dentro. Após tatear a roupa em busca de algum dinheiro, Jo comprou um ingresso em uma pequena bancada no saguão e atravessou as pesadas portas de vidro que levavam à exposição.

Diversos salões se estendiam à sua frente. As pessoas andavam de um lado para o outro com aquele ar sonhador e irritante, típico dos museus. Um segurança ergueu a cabeça e olhou para Jo. Ela foi em frente.

O vendedor de ingressos lhe empurrara um folheto, e só naquele momento parou a fim de ler a capa.

O Tesouro do Rei

Antigos artefatos escandinavos recém-descobertos na Suécia

Apresentados pela Coleção Moxon

Jo encontrou o Doutor no segundo andar do museu. Ele examinava uma vitrine no centro do aposento. Dentro havia um elmo inacreditavelmente belo, onde se encaixava uma máscara facial. O objeto parecia feito de prata e ouro, e fora polido com tanta intensidade que brilhava como um pequeno sol sob as luzes fortes.

– É isso que viemos roubar? – sussurrou Jo ao parar ao lado dele.

O Doutor negou com a cabeça quase imperceptivelmente. Com um meneio indicou, através da vitrine que continha o elmo, outra vitrine mais alta bem no canto do aposento. Nela havia uma lança.

A haste era bem simples, de uma madeira que aguentara bem a maior parte de dois mil anos, mas a ponta era uma verdadeira maravilha. Feita de uma longa e afilada peça de ouro, também brilhava sob o facho de um pequeno refletor.

– Está vendo aquilo? – perguntou o Doutor.

– Podemos chegar mais perto? – sussurrou Jo.

A sala estava esvaziando. Havia um guarda sentado em um canto, quase dormindo na cadeira.

O Doutor assentiu.

– Sim. Mas não demore.

Eles rodearam o aposento, tentando não se demorar ao passar pela lança. Já mais próximos, podiam ver pequenas marcas entalhadas nas partes lisas da ponta dourada.

– Runas. Em Futhark antigo, pelo formato delas – disse o Doutor, virando-se para Jo. – O alfabeto rúnico dos nórdicos.

Jo se curvou para examinar o ouro pelo vidro.

– O que diz aí?

– Sem dúvida há mais marcas do outro lado, mas essas que vemos daqui dizem *Gungnir*.

– Como assim?

– É um nome.

– De quem a possuía?

– Não. Da própria lança.

– A lança tem nome?

O Doutor assentiu.

Jo se endireitou subitamente, olhou por cima do ombro e sussurrou:

– É uma boa ideia sermos vistos na cena do crime?

– Não é uma cena de crime – corrigiu o Doutor. – Ainda.

Ele deu uma piscadela antes de se permitir examinar bem de perto a ponta da lança mais uma vez. Então puxou Jo pelo braço.

– Hora de ir, acho – disse. Os dois rumaram para a escada, descendo depressa até o térreo. – Gostou da exposição?

– Que exposição? Só vi um elmo e uma lança. – Ela deu um sorriso alegre para o segurança à porta, que encarou as roupas do Doutor, e arrematou em voz alta: – Fascinante!

Os dois saíram da escuridão para a luz do sol, piscando ao seguirem de volta ao mundo moderno.

3

– Achamos que a lança não é o que parece – explicou o Doutor, enquanto rumavam de volta para a sede da UNIT. – Ocorreram algumas anomalias temporais naquela área.

– Que tipo de anomalias? – perguntou Jo.

O Doutor já entrara com Bessie na alameda que levava à UNIT, e o motor ronronava feliz sobre o cascalho, como que ávido para encerrar o dia. Estava ficando tarde, e o sol já começava a descer atrás das altas árvores que ladeavam o caminho deles.

– Coisas pequenas... como vários relógios atrasarem ao mesmo tempo, um bando de gente sentir déjà-vu, ou um relógio dar treze badaladas. Coisas pequenas, tão pequenas que poderiam até ter passado despercebidas se o museu não ficasse bem em frente ao clube de bridge de um amigo nosso. Ele me contou, eu falei com os Senhores do Tempo, e aqui estamos nós...

– E quem é esse tal amigo nosso?

O Doutor sorriu.

– O brigadeiro. Ah, lá está o velho galgo... vamos fazer nosso relatório?

No que o carro parou, o brigadeiro Lethbridge-Stewart saiu pela porta da frente, colocando o quepe na cabeça com a altivez de sempre. Ele viu Bessie e se aproximou deles.

– Doutor! Srta. Grant!

– Você tinha toda a razão, brigadeiro. A lança dá todo o sinal de ser um NFT.

– Um o quê? – perguntou Jo, mas o Doutor e o brigadeiro não estavam escutando.

– Já informou o Alto Conselho? – perguntou Lethbridge-Stewart.

– Fui autorizado a remover e analisar o objeto. Imediatamente.

– Mas por que não pedir a lança a eles, simplesmente? – indagou Jo. – Ao museu, quero dizer.

– Já tentamos – explicou o brigadeiro. – Eles recusaram. Esse sujeito, Moxon, proprietário da coleção, é um completo recluso. Bilionário. Não está acostumado a receber ordens.

– Mas vocês não podem forçar o homem a aceitar?

– Coleção particular. Não temos poder para obrigar o sujeito a fazer coisa alguma.

– Mas, com certeza, se explicarem do que se trata...? – perguntou Jo. – Aliás, do *que* se trata? O que é um NFT? – completou, após uma pausa.

– Nexo Físico-Temporal – respondeu o Doutor. – Coisas de fato muito perigosas. Sua origem é desconhecida, mas certamente são alienígenas, e muito antigas. Acreditamos que existem apenas alguns poucos, e o Alto Conselho está... como direi... mais do que determinado a manter todos fora de circulação.

– Entendi – disse Jo. – Eu acho. É melhor cuidarmos disso logo, então.

– Apoiado – concordou o Doutor.

Eles entraram no prédio da UNIT.

– Qual é o plano? – perguntou Jo. – Você tem um disfarce de ladrão no armário, Doutor? Um que tenha babados?

O Doutor parou por um instante e começou a erguer um dedo acusatório para Jo, mas pensou melhor.

– O museu fica entre um banco e uma embaixada. Ambos devem ser bem protegidos. No entanto, com todo o respeito a meus amigos aqui, estamos em 1973 – comentou ele, sorrindo para o brigadeiro. Depois tornou a caminhar. – Aquele salão no museu não tem circuito fechado de televisão, sensores a laser, nem outros detectores de movimento. Seria brincadeira de criança entrar e sair com um mínimo de vidros quebrados, mas há formas ainda mais simples de entrar e sair de um prédio sem ser notado...

Eles haviam parado junto a uma certa cabine de polícia familiar. O Doutor acariciou a lateral da TARDIS e acrescentou:

– Quando se tem uma destas...

Jo riu.

– O que foi? – perguntou o brigadeiro.

– Acabei de me tocar – disse ela. – Bancos. Cofres para depósito de valores. Museus. Galerias de arte. Você podia ficar muito rico em uma semana com isto aqui.

– Alguns de nós têm aspirações mais nobres – ralhou o Doutor com severidade.

– Ah, eu também, eu também – desconversou Jo, sorrindo. – Realmente nobres. As mais nobres. Foi só uma ideia. Então... nós nos materializamos naquele salão no segundo andar do museu, quebramos a vitrine, agarramos a lança e nos desmaterializamos novamente... é isso?

– Não exatamente – respondeu o Doutor. – Posso fazer um pequeno ajuste no seu plano, que excetuando esse detalhe é excelente, Jo? Eu me dei o trabalho de mandar os crânios da UNIT prepararem isto.

Ele entrou na TARDIS e um instante depois reapareceu com uma lança muito semelhante à que iam roubar... com uma pequena diferença.

– Esta não tem runas – disse Jo.

– Precisamente – disse o Doutor. – Fizemos a outra lança a partir de fotografias no catálogo da exposição, mas as runas não estavam nítidas... daí a necessidade da nossa visita de hoje. Assim que terminarmos o trabalho na ponta da lança, poderemos partir. Mais tarde, ainda hoje, espero.

– E substituímos a lança por esta cópia! – exclamou Jo. – Isso é genial. Eles nem vão saber que foram roubados!

O Doutor sorriu.

– Bom, se não quebrarmos vidro algum... não, não saberão.

4

– Certo, aqui estamos! – anunciou o Doutor. – Salão de exposição no segundo andar da coleção Moxon. *Voilà!*

Ele abriu a porta da TARDIS de forma teatral, dando um largo sorriso para Jo, que franziu a testa e cutucou o ar com o dedo, apontando para fora.

– Droga! – praguejou o Doutor em voz alta, virando-se. Depois acrescentou mais baixo: – Será que você não pode pousar onde deve, garota esperta... ao menos uma vez?

Jo olhou para fora, examinou a vista.

– Aparentemente, estamos em um telhado. O telhado do museu, na verdade. Nada mau.

– Bom, na verdade – disse o Doutor.

Lá fora estendia-se a silhueta noturna de Londres. Era possível ver as luzes de Piccadilly Circus, e um pouco mais adiante Nelson's Column quebrando a escuridão.

– Tudo bem! Ainda é apenas 1973, afinal. Podemos nos esgueirar para dentro daqui de cima com a mesma facilidade – declarou o Doutor. Vasculhou o bolso e pegou a chave de fenda sônica, acrescentando: – Deve haver alguma espécie de claraboia de acesso ao telhado.

Ela puxou a manga dele.

– Ali, olhe.

– Excelente! – exclamou o Doutor. – Jo, você se importaria de trazer nossa réplica?

Um pouco adiante no telhado do prédio havia uma portinhola de entrada. O Doutor encostou a chave de fenda sônica na fechadura por apenas um segundo, e a tranca se abriu.

Eles foram descendo uma escada apertada e escura. Embaixo havia outra porta maior. Mais uma vez a chave de fenda entrou em ação, e eles se viram dentro do museu.

– Um andar abaixo – informou o Doutor em voz baixa. – Mantenha os ouvidos atentos. Só por precaução.

Jo assentiu e segurou a lança falsa com mais firmeza. Eles começaram a descer os degraus, que eram largos e forrados com um carpete bem grosso.

Próximo ao pé da escadaria, o Doutor parou e apontou a porta do aposento que haviam visitado à tarde. Ficou no degrau mais baixo, escutando atentamente. Depois relaxou e sorriu.

– Bem – disse –, acho que a barra está limpa.

Ele desceu o último degrau, e, de repente, ouviu-se o uivo de um alarme, estridente e ensurdecedor.

Passos soaram no mármore do andar térreo, e então, muito mais perto, uma voz gritou:

– Fiquem exatamente onde estão, ou eu atiro!

Os dois deram meia-volta e viram um guarda apontando uma pistola para eles: não um dos sonolentos seguranças que davam plantão à tarde, mas um guarda que trajava um uniforme quase militar e adotava a postura de quem poderia disparar a qualquer momento.

– Como assim, você atira? – rugiu o doutor. – Não seja ridículo! Isto aqui é um museu, e não um estande de tiro.

Depois se virou para Jo e acrescentou:

– Vamos. Acho melhor irmos embora.

– Não se mexam! – berrou o guarda. Ouviam o som de mais guardas correndo escada acima, e o Doutor agarrou a mão de Jo.

– Eu vou atirar! – gritou o guarda.

– Ele não vai – disse o Doutor com muita certeza, dando um passo atrás na escada.

A parede atrás da cabeça deles explodiu, soltando estilhaços de gesso que pareceram atingir os dois antes mesmo que tomassem consciência do tiro.

– Corra! – gritou o Doutor, e eles subiram velozmente os degraus, rumando para o telhado. Mais disparos soaram, e a parede acima das cabeças deles explodiu, enquanto os dois corriam agachados em direção à porta que dava para a pequena escada. Subitamente, os tiros de pistola foram abafados pela rajada áspera de uma submetralhadora.

– Absurdo! – exclamou o Doutor enquanto eles subiam de dois em dois os degraus metálicos até o telhado. Ouviu-se outra gritaria, e botas ressoaram nos degraus atrás deles. Tiros ricocheteavam no teto à medida que os dois se escafediam pela portinhola e voltavam ao frio ar noturno.

– Para a TARDIS, Jo! – gritou o Doutor. – Depressa!

Eles se jogaram lá dentro e bateram a porta com força. O Doutor correu para o console e acionou as trancas. O som distante de tiros atingindo o exterior da TARDIS chegava a eles como se fossem abelhas se chocando contra o vidro grosso de uma janela.

– Não vamos abusar da hospitalidade deles – disse o Doutor, tratando de fixar coordenadas.

– Acho que já fizemos isso – retrucou Jo, largando a lança ao lado da porta e correndo até o Doutor.

O barulho do tiroteio foi substituído pelo rangido familiar da desmaterialização, e Jo sentiu uma onda de alívio. Virou e aboletou-se na borda do console.

– É, foi por pouco – comentou o Doutor. – Mesmo assim, isso prova uma coisa.

– Que é?

– Que aquela lança é algo incomum. Ninguém se esforçaria tanto para proteger apenas um velho pedaço de madeira com uma ponta de ouro.

– Talvez Moxon simplesmente proteja muito bem a sua coleção.

– Com submetralhadoras? Isso já é exagerar no papel de curador de museu, não acha?

– Acho que sim – disse Jo. – Em todo caso, aonde vamos?

O Doutor sorriu.

– É uma ótima pergunta.

– Com uma ótima resposta, espero.

– Não podemos roubar a lança *agora*, mas podemos roubá-la no passado. Portanto, vamos viajar de volta à sua única localização confirmada no espaço-tempo.

– Que é?

– Você não leu a placa ao lado da vitrine?

Jo balançou negativamente a cabeça.

– Estava ocupada demais tentando entender o alfabeto rúnico.

– Bom, você ainda tem aquele folheto do museu?

Jo vasculhou o bolso traseiro e puxou um pedaço de papel amassado, onde encontrou a curta descrição da lança.

> Lança cerimonial. Encontrada em Gamla Uppsala, Suécia. Acredita-se que era usada em festivais em torno do equinócio vernal, no século II d.C. Na ponta lê-se a inscrição: GUNGNIR. Na mitologia nórdica, Gungnir era a lança mágica de Odin.

– Você está nos levando para ver os vikings? – perguntou Jo, incrédula.

– Estou! Que maravilha, não é? – disse o Doutor com um sorriso.

– Não é bem a palavra que eu usaria – respondeu Jo. – Ei, espere um instante... como você sabe aonde ir?

– *Onde* é fácil – disse o Doutor. – Basta olhar esse folheto. Uppsala, na Suécia central. Ou Uppsala Antiga, para ser mais exato. Centro de poder dos reis suecos por mais de mil anos, até os cristãos aparecerem. Isso é *onde*. Já *quando* é um pouco mais difícil. Sabemos que devemos procurar o equinócio de primavera... simpático da parte dos vikings datar as coisas em torno dos fenômenos astronômicos. A vida fica tão mais fácil.

– Mas de qual ano?

– Bom, aí eu vou chutar um pouco. No Museu Britânico há uma runa com a única outra referência conhecida a Gungnir. Fala de uma cerimônia na Uppsala Antiga, e menciona a passagem de um segundo sol pelos céus. Os estudiosos sempre presumiram que isso fosse uma referência ao Cometa Halley, cuja *única* aparição conhecida no segundo século depois de Cristo foi no ano de 141... de acordo com o antigo calendário juliano, exatamente 22 de março, o dia seguinte ao equinócio. De modo que é para esse quando, e esse onde, que estamos indo.

– Ah – disse Jo. – Entendi.

– Que bom.

– Só tenho uma pergunta.

– Manda bala!

– Ah, Doutor, por favor... não depois do problema no museu.

O Doutor ergueu a mão.

– Desculpe. Qual é a sua pergunta?

Jo engoliu em seco.

– Então... essa lança... a lança mágica de Odin... talvez eu tenha entendido errado, mas... Odin não era um deus?

– É o que dizem.

– Bom, não é um pouco preocupante?

– Ao contrário. Eu diria que é até bem divertido.

– Divertido? – questionou Jo, olhando com nervosismo a lança junto ao umbral. – Você acha mesmo que o dono de Gungnir era um deus?

O Doutor sorriu novamente.

– Acho que estamos prestes a descobrir – disse.

5

Com um rangido forte, a coluna central da TARDIS ficou imóvel. Eles haviam pousado.

– É claro que os vikings são muito incompreendidos.

– É mesmo? – resmungou Jo.

– Ora, vamos, você deve ter estudado história na escola.

– Doutor, nós estudamos os romanos. Todo ano. Pode me perguntar sobre as Guerras Púnicas, eu sei tudo.

– Alguma outra hora, talvez – disse o Doutor. – O importante é que as pessoas frequentemente veem os vikings como saqueadores violentos e nada mais, quando a verdade é que eles, em termos gerais, eram fazendeiros ou pescadores...

– Em termos gerais...?

– Também foram grandes exploradores. Descobriram a América do Norte quinhentos anos antes de Colombo pensar que tinha feito o mesmo. Chegaram ao Mediterrâneo, à Rússia. É preciso lembrar que a maioria dos relatos sobre os vikings foi escrita pelos cristãos, que tomaram o lugar deles. São relatos um tanto parciais.

– Isso é um fato comprovado?

O Doutor lançou um olhar magoado para Jo.

– O que sei que é *comprovado* é que eles foram os únicos seres humanos a homenagear o banho com o nome de um dia da semana. Há dois mil anos, tomar banho uma vez por semana era uma atitude muito avançada.

Jo riu.

– Bom... vamos dar uma olhada por aí? – disse o Doutor.

– Vamos. – Ela assentiu.

O Doutor projetou a área externa no monitor da TARDIS. Eles foram presenteados com a visão de uma floresta pacífica, com uma grossa camada de neve no solo e nos galhos das árvores. Fora isso, porém, o dia estava alegre e ensolarado.

– Tudo parece bastante calmo – disse o Doutor. Depois fechou a tela e abriu a porta.

Os dois saíram.

– Que frio – reclamou Jo.

– Será que você vai aguentar? – perguntou o Doutor. – Posso buscar minha capa de Inverness para você.

– Eu vou ficar bem – garantiu Jo apressadamente. Depois deu um rápido sorriso para o Doutor, pois não queria que ele ficasse magoado.

Os pés deles faziam um ruído áspero na neve, que estava congelada e dura.

– Para que lado vamos? – perguntou Jo.

– Não tenho certeza – disse o Doutor. – Vamos circular um pouco. Não pode ser longe. Deve haver um templo bem grande. E uma aldeia ao redor, para prestar serviços.

Jo parou e olhou para trás por cima do ombro.

– A TARDIS ficará bem ali?

– Ela é mais resistente do que eu – assegurou o Doutor em tom sério. – E, em todo caso, eu tenho uma teoria...

– Ah, é?

– Sim. Sabe... a natureza, a forma e até o moderno pigmento azul da TARDIS são tão pouco familiares à mente primitiva que o cérebro não consegue decodificar o que está vendo, embora o nervo óptico registre a presença. O córtex visual primitivo é incapaz de transmitir conscientemente informações sobre ela ao espectador. Na realidade, embora seu circuito-camaleão ainda esteja danificado, ela é praticamente invisível. Ficará muito bem aí.

– Que incrível – disse Jo.

– Ela é uma garota incrível por muitos motivos – concordou o Doutor. – Vamos em frente, então? Ficaremos mais aquecidos se andarmos um pouco mais depressa.

Eles adentraram mais na floresta. Desde que não houvesse outra nevasca, seria bem fácil descobrir o caminho de volta até a TARDIS, seguindo as pegadas na neve.

A mata ficava em um declive, e eles foram descendo devagar no meio daquela mistura de bétulas, freixos e coníferas, até que viram o arvoredo se tornar um pouco mais esparso à frente.

– Estou ouvindo um rio em algum lugar – disse Jo.

– Sim – concordou o Doutor. – Por ali.

Logo eles avistaram um rio límpido e forte, de águas verdes, fluindo depressa entre margens cobertas de neve e gelo.

– Por aqui – informou o Doutor.

– Como você sabe?

– Porque rios significam aldeias, mais cedo ou mais tarde.

– Cedo, espero... estou congelando.

– Ainda posso voltar para pegar minha capa...

– Olhe, Doutor! O que é aquilo?

Jo apontou para um ponto na margem oposta, rio abaixo, onde havia uma enorme construção de madeira. Quando se aproximaram, identificaram o que era: uma vasta roda-d'água alimentada por um canal do rio. Então viram que após a primeira havia outra, exatamente igual, e depois dessa, mais... Eram seis no total, todas movidas pela água do canal que fluía sob as pesadas pás de madeira, que giravam devagar, mas com uma força um tanto ameaçadora.

– Fascinante.

– Tem algum jeito de atravessar?

– Vamos indo rio abaixo. Talvez haja uma ponte. Eu não gostaria de cruzar este rio, mesmo no verão.

O rio era profundo e formado por correntes revoltas. Havia gelo nas margens, e o simples ato de olhar já parecia minar o calor no sangue de Jo. Ela estremeceu.

Eles se aproximaram da primeira roda-d'água e avistaram uma ponte logo mais adiante, mas, antes que pudessem avançar, ouviram gritos do outro lado do rio. Rapidamente, jogaram-se na neve atrás de uns troncos na margem.

O Doutor ergueu a cabeça.

– Está tudo bem. Eles não nos viram.

– Quem? – perguntou Jo, sem conseguir ocultar a preocupação na voz.

– Há um grupo de homens lá do outro lado, depois das rodas. – O Doutor deu outra olhadela. – É seguro, Jo. Pode espiar.

Jo olhou para o rio.

– O que está havendo?

– Não sei – respondeu o Doutor. – Acho que há dois grupos. E eles parecem não se dar muito bem.

Jo entendeu o que ele queria dizer. Decididamente, havia dois grupos de guerreiros se encarando em uma clareira entre as rodas-d'água e a floresta. Vestiam trajes de couro e peles: botas até o joelho amarradas por tiras de pano, grossas túnicas e chapéus forrados.

Estavam gritando uns com os outros, brandindo espadas e machados de metal. Não chegavam a lutar, mas claramente não havia afeto algum entre eles, e pareciam estar à beira de um conflito, no mínimo. Um dos homens do grupo da esquerda brandia um imenso martelo acima da cabeça, enquanto soltava rugidos que mais pareciam trovões.

– Estão fazendo pose, mais nada – garantiu o Doutor. Hesitou, e depois acrescentou: – Se bem que... talvez haja desdobramentos.

Ele tinha razão. Sem aviso, um dos homens que estava no grupo do sujeito do martelo avançou rápido, brandindo um machado de guerra acima da cabeça e urrando.

Fez-se um silêncio súbito entre todos os outros homens, e uma única voz ressoou. Parecia um grito de aviso, mas vinha da *retaguarda* do homem que atacava.

Somente ele ignorou.

E então, silvando pelo ar imobilizado pela neve, uma lança surgiu do nada. Era uma distância enorme, uma distância impossível, mas a lança se cravou nas costas do homem.

Ele ainda deu mais um passo e tombou na neve, morto como a paisagem ao redor.

Fez-se silêncio. Ninguém se movia em ambos os lados.

– Gungnir? – sussurrou Jo.

Antes que o Doutor pudesse responder, o homem que atirara a lança apareceu, saindo do arvoredo. Era difícil ter certeza, a distância que eles estavam, mas o Doutor e Jo perceberam que ele era alto, mais alto que os outros. Também parecia mais velho, com uma barba comprida, mas não menos poderoso por isso.

Seus próprios homens se afastaram quando ele se aproximou; os inimigos também recuaram, rumando pela ponte de volta à margem do rio onde o Doutor e Jo estavam escondidos.

O homem que atirara a lança foi caminhando lentamente até o sujeito que matara... um de seus *próprios* homens... e, pondo uma bota sobre as costas dele, puxou a lança. Gritou uma palavra a seus homens, e eles se viraram para partir.

– Ah, minha...

Jo não terminou a frase, porque foi agarrada por várias mãos. Tentou gritar, mas teve a boca tapada. Enquanto era posta de pé à força, viu o Doutor ser agarrado por dois homens vestidos como os que eles haviam acabado de ver. Os dois foram arrastando o Doutor em direção ao rio.

O Doutor lutou para se libertar, e Jo conseguiu morder a mão que cobria sua boca. Levou um golpe na parte de trás da cabeça, e sua visão ficou turva. Enquanto lutava para se manter consciente, ela viu o Doutor se livrar de um dos agressores e desferir um golpe firme na nuca do sujeito, pondo-o de joelhos.

Então o outro homem golpeou o Doutor, que se esquivou. O sujeito cambaleou, passando pelo Doutor e agarrando seu paletó ao cair. Horrorizada, Jo viu os dois tombarem no rio veloz e gelado, sendo logo arrastados para longe.

Ela desmaiou, e seu agressor deixou que caísse inerte no chão.

6

Quando Jo acordou, o mundo estava de ponta-cabeça. Também parecia haver um terremoto em andamento. Ela levou um segundo para perceber que estava pendurada, com os pulsos e tornozelos amarrados, em cima do ombro de um dos vikings, e que ele trotava entre as árvores como se carregasse uma boneca de papel.

A segunda coisa que Jo notou foi o cheiro, o fedor mais terrível que já tivera o azar de sentir, tão ruim que dava vontade de vomitar. *Amanhã deve ser dia de banho, então*, pensou ela, torcendo o nariz.

A terceira coisa em que Jo pensou foi que era realmente aterrorizante ficar tão colada a um viking suado e quente. Dava para sentir os músculos do ombro do sujeito trabalhando, pressionando o estômago dela... naquele momento ela gritou e se contorceu para tentar fugir.

Jo achou que ouviu o sujeito rir. Fosse como fosse, porém, os braços dele se apertaram em torno das pernas dela, e Jo percebeu que não iria a lugar algum.

Dava para ver outros homens correndo ao lado dela, embora de ponta-cabeça fosse difícil dizer quantos eram. Na maior parte do tempo eles permaneciam em silêncio, mas de vez em quando um deles bradava uma palavra solta que Jo não entendia.

E então, ela se lembrou do Doutor.

Vira o Doutor ser arrastado pela forte correnteza do rio, um rio tão frio que tinha placas de gelo flutuando nele.

Ela disse a si mesma para não entrar em pânico. O Doutor ficaria bem. Sempre ficava. Não ficava?

Exceto por aquelas ocasiões que ele lhe contara, em que meio que morrera e depois meio que virara outra versão de si mesmo.

Uma outra versão de si mesmo que talvez nem soubesse quem era Jo, e ali estava ela, quase dois mil anos antes de ter nascido.

Jo começou a entrar em pânico.

Segure a onda, Josephine, pensou ela. *Segure essa onda.*

O Doutor vai ficar bem.

Vai sair do rio de algum jeito.

Vai ver aqueles rastros na neve, e vai buscar você.

Ele vai ficar bem, e a TARDIS vai ficar bem, porque esses selvagens ignorantes nem conseguem vê-la, como disse o Doutor.

7

A distância, o Doutor observou o grupo de cerca de vinte homens colocarem a TARDIS na traseira de uma grande carroça baixa puxada por quatro bois fortes. Depois o grupo partiu pela mata.

– Bom, era só uma teoria – disse ele.

Ele lutara com o tal sujeito no rio durante muito tempo, mas afinal o pobre humano sucumbira ao frio e fora arrastado para Valhalla.

O Doutor conseguira sair do rio, e ficara pingando na margem, mas em poucos minutos a água tinha começado a congelar, ameaçando transformá-lo em uma escultura de gelo viva.

O frio não o preocupava muito. Como sua temperatura corporal normal era bem mais baixa que a dos seres humanos, o mergulho no rio fora apenas refrescante, e certamente nada letal.

Mas era incômodo estar molhado e gélido, de modo que o Doutor começou a caminhar rapidamente ao longo da margem, tentando encontrar os rastros de Jo. Uma das vantagens de ter um sistema vascular binário era que, se quisesse, sempre podia bombear seu sangue mais depressa do que o normal, elevando sua temperatura corporal. Logo as roupas já estavam fumegando enquanto ele caminhava, e em vinte minutos o Doutor estava seco feito um bom martíni.

– Como eu sempre digo, é melhor ter dois corações do que um.

Logo voltou a ver as rodas-d'água e a ponte, hesitando por um instante. Precisava encontrar Jo. Mas havia algo de errado nas rodas-d'água, e ele sabia que precisava investigá-las.

Hesitou por mais algum tempo. O mais importante era encontrar a lança. Mas também havia Jo. Jo Grant. Leal, engraçada e esperta. Se algo acontecesse a ela... Ele já tivera outras companheiras, é claro, e todas eram pessoas maravilhosas, com as diversas esquisitices que os seres humanos têm, mas nenhuma delas era exatamente como Jo...

– Cinco minutos – disse o Doutor para si mesmo.

Uma rápida examinada nas rodas-d'água, e depois partiria à procura de Jo. Se eles tivessem a intenção de matá-la, ela já estaria morta, e aqueles cinco minutos não fariam diferença alguma.

O Doutor cruzou a ponte até a margem oposta e, ao se aproximar da roda-d'água mais próxima, avistou a distância algo que eles não haviam notado antes.

Depois da floresta, em cima de uma colina, havia uma clareira onde se erguia um templo de madeira imponente e vasto.

O Doutor sentiu um forte impulso de ir dar uma olhada naquilo; mesmo a distância, e em meio ao arvoredo, dava para ver que o templo era coberto por entalhes fantásticos que ele ansiava por examinar. Só que Jo fora levada em outra direção e, além disso, havia as rodas, a lança, e...

Ele prosseguiu apressadamente.

Não havia qualquer pessoa à vista, mas o Doutor se aproximou da primeira roda-d'água com cautela... ser alvo de tiros e acabar lançado dentro de um rio já era uma diversão que valia pelo dia inteiro.

A roda era um artefato pesado, impulsionado por baixo: uma longa canaleta de madeira desviava água do rio para as pás, que giravam constantemente sob o fluxo.

O Doutor passou à roda seguinte, depois a outra, e então ouviu o ruído de machados e serrotes cortando madeira na floresta ao longe. Ele aguçou o olhar na direção do som, percebendo que parte do arvoredo tremia e então notou uma falha se abrir na mata, quando uma árvore tombou.

– Eles estão fazendo outras – disse ele, tentando imaginar por que precisavam de tantas rodas-d'água, de toda aquela energia em potencial... energia que era inútil, a menos que estivessem alimentando algo.

Mas o quê?

O eixo de cada roda-d'água adentrava uma casinha, e o Doutor foi até a mais próxima. A porta estava trancada, com uma grande fechadura de ferro embutida na madeira pesada.

O Doutor tirou do bolso a chave de fenda sônica e, ao entrar, arregalou os olhos.

Não havia nenhum conjunto primitivo de eixos de transmissão e engrenagens, nada de pistões ou rodas, nem pedras para moagem ou raspagem. Em vez disso, o eixo da roda entrava direto em uma grande caixa metálica, de onde saía um pesado cabo elétrico, que depois desaparecia no chão de terra da casinha.

Nem o cabo nem a caixa pareciam ter qualquer relação com o planeta Terra no século II depois de Cristo.

Ao sair da casinha, o Doutor ouviu o mugido de um boi do outro lado do rio, e foi então que avistou a TARDIS sendo levada embora.

Ele baixou a cabeça e rumou para a ponte.

– Segure as pontas, Jo – disse ele. – Segure as pontas.

8

Jo se ajoelhou no chão de terra duro.

À sua frente havia um guerreiro enorme, com o rosto quase ocultado pela barba espessa. Os olhos dele, porém, estavam bem evidentes e pareciam fuzilá-la, fazendo-a quase preferir derreter e desaparecer pelo chão.

Em torno deles espalhavam-se os homens que haviam trazido Jo, e em torno *deles* havia um vasto salão escuro. No centro, um buraco com uma fogueira lançava uma fumaça rodopiante que se acumulava no teto de palha.

Jo fora carregada por dentro de uma aldeia; uma série de pequenas cabanas e algumas casas maiores; até ser posta diante daquele homem, que evidentemente era o chefe.

– Eu sou Njord – anunciou ele.

Jo compreendeu perfeitamente. Sabia que os circuitos telepáticos da TARDIS tinham um alcance determinado; embora o Doutor jamais houvesse dito qual era esse alcance, ela sabia que a TARDIS devia estar perto o suficiente para que aquele antigo dialeto nórdico soasse feito inglês aos seus ouvidos.

Njord se aproximou mais um pouco de Jo e começou a caminhar em torno dela, que ainda tinha os pulsos e tornozelos amarrados. Ela queria se levantar e dizer poucas e boas para aquele bode velho, mas sabia que provavelmente cairia se tentasse, e não provocaria o efeito desejado.

Njord grunhiu de satisfação.

– Tudo é como Frey falou.

– Frey? – perguntou Jo. – Quem é Frey?

Njord a ignorou. Bateu palmas e deu uma risada curta que mais parecia um latido. Depois parou diante de Jo e se curvou, pondo o rosto bem perto do dela. Enrugando o nariz, indagou:

– Onde está o Curandeiro?

– O Curandeiro? Você está falando do Doutor?

– O Curandeiro, o Doutor. Sim. Ele se afogou?

Jo abaixou a cabeça e disse em voz baixa:

– Ah, espero que não.

Njord se empertigou.

– Meus homens estão à procura dele. Se ainda estiver vivo, será encontrado.

Olhando fixamente para a terra à sua frente, Jo lutou contra a vontade de chorar.

– Você é a mulher do Curandeiro? A esposa dele?

Jo ergueu a cabeça.

– Sou a companheira do Doutor – disse ela com orgulho, sustentando o olhar de Njord pelo maior tempo possível, até sua coragem fraquejar.

Um sorriso se espalhou lentamente pelo rosto de Njord. Não era uma visão bonita. Os lábios dele se entreabriram, e Jo quase fez uma careta ao ver aqueles dentes enegrecidos.

Ele encostou a bota no ombro dela e lançou-a ao chão com um empurrão, Jo ficou deitada de lado, questionando tudo que o Doutor dissera acerca da atitude pacífica dos fazendeiros vikings.

Njord lançou-lhe um olhar frio.

– Hoje quase houve uma batalha. Tudo ocorre como Frey falou que ocorreria. O velho Caolho matou um dos próprios homens para impedir que a guerra começasse. Ele está assustado. É fraco. Cheio de bravatas e barulhos, sim, mas na realidade é fraco. E quando *Skithblathnir* voltar às nossas praias, com Frey no leme, carregando mais guerreiros para aumentar nosso exército, *nós* declararemos guerra aos *aesirs*. E *venceremos*.

Jo ficou imóvel, tentando entender tudo que ouvira, sabendo que aquilo podia ser importante, sabendo que seria bom contar ao Doutor tudo o que descobrira. Se pelo menos ele ainda estivesse vivo...

Foi agarrada por várias mãos novamente e arrastada pelo salão e pela aldeia. Viu uma carroça puxada por quatro bois. Em cima da carroça estava a TARDIS.

Jo estava prestes a gritar quando foi puxada para trás com tanta força que perdeu o fôlego. Em um piscar de olhos, levaram-na para uma cabana pequena, mas sólida, amarraram-na a uma coluna que sustentava o telhado e largaram-na ali, trêmula.

9

Anoiteceu, e os calafrios de Jo se transformaram em grandes tremores de frio. Ela se arrependeu de não ter aceitado a capa do Doutor.

Estava frio a *esse* ponto.

Jo não sabia quanto tempo se passara. Só ouvia os sons da aldeia: passos que iam e vinham, o tagarelar ocasional de vozes, o tilintar de metal em algum lugar, e o latido de cães.

Então se ouviu o rangido da porta se abrindo. Jo ergueu o olhar, piscando à luz da chama do archote carregado por um dos guerreiros, e viu o Doutor ser conduzido à cabana. Outros dois homens o amarraram à coluna, de modo que ele e Jo ficaram sentados no chão frio, de costas um para o outro. Então a porta bateu, e os dois ficaram sozinhos na escuridão.

– Acabo de conversar com o seu amigo Njord – contou o Doutor.

– Eu estou bem – disse Jo. – Obrigada. E você... como está?

– Muito bem, minha querida. Achei que ia encontrá-la por aqui. Você está bem aquecida?

– Você só pode estar de brincadeira! – exclamou ela. – Eu estou congelando!

– Bom, sente o mais perto de mim que puder. Posso nos aquecer. Três corações são melhores do que dois, afinal.

Mesmo a contragosto, Jo riu.

– Doutor... quem é Njord? Ele ficou falando de alguém chamado Frey, e acho que ele nem está aqui agora. Está longe, buscando guerreiros em seu navio, que tem um nome engraçado.

– *Skithblathnir.*

– É! Isso mesmo! Como você sabe? Caramba, Doutor... você está com febre? Parece que eu estou sentada ao lado de um fogão a lenha!

– Bom, você disse que estava com frio. Jo, lembra que conversamos sobre Odin?

– O que tem ele?

– Você conhece Odin como um deus da mitologia nórdica, correto?

– Sim. Existe Odin, e também Thor, que tem um martelo e faz trovejar. Acho que ele era filho de Odin.

– Isso mesmo. Dizem que Odin possuía a lança Gungnir... e só tinha um olho.

– Doutor! Njord chamou alguém de Caolho, como um apelido.

– Vimos esse homem hoje, Jo. Ele matou um dos próprios homens. E também havia um homem com um martelo.

– Thor! Mas eles são deuses!

– Nós estamos em uma época muito interessante. Alguns estudiosos, e devo dizer que eu me incluo entre eles, têm uma teoria acerca de certos mitos e lendas.

– Uma teoria, Doutor? Como aquela a respeito da invisibilidade da TARDIS...?

– Pois é, obrigado. Acho que aquela precisa ser repensada. Não, esta teoria diz que muitas histórias que os estudiosos da sua época acreditam ser mitos eram, na realidade, baseadas em eventos reais, e que seus personagens são baseados em pessoas reais. Até mesmo aqueles que hoje consideramos deuses foram apenas homens importantes no passado. Jo, isso é tão fascinante! Estamos testemunhando a origem dos mitos nórdicos!

– Você não está falando sério.

– Estou falando com toda a seriedade, minha querida. Odin é o rei de toda a Suécia. Seu povo se chama *aesirs*.

– Njord falou deles. Disse que vai combatê-los.

– Precisamente. Aquilo que testemunhamos junto ao rio hoje foi apenas um conflito inicial. Odin precisou matar um dos homens dele para impedir que a luta aumentasse. Segundo as grandes sagas nórdicas, havia duas raças de deuses: os *aesirs*, governados por Odin, e os *vanirs*, governados por Njord, com o auxílio de Frey.

– Obrigada, Doutor. Estou bem mais quente agora.

– O quê? Ah, ótimo. Vou diminuir o aquecimento central.

– Obrigada – repetiu Jo. – Continue a história.

– Sim, os *aesirs* e os *vanirs*. Eles já vinham brigando havia algum tempo, e então todos se encontraram em uma grande reunião, uma espécie de assembleia. Odin se irritou e lançou Gungnir nas cabeças dos *vanirs*. E assim começou a grande guerra entre eles.

– Você acha que isso está prestes a acontecer?

– Acho que sim. Seja como for, precisamos pegar Gungnir e fugir daqui.

– Gungnir? Por quê? Você ainda não me contou por que isso é tão importante.

– Agora estou absolutamente convencido de que Gungnir é um nexo físico-temporal. Um NFT. As lendas nórdicas diziam que Gungnir era mágica, que atingia qualquer pessoa que o lançador desejasse, sem falhar. Nós mesmos vimos isso hoje. Atingir aquele alvo era impossível... longe demais. Mas, uma vez lançada, Gungnir nunca erra o alvo.

– Bom, isso pode até ser bacana para uma arma viking, mas ainda não chega aos pés de uma metralhadora. Ou uma bomba nuclear.

– Jo, deixe-me concluir. Acertar o alvo sempre é ninharia para um NFT... não passa de brincadeira de criança! O importante é a *maneira* como ele faz isso. Para executar aquela proeza, o NFT forma um elo com a mente de seu detentor, seja lá quem for. Num nível quântico, o NFT se liga às ondas cerebrais do detentor, e então faz algo impressionante. Você sabe, é claro, que existe um número infinito de universos possíveis?

– É claro.

– Achei que soubesse – disse o Doutor. – Então, o que o NFT faz é examinar todos os futuros possíveis do universo em uma fração de segundo, selecionando o mais desejável para seu detentor. É por isso que é algo tão poderoso. E tão perigoso.

– Porque seu detentor, seja lá quem for, pode fazer seus desejos se tornarem realidade, literalmente.

– Exato! O Alto Conselho dos Senhores do Tempo gastou muito tempo rastreando todos eles. Um foi encontrado em Usurius, e outros dois em Kirith. Talvez não existam mais de seis, ao todo, e nem os Senhores do Tempo sabem quem os criou, ou de onde vêm. E acredite em mim... os Senhores do Tempo sabem muita coisa sobre o universo. Muita coisa. E agora parece que temos mais um NFT ao nosso alcance. Duvido bastante que Odin saiba o que tem nas mãos... o verdadeiro poder de Gungnir. Para ele, trata-se apenas de uma lança que caça muito bem...

– Mas dá para ver por que eles pensam que é uma lança mágica.

– Não só isso. Outra ideia também me ocorre.

– Qual?

– Gungnir não é a única lança famosa da história. Há outra, até mais famosa. Ou talvez seja melhor dizer infame. Quando Jesus foi pendurado na cruz, um soldado romano chamado Longinus quis ver se ele estava mesmo morto, e enfiou sua lança no flanco de Cristo. Essa lança ficou conhecida como a Lança do Destino, mas logo desapareceu. Simplesmente não sabemos que fim levou. Apesar disso, surgiram histórias sobre o seu poder. Diziam que o exército que possuísse tal lança seria invencível. Não muito tempo antes da sua época, Jo, outro homem desejou ter a lança, que àquela altura já reaparecera em um museu em Viena. Esse homem era Adolf Hitler. No dia em que invadiu a Áustria, em 1938, ele foi direto ao museu se apoderar dela. Levou a lança de volta para Berlim, e daquele momento em diante passou a acreditar que era invencível.

– Mas os nazistas perderam a guerra – argumentou ela. – A lança não funcionou.

– Há duas possibilidades. Primeiro, algumas pessoas acreditam que a lança de que ele se apoderou não era a autêntica, mas uma falsificação feita no século XIII. Mas há uma explicação mais simples: a lança *era* autêntica, mas Hitler cometeu um erro. Para funcionar, um NFT precisa ser *segurado*. Hitler simplesmente botou a lança em outro museu de Berlim e foi invadir o resto da Europa.

– Minha nossa! – exclamou Jo. – Se ele soubesse...

– Exatamente, minha querida, exatamente...

– Mas espere um instante... o que isso tem a ver com Gungnir?

– Jo, eu acredito que Gungnir e a Lança do Destino são uma coisa só.

– Mas estamos na Suécia... como a lança veio parar aqui?

– Já falei para você que os vikings avançaram muito no Mediterrâneo. Odin deve ter dado sorte e encontrado a lança lá.

– Entendi – disse Jo. – Isso faz sentido. Mas se Hitler a possuía durante a guerra, como é que ela foi escavada há pouco tempo na Suécia e posta na Coleção Moxon em Londres?

– Bom, isso é o que mais vem me preocupando – disse o Doutor, assumindo um tom de voz grave e sombrio. – Aquele folheto é a única prova que temos de que a lança *foi* encontrada recentemente em uma escavação na Suécia, não é?

– Você quer dizer que o museu estava mentindo? Por que eles fariam isso?

– Realmente... por quê, Jo? E como sabemos que a lança naquele museu não é, na realidade, outra falsificação?

– Houve anomalias temporais. Pequenas perturbações no tempo.

– Realmente houve. Mas essas anomalias também podem, às vezes, resultar da presença de uma TARDIS mal ocultada.

– Doutor?

– Jo, este sujeito que Njord mencionou, o tal de Frey... ele tem um navio chamado *Skithblathnir*, não tem? Você sabe o que os mitos nórdicos dizem de *Skithblathnir*?

Jo negou. Subitamente, já não se sentia tão aquecida.

– Diziam que Frey podia dar a seu navio o tamanho que quisesse. Que podia embarcar nele quantos homens quisesse. Isso soa familiar? Uma embarcação que é maior por dentro do que por fora?

– Doutor! Acha que...

– Jo, o nome Frey. No antigo dialeto nórdico, significa Senhor. Ou...

– Mestre! – exclamou Jo. – Frey é o Mestre!

Antes que o Doutor pudesse retrucar, ouviu-se uma risada do outro lado da porta da cabana, que foi aberta. Então ele entrou, rindo e batendo palmas.

– Ah! Foi tão divertido escutar vocês dois descobrirem tudo. Muito bem! Muito bem!

Ele parou diante deles, baixando o olhar com um sorriso de deboche.

O Mestre.

10

– Você andou muito ocupado – disse o Doutor.

O Mestre ficou parado no umbral. Segurava uma tocha acesa que lançava uma bruxuleante luz amarela sobre o rosto dele.

– Sabe, eu sempre achei que essa barba deixava você um pouco parecido com o diabo – comentou o Doutor. – Agora tenho certeza.

– Doutor, Doutor... que mau perdedor – zombou o Mestre. – Vamos lá... admita! Vocês têm dado voltas no escuro. Por falar nisso, hoje à noite o céu será iluminado de forma maravilhosa pelo cometa. Vocês vão gostar de ver.

– Sim... sim, agora entendo – disse o Doutor. – Você podia ter ido à Judeia no ano de 33 depois de Cristo para encontrar a lança. Simplesmente a tomaria das mãos de Longinus, sem dúvida. Mas a data não é precisa. Os calendários mudaram desde então e, além disso, só podemos nos basear nas datas fixadas séculos mais tarde pelos homens que escreveram os evangelhos apócrifos.

– Justamente, Doutor. Mas aqui, hoje à noite, o cometa marca o equinócio, registrado com tanta precisão nas runas daquela pedra no Museu Britânico. Sabia que eles se lavam uma vez por semana?

– Nem dá para perceber – murmurou Jo.

– E agora, Doutor, você está aqui. Vem se juntar a mim, tal como planejei. Tão gentil de sua parte chegar no momento certo. Porque eu preciso de você, Doutor. Ou melhor, preciso da sua nave.

– Algo de errado com a sua, meu velho?

– Nem um pouco. Está tudo ótimo. Tenho feito muitas viagens nela. Encontrando guerreiros para Njord. Ele está muito impressionado. Assim como Odin, e é por isso que preciso da sua TARDIS. Vou dá-la a ele.

– E os homens de Njord já me tomaram a chave, junto com minha chave de fenda. Posso até calcular o que você deseja em troca.

– Exatamente, Doutor. Odin e eu fizemos um trato. Ele quer um navio igual ao meu. E ganhará um, em troca do Nexo. A Lança do Destino.

– Mas ele não sabe operar a TARDIS.

– Não, mas também não sabe disso, não é?

– Enquanto isso, você coloca os *aesirs* e os *vanirs* para se degolarem uns aos outros, empurrando todos para a guerra, e vai arquitetando seus próprios planos ocultos.

– Agora admite o tamanho da sua burrice, Doutor?

O Doutor ficou em silêncio... só firmou o queixo e ficou olhando para a parede da cabana.

– E não é só isso, infelizmente – continuou o Mestre. – Porque falei de você a Odin, entende? De vocês dois. Ele ficou muito interessado ao saber do Doutor, uma espécie de mágico ou mago. E de sua jovem companheira, tão atraente. Portanto, vocês serão convidados de honra. Hoje à noite. Na bênção. Na realidade, pode-se dizer que serão a atração principal.

Ele se virou para sair, mas hesitou.

– De fato eu tenho alguns problemas com esses vikings. Eu os instruí com clareza a pôr os dois em cabanas diferentes. E agora estão juntos aqui. Vou mandar alguém separar vocês. Srta. Grant, Doutor... boa noite.

Dito isso, ele baixou a cabeça sob a porta e saiu.

– Precisamos fugir – sussurrou o Doutor.

– Agora?

– Não, depois que formos separados. Assim ganharemos algum tempo. Se você conseguir se libertar, encontre a TARDIS. Está em algum lugar por aqui. Bem perto, tenho certeza.

– Mas como eu vou fugir? Como você vai fugir, por falar nisso?

– Sou um ladrão melhor do que você imagina. Enquanto estava conversando com Njord, surrupiei duas facas. Você consegue alcançar meu bolso direito?

Jo se contorceu e conseguiu encontrar uma faca no paletó do Doutor.

– Se eles não nos revistarem, dará tudo certo – afirmou o Doutor. – Assim que você for amarrada outra vez, trate de se libertar. Encontre a TARDIS.

– E o que você vai fazer?

– Vou conversar com Odin.

– Ah, ótimo – retrucou Jo. – Mas para que pressa? O Mestre falou que vamos nos encontrar com ele hoje à noite, durante a bênção. Isso não parece tão ruim assim.

– Jo, você deveria conhecer melhor seu próprio idioma. Uma bênção não é o que você pensa que é. A palavra vem de um antigo dialeto nórdico, em que abençoar significa sacrificar. Nós vamos ser o sacrifício na cerimônia de hoje à noite.

II

O Doutor saiu da aldeia de Njord em direção ao rio, ao templo e à aldeia de Odin, que ficava mais além.

Avançou em silêncio. Embora a noite devesse estar escura, com a lua em quarto minguante já desaparecendo, o céu estava iluminado por um brilho estranho. Erguendo o olhar, o Doutor viu o cometa no céu. Conhecia bem a importância que os vikings davam a tais portentos: era o momento perfeito para Odin fazer um sacrifício que assegurasse a vitória na guerra que todos sabiam estar próxima.

O Doutor caminhou depressa pelo arvoredo encosta abaixo e atravessou o rio. Na penumbra, as rodas-d'água continuavam girando sem parar, e agora o Doutor sabia que tinham uma finalidade nefasta criada pelo Mestre, mas não era hora de parar e investigar. A distância cintilavam as luzes da aldeia de Odin, e ele continuou andando..

Ao se aproximar do topo da colina, onde se erguia o templo, o Doutor tropeçou em algo e olhou para baixo. Era mais um daqueles cabos elétricos, serpenteando em meio ao arvoredo. Embora tivesse pouco tempo, resolveu seguir o cabo.

Logo viu onde ia dar: em um pequeno túnel aberto na encosta da colina, bem debaixo da lateral do templo.

O Doutor entrou rastejando. Era para estar muito escuro, mas havia alguma luz. Ele foi prosseguindo, tateando pelo cabo, até que subitamente o túnel se abriu em uma pequena caverna escavada artificialmente. No centro havia outra caixa metálica sem adornos, igual à da casinha da roda-d'água, só que ela pulsava com luzes embutidas na lateral, e parecia vibrar com a energia em seu interior.

★ ★ ★

Jo conseguiu cortar as amarras com facilidade, notando que as facas de mesa dos vikings se assemelhavam muito mais a armas letais do que a talheres.

O ar da noite estava parado, e a aldeia estranhamente silenciosa, embora ela pudesse ouvir os sons das pessoas nas diversas casas por que passava. Sabia aonde estava indo. Como o circuito-camaleão da TARDIS do Doutor ainda estava quebrado, a nave só podia estar dentro de uma construção suficientemente grande para abrigar uma cabine de polícia de 1963, e só havia uma assim: o salão em que ela encontrara Njord mais cedo.

Jo avançou em silêncio e viu que o salão estava escuro. Encontrou uma porta e se esgueirou para dentro, descobrindo que, na realidade, o salão central era cercado por corredores e galerias. Começou a percorrer o primeiro deles, procurando a forma familiar da TARDIS.

Dobrou em uma esquina, e depois em outra, mas nada encontrou. Então chegou a um aposento onde um facho do luar fraco ainda penetrava por uma janela sem vidros encaixada no alto de uma parede.

A luz mostrava algo muito belo... o modelo em madeira de um navio viking, quase do tamanho do corpo dela. O casco era baixo e esguio, com o deque aberto e delicadamente detalhado. A contragosto, Jo se viu admirando aquilo como se houvesse algum feitiço que a atraísse.

Jo estendeu a mão para alisar a cabeça de dragão entalhada em madeira que servia de proa, e viu que havia ainda mais detalhes no modelo: os bancos onde os remadores sentariam e a trave que controlava o leme. Ela não conseguiu resistir à tentação de tocar a haste e, ao fazê-lo, ofegou, porque a coisa estalou e saiu na sua mão.

– Você! – chamou uma voz na escuridão. – Você! O que está fazendo aqui?

Alguém se aproximava.

Jo girou e enfiou depressa o pequeno pedaço de madeira no bolso traseiro, virando o rosto culpado para um grandalhão nórdico que olhava duramente para ela.

– Ah, não – exclamou ela.

– Eu acabei de amarrar você – acusou o viking, grunhindo. – Venha comigo. Njord e Frey vão querer saber por onde andou.

O Mestre riu.

– Não gostou das acomodações, srta. Grant? Não faz mal... eu já ia mesmo buscar você e o Doutor. É triste, mas parece que ele também optou por nos abandonar. Apenas temporariamente, sem dúvida. Você não gostaria de nos contar onde ele está, gostaria?

– Não faço ideia – respondeu ela, questionando se a afirmação dele era mesmo verdadeira.

– Ah, duvido – disse o Mestre. – Mas não importa. Seja como for, o tempo dele está quase esgotado. E você será um sacrifício tão bom quanto ele. Agora, vamos. Está na hora.

Dois homens agarraram Jo.

Njord avançou e bateu palmas. Uma horda de guerreiros vikings surgiu de repente, todos equipados para batalha.

O Mestre apontou para o canto do aposento atrás de Jo. Ela se virou e viu a TARDIS.

O Mestre tirou a chave do bolso, foi até a cabine de polícia azul, abriu a porta e acenou para Njord. Então ele, todos os seus homens e Jo entraram.

– Eu sempre fui um piloto melhor do que o Doutor, sabia? – contou o Mestre, com as mãos nos controles do console, enquanto a TARDIS começava a se desmaterializar. – Não entendo por que ele faz tanto barulho.

Alguns segundos depois, eles já haviam se desmaterializado. O Mestre largou o console, e a horda de vikings se afastou para o lado a fim de lhe dar passagem. Ele foi até a porta e a abriu.

– Talvez a nave simplesmente goste mais de mim do que do Doutor... hum?

Fora da TARDIS havia um vasto aposento, maior até do que o salão de Njord, e para Jo parecia uma igreja ou catedral.

O espaço estava cheio de gente, e embora algumas pessoas parecessem alarmadas pela súbita chegada da TARDIS, a maioria parecia despreocupada, como se já tivessem visto algo parecido.

Jo olhou em volta. Ali estava ele. O rei de um olho só. O deus vivo. Odin, rei de toda a Suécia. Ele segurava Gungnir, e vinha flanqueado pelos filhos. Lá estava Thor com seu martelo, e outro homem, que ela deduziu ser o irmão mais jovem, Balder. Os guerreiros de Odin estavam enfileirados dos dois lados, de modo que os *aesirs* e os *vanirs* se encaravam.

Entre todos estava um homem sozinho, coberto dos pés à cabeça por uma túnica branca que ia até o chão. Ele segurava uma faca comprida, de aparência maligna; era ao mesmo tempo o sacerdote e o carrasco, pronto para executar o sacrifício.

– Então! – rugiu Odin. – Você vem, Njord, observar nossa antiga e nobre bênção aqui no templo, na noite das noites.

Njord deu um passo à frente.

– Venho.

Odin sorriu, mas o sorriso era traiçoeiro.

– E você, Frey, também vem? Veio cumprir as promessas que fez?

Njord virou a cabeça para o Mestre, com expressão questionadora.

O Mestre assentiu.

– Vim.

– O que é isto? – perguntou Njord. – Que acordo foi feito com este homem?

Odin riu e provocou:

– Mesmo assim, ainda precisamos de um sacrifício! Sim!

Seus homens rugiram e abriram passagem, deixando que o Doutor fosse levado até o meio da assembleia.

– Você, Curandeiro! – declarou Odin. – O dono da embarcação mágica que agora é minha!

Njord rugiu, um grande brado de ira diante daquela traição.

– O quê? O que é isso?

Ele acenou para seus homens. Antes que pudessem reagir, porém, eles foram cercados por outros guerreiros de Odin que surgiram das sombras do templo com as armas já desembainhadas.

– E agora, Odin, grande rei! – disse o Mestre. – Chegou a hora de honrar o seu lado do acordo. A lança, por favor...

Odin riu outra vez.

– Homenzinho tolo! Eu já tenho o navio. E tenho a lança. Para que preciso de você agora?

O rosto do Mestre se turvou.

– Você... como ousa! Você não sabe de nada! Precisa de mim. E vai me dar a lança, ou eu não mostrarei como o navio funciona.

– Você *vai* me mostrar! – gritou Odin. Depois baixou a voz, assumindo um tom grave e ameaçador. – Ou então o matarei, junto com o Curandeiro e a mulher.

– Bom trabalho, meu velho – comentou o Doutor, olhando para o Mestre. Depois se virou para Odin. – Veja bem, meu caro senhor... você precisa me escutar. Precisa me escutar com muita atenção.

Odin se virou para encarar o Doutor com uma expressão de surpresa divertida se espalhando pelo rosto.

– Preciso? E por quê?

– Porque este homem também traiu você, exatamente como você fez com ele. Só que a traição dele é *muito* mais potente do que a sua. Aquelas rodas-d'água que ele o fez construir... sem dúvida falou que você se beneficiaria delas de alguma forma?

Os olhos de Odin se estreitaram. Ele desviou o olhar do Doutor para o Mestre, que agora já fora imobilizado, com os braços presos firmemente por dois homens.

– Ele nos falou de um grande poder. Um poder que iluminaria e aqueceria nossas casas e nossos salões.

– E isso acontecerá, mas não do jeito que você imagina. O que você criou para ele está enviando energia para uma caixa escondida debaixo do templo. O artefato vem estocando a energia das rodas há muito tempo, e explodirá quando ele quiser, com um simples comando. Se fizer isso, o artefato não apenas destruirá você e todos aqui, como também criará uma ferida no fluxo temporal, impedindo eternamente que alguém viaje para cá ou parta daqui. Sem dúvida esta era a intenção dele... roubar a lança e encobrir os rastros.

Odin ficou olhando para o Doutor.

– Está falando coisas sem sentido, Curandeiro.

– Eu falo a verdade. Você pode até não entender tudo que eu estou lhe contando, mas entenda isto... Frey traiu você! Não confie nele!

– Já chega – exclamou Njord. – Foi Odin quem *nos* traiu!

– Não! – rugiu Odin. – Você e Frey vêm provocando a guerra desde o início, e agora vão ter o que queriam!

Ele brandiu Gungnir acima da cabeça, e parecia prestes a atirar a lança sobre os *vanirs*.

– Doutor! – exclamou Jo. – É o começo da guerra!

– Ainda não – disse ele. – Odin! Você não está esquecendo uma coisa? Não deveria fazer o sacrifício para obter a vitória antes de começar a guerra? Isto precisa vir antes, correto?

Odin girou o corpo com os olhos arregalados de fúria, mas baixou a lança ao falar com o Doutor.

– Sim, você tem razão. Tem razão... Muito bem! E qual de vocês eu sacrificarei primeiro? Frey, o traidor? Ou a sua mulher?

– Não! – exclamou o Doutor. – Pode me escolher. Eu me dou a você, sob uma condição.

– Que é?

O Doutor apontou para o sacerdote.

– Não me insulte com este homem. Se vou ser sacrificado, eu solicito... não, *exijo*... a honra de morrer pelas mãos do rei e sob o poder da própria Gungnir!

– Doutor! Não! – gritou Jo, lutando sem sucesso para se livrar dos homens que a seguravam.

Odin ficou olhando para o Doutor por muitos segundos, e começou a gargalhar. Depois ergueu a lança acima da cabeça, bem alto, e urrou o nome da arma.

– *Gungnir!*

O berro foi acompanhado por todos os seus homens, e Odin avançou. O Doutor começou a se afastar de lado, recuando, recuando. Odin sorriu, encantado com a brincadeira... de gato e rato, caça e caçador... enquanto o Doutor abria alguma distância entre os dois.

– Não! – exclamou Jo novamente. – Não!

Então ela se calou, porque viu o que o Doutor fizera, e onde ele estava parado naquele momento.

Odin recuou o braço e atirou Gungnir com toda a força. A lança voou da mão dele diretamente para o Doutor. Não podia errar. E não erraria.

Jo gritou ao ver o Doutor observar a lança por uma fração de segundo. Então ele deu dois passos precisos para trás e cruzou a porta aberta da TARDIS, desaparecendo de vista.

A lança entrou atrás dele, e também desapareceu.

Todos arquejaram, e depois ficaram em silêncio.

Nada nem ninguém se mexeu durante três longos segundos, e então o Doutor saiu da TARDIS, segurando a lança.

Com um tom de voz grave e profundo, ele disse:

– Você atirou a lança que não erra, Odin. E errou. Agora é a minha vez.

Ele recuou o braço, mas depois parou e sorriu.

– Ou então... posso lhe devolver Gungnir, sob uma condição.

Odin começou a dar um rugido de desprazer, mas o Doutor voltou a se posicionar para atirar a lança e disse:

– Tem tanta certeza assim que eu também vou errar?

O rugido de Odin virou um rosnado, e ele sibilou entre os dentes:

– O que você quer, Curandeiro?

O Doutor se virou para Jo e sorriu.

12

Já em segurança dentro da TARDIS, o Doutor fechou a porta, e Jo correu até ele.

– Não podemos abandonar a lança aqui! – exclamou ela. – Gungnir é mais importante do que eu!

O Doutor segurou o ombro dela.

– Minha querida – disse –, isso é muito nobre da sua parte. Você tinha razão. Suas aspirações *são* as mais nobres. Mas está enganada quanto a algo. Nada é mais importante do que você.

– Ah, Doutor, eu... mas a lança...

– Sim, a lança – disse o Doutor. – A lança. Mas qual lança?

Ele meneou a cabeça para a porta da TARDIS, onde a lança estava apoiada.

– Mas você acabou de devolvê-la a ele...

– Não, eu dei a ele a cópia que íamos deixar no museu. Esta aqui é a verdadeira... espero. Foi tudo tão apressado.

Ele deu uma piscadela, e Jo soltou uma gargalhada.

– Isso é genial!

– Obrigado. Uma das minhas melhores improvisações, eu diria. Só deu um pouco de trabalho.

– Em todo caso, por que a lança não atingiu você?

– Por uma mercê temporal – explicou o Doutor. – Nenhuma arma funciona dentro da TARDIS... nem algo tão simples como uma lança. Uma vez aqui dentro, eu estava seguro. Foi bem fácil me esquivar e agarrar a lança. Então eu simplesmente troquei uma pela outra, e tornei a sair da cabine de polícia.

Jo sorriu.

– E o Mestre?

– Ah, bom, eles vão encontrar o capacitor que eu mencionei debaixo do templo. Então talvez me levem mais a sério, e façam o mesmo com o Mestre. Mas você sabe como ele é... vai acabar se safando na base da conversa, embora isso talvez demore mais do que de costume. A única coisa que não consigo entender é onde ficou a TARDIS dele. Ou o *Skithblathnir*, melhor dizendo.

Jo fez silêncio.

– O que foi? – perguntou o Doutor. – Há algum problema?

– A TARDIS do Mestre. Você acha que ele lhe deu a aparência de um navio viking?

– É o mais provável. Deve ser daí que surgiu a lenda. Os nórdicos teriam mais facilidade para entender a coisa, se a nave parecesse um dos navios deles.

– Ah... e que tamanho teria esse navio? – perguntou Jo.

– Qualquer um... por quê?

Ela vasculhou o bolso, procurando o pedaço de madeira do modelo que quebrara... a haste do leme. Em vez disso, encontrou um estranho artefato metálico.

– Doutor, esta coisa aqui é importante? Eu encontrei isto... bom, quebrei isto...

O Doutor pegou o objeto, estudou-o brevemente, e depois começou a rir com tanta força que quase abafou o som da TARDIS se materializando na sede da UNIT outra vez.

– Minha querida, você removeu o estabilizador dimensional da TARDIS do Mestre – disse ele. – Ele terá de cortar um dobrado para viajar no tempo sem isto aqui. Jo, você é incrível! Até eu teria muita dificuldade para fazer um estabilizador novo.

– O quê... até você, Doutor? – disse Jo, rindo.

– Bom, usando a tecnologia da época dos vikings... sim.

Dito isto, ele saiu da TARDIS, voltando são e salvo ao calor do verão britânico de 1973.

O Quarto Doutor: As Raízes do Mal

PHILIP REEVE

Tradução de
Eduardo Barcelona Alves

Prólogo

Acima da superfície morta de um mundo desconhecido, ao longe, entre as Estrelas de Outono, a Estrutura Heligan pende sozinha sob a luz forte e fria do espaço. Uma árvore que nunca conheceu a força da gravidade, exceto a própria, se tornou enorme, esticando os galhos imensos em todas as direções. Entre as folhas lustrosas, as pessoas construíram casas, salões e galerias, mas a árvore não as percebe. Está adormecida há séculos, sonhando seus sonhos longos, lentos e amargos de vingança...

I

Enquanto andava pelas íngremes estradas talhadas no tronco, abertas na madeira viva com o passar das gerações, Ven conseguia ouvir a árvore estalando, mexendo, murmurando. Ele odiava aqueles ruídos. Odiava as sombras que as fracas biolamparinas suspensas nos tetos lançavam. Lugares profundos como esse sempre o deixavam inquieto. Mas alguém tinha que ir até lá. Alguém tinha que verificar os troncos centrais à procura de antracnose e localizar as colmeias e os arbustos de frutinhas que as pessoas precisavam para complementar o abastecimento de comida. Ven tinha quinze anos e era seu primeiro ano como adulto. Até o filho da juíza tinha uma cota a cumprir entre os galhos inferiores.

Ele avançou nervoso pelas passagens espiraladas, iluminando as fendas com a lamparina de besouros bioluminescentes, prestando atenção no zumbido das pequenas abelhas negras que o levariam até a colmeia. Encontrou um afloramento de brotos lenhosos que logo bloqueariam a estrada se o deixassem crescer; marcou o local com um fio vermelho e anotou em seu livro de casca de árvore para informar ao esquadrão de poda.

Os estalos da árvore ficaram mais altos. *Ela está agitada esta noite*, pensou Ven, *resmungando durante o sono*. E então, quando quase se convencera de que não precisava temer aqueles ruídos, um barulho novo surgiu. Um rugido, um ronco, como uma enorme serra cortando a árvore. Um chiado que foi ficando cada vez mais alto, como se algo terrível estivesse saindo do Coração da Madeira direto em sua direção.

Ven largou a lamparina e cobriu os ouvidos com as mãos. Um dos preciosos painéis de vidro da lamparina quebrou, e os besouros dentro dela escaparam, rodeando a cabeça dele em uma tempestade de luzinhas vertiginosas antes de se espalharem escuridão adentro.

O ruído foi ficando mais alto e mais alto e... parou.

Ven destapou os ouvidos e escutou. Os murmúrios da enorme árvore eram tudo o que conseguia escutar agora. Soavam tranquilos e reconfortantes depois daquele som terrível.

Sua ideia inicial foi correr de volta até os galhos externos. Mas o que diria quando perguntassem por que deixara o trabalho inacabado? Que ouvira um barulho assustador? Podia imaginar como os outros o provocariam depois. Era o filho da juíza. Era seu dever demonstrar coragem e dar um bom exemplo.

Assim, em vez de fugir, andou na direção do ruído, entrando em uma curva na passagem e descendo um lance de degraus baixos entalhados na madeira, até o local em que um espaço oco se abria em meio a uma massa de grandes troncos.

Ven já estivera ali antes. Ficava diretamente acima da câmara digestiva e era usado para funerais. Lembrava-se de observar o corpo do avô envolto em uma mortalha quando era pequeno e de vê-lo descer por uma das aberturas escuras até o chão para se unir à árvore. O lugar estivera vazio naquele dia, apenas com o círculo de enlutados. Naquele momento, algo esperava sob a luz opaca e prateada. Era mais alta do que um homem e de uma cor que Ven dificilmente vira antes; uma coisa retangular, com janelas e uma porta, como uma pequena sala perdida. Ou uma *caixa*...

A boca de Ven ficou seca. *Não pode ser!*, pensou. Não *agora,* não *aqui*! Não aparecendo para *ele*, depois de tantos anos de espera...

Ainda assim, ali estava ela, sólida, impossível e aterrorizante: a Caixa Azul.

2

– Leela! – gritou o Doutor. – Chegamos!

Ele estava de muito bom humor. Leela afastou as peles que a cobriam enquanto dormia e saiu de seu aposento para encontrá-lo. Já tinha viajado através dos anos e anos-luz com ele, mas ainda não compreendia as mudanças de temperamento. Às vezes ele parecia uma criança, mas em outras se assemelhava a um deus. Geralmente, podia ser os dois ao mesmo tempo.

– Vamos! – gritou ele, a voz ecoando ao caminhar em algum lugar dos espaços estranhos e grandes demais da TARDIS. – Não quer dar uma olhada?

Ela passou correndo pela piscina, subiu a escada caracol e andou por um corredor até a sala de controle. A coisa que subia e descia para indicar quando a TARDIS estava em movimento estava parada, e ela soube que tinham aterrissado em algum lugar. O Doutor esperava ao lado da porta, o longo cachecol enrolado três vezes ao redor do pescoço, o chapéu empurrado para trás sobre o emaranhado de cachos, um largo sorriso no rosto.

– Onde estamos? – perguntou Leela.

– Surpresa! – disse o Doutor. – Lembra que estava reclamando que sentia falta de árvores?

– Eu não *reclamei* – retrucou Leela.

Embora fosse verdade: era uma moradora da floresta, uma amazona de Sevateem. Mas desde que o Doutor a levara embora para longe de seu lar na selva, as viagens haviam sido principalmente para lugares desprovidos de árvores: as cidades cristalinas de Ix, as colmeias de aço dos criadores de sol em Plutão. Parte dela ansiava pela luz filtrada pelas folhas e pelo aroma de plantas crescendo.

– É claro que reclamou! – disse o Doutor. – E estava certa ao fazê-lo. Isso me lembrou de que sempre quis visitar este lugar. Chama-se Estrutura Heligan.

– E há árvores aqui?

– Ah, melhor do que isso! A Estrutura Heligan *é* uma árvore; uma árvore enorme geneticamente construída, do tamanho de uma pequena lua. O povo da Terra no século XXIV usa isso para terraformar mundos alienígenas.

– Terror... o quê?

– Terraformar: dar forma igual à da Terra. Já vi florestas inteiras de Heligans suspensas no alto das atmosferas superiores de planetas no Setor Cygnus, inspirando dióxido de carbono, expirando oxigênio. As folhas agem como coletores solares. Porém, esta aqui é diferente: muito maior e completamente isolada.

Ele colocou uma imagem na tela da TARDIS para que a companheira pudesse ver. *Realmente se parece com uma lua*, Leela pensou. Uma lua com folhas verdes e pontudas, com pináculos, janelas e varandas cobertas, e partes pontudas e salientes em todo o redor. Flutuava acima de um mundo que parecia tão sem vida quanto uma rocha vulcânica.

– Não se parece com uma árvore...

– Não – concordou o Doutor. – Parece mais com uma enorme decoração de Natal montada por esquilos. A árvore fica do lado de dentro: a raiz fica no centro, os troncos e galhos irradiam em todas as direções. E pessoas vivem nela! Não há vida no planeta abaixo, mas aqui sim, centenas delas, vivendo nesta árvore. Uma cidade inteira de casas na árvore, interligadas devagar ao longo de centenas de anos. É uma estação espacial, Leela. Uma estação espacial de madeira!

Ela olhou para a coisa.

– Por que as pessoas iriam querer morar aqui?

– Sabe, não faço a menor ideia! – disse o Doutor, o sorriso se alargando, como sempre acontecia quando eles chegavam a algum lugar novo. – Vamos descobrir!

Destravou a porta. Leela verificou se estava com a faca e olhou em volta à procura de K-9. O cachorro-robô estacionara embaixo do console principal. Fios multicoloridos saíam de uma das aberturas até uma entrada na parte inferior do console. Estava imóvel, o único olho apagado, mas quando Leela chamou seu nome, ele levantou a cabeça, e a antena no topo girou em sua direção.

– Recarregando as baterias, mestra – informou ele. – Tempo remanescente estimado: duas horas, trinta e sete minutos, catorze segundos...

– Tudo bem, K-9 – disse o Doutor. – Espere aqui. Seja um bom cachorro.

– Afirmativo, mestre.

– Mas, Doutor! – protestou Leela. – E se formos atacados? O pequenino de metal luta bem!

– Não preciso que K-9 cuide de mim – assegurou-lhe o Doutor. – Tenho certeza de que não haverá nenhum perigo aqui, de qualquer maneira.

Ele podia ter certeza, mas Leela não. Ela nunca entendia por que o Doutor era tão descuidado em relação aos riscos. *Ainda bem que estou aqui para cuidar dele*, pensou Leela enquanto ele abria a porta da TARDIS e os dois saíam em direção à opaca luz verde e para o forte cheiro de adubo dentro da grande árvore.

A TARDIS se materializara em uma espécie de caverna de madeira, as paredes formadas por grossos troncos que tinham se entrelaçado e fundido ao longo dos séculos. O chão era um trançado de raízes. Em alguns lugares, um vão escuro se abria entre eles. O Doutor saltitou contente por aquele espaço, tateando a casca macia e prateada, e dizendo coisas como: "Cultivada a partir do DNA de um azevinho modificado profundamente, eu acho!" e "Pequena demais para criar toda essa gravidade por conta própria... Deve haver um gerador em algum lugar. É assim que impedem que a atmosfera escape para o espaço..."

Leela o ignorou. Ele podia entender de DNA, gravidade e espaço, mas ela entendia de árvores. Conhecia cada uma das árvores a um dia de caminhada de seu vilarejo natal. Mesmo quando criança sabia que cada árvore tinha sua própria personalidade, como as pessoas. Examinou os troncos marcados e nodosos ao redor e ouviu a maneira como aquela árvore estalava, se mexia e mudava de posição. Parecia-lhe antiga... e má.

E ela sentiu um olhar. Alguém os observava. Virou, levando a mão à faca. Uma passagem estreita aparecia entre os troncos lá perto, e, em meio à escuridão, um garoto espiava com olhos arregalados e assustados em um rosto bronzeado.

– Doutor... – sussurrou ela.

O Doutor viu o garoto.

– Olá! – exclamou.

O garoto parecia incapaz de se mexer, incapaz de falar. Recuou um pouco mais para as sombras quando o Doutor andou em sua direção, mas isso foi tudo o que fez.

O Doutor parecia satisfeito em ver o garoto. Sempre parecia satisfeito em ver alguém. Levou a mão ao bolso e tirou de lá um saco de papel amassado.

– Quer uma bala de goma? – perguntou, estendendo-lhe o saco.

O menino olhou para o saco, depois novamente para o sorriso tranquilizador do Doutor. Não parecia tranquilizado de maneira alguma.

– Você é ele mesmo! Você é *o Doutor*! – disse.

– Isso mesmo. E esta é Leela. Qual é o seu nome?

– Ven – respondeu o garoto.

– Ven? É um bom nome. Fácil de lembrar.

O garoto continuou:

– É diminutivo de "Vendeta-Será-Nossa-Quando-O-Doutor-Morrer-Mil-Mortes-Agonizantes".

O sorriso do Doutor desapareceu.

– Bem – disse ele –, é bem complexo. Entendi por que o encurtou... Tem *certeza* de que não quer uma bala de goma?

Um tremor percorreu a árvore, fazendo todos os troncos e galhos estalarem e sussurrarem, estremecendo as raízes sob os pés deles.

– Há perigo aqui – afirmou Leela.

Voltou-se para a TARDIS. Contudo, nos poucos segundos em que sua atenção estivera dirigida ao Doutor e a Ven, toda a câmara se transformara. Novos brotos surgiam silenciosamente do chão e se entrelaçavam ao redor da TARDIS, envolvendo-a em uma gaiola de madeira viva que ficava mais grossa a cada instante. Leela se lançou para a frente e puxou um broto. Era jovem, verde e flexível, mas assim que ela o arrancou da TARDIS, outro cresceu no lugar.

– Faça alguma coisa! – gritou para o Doutor. – Use sua magia!

– A chave de fenda sônica, você quer dizer? – O Doutor tirou o chapéu e coçou a cabeça, olhando para a confusão de galhos e gavinhas onde a TARDIS estivera. – Ela não afeta madeira, infelizmente.

Leela soltou um grito de frustração e sacou a faca. As gavinhas mais finas se partiam com bastante facilidade, entre salpicos grudentos de seiva; no entanto, mais delas brotavam o tempo todo. Aquelas que haviam crescido primeiro já estavam espessas e lenhosas.

– Não vai conseguir libertá-la! – gritou Ven. Ultrajado pelo que Leela estava fazendo à árvore, ele esqueceu do medo do Doutor e correu até ela, lutando para afastá-la. – A árvore acordou! Você não vai conseguir sua caixa de volta! Vocês vão morrer aqui! Que a justiça seja feita!

Leela se desvencilhou dele e virou, falando impropérios, pronta para cravar-lhe a faca, a despeito do grito de "Não!" do Doutor. Mas, antes que finalizasse o golpe, outro tremor balançou a árvore, muito pior do que o primeiro. Desequilibrada, ela foi arremessada e teria caído se o Doutor não a tivesse segurado. Ven não teve a mesma sorte; cambaleando para trás, escorregou para dentro de uma das sinistras aberturas escuras no chão e desapareceu com um grito aterrorizado.

Quando o tremor passou, o Doutor e Leela correram até a borda do buraco. Ele levava a um poço, com paredes lisas e escorregadias de seiva. Bem abaixo, os dois viam um brilho esverdeado. Parecia a Leela que estavam olhando para um lago de fluido denso e verde. O forte cheiro de adubo subia pelo poço, assim como os choramingos de Ven, que se agarrava a um apoio minúsculo abaixo deles.

– Não se preocupe! – gritou o Doutor. – Vamos tirar você daí logo, logo!

Leela não via por que deveriam ajudá-lo; era o inimigo! Atacara-os! Mas ela queria agradar o Doutor, então, em vez de discutir, se inclinou, esticando ambas as mãos para baixo na direção do garoto atemorizado.

Ele estava além de seu alcance. O Doutor a puxou de volta.

– Não, não, não... Não queremos que você caia também. – Ele deu outra olhada em Ven. – O que há aí embaixo? – gritou. – Existe alguma saída no fundo?

O garoto negou com a cabeça.

– Doutor! – disse a companheira, puxando sua manga. – De onde venho, existem plantas que prendem criaturas pequenas e as dissolvem em poças de gosma entre suas folhas. Esta árvore deve ser a mesma, só que maior!

O Doutor olhou para ela com os olhos arregalados, a expressão muito séria.

– Normalmente, Heligans não são carnívoras. Suponho que esta aqui seja grande demais para se sustentar apenas com a luz solar. Alguém andou mexendo com as sequências de DNA... Lá embaixo deve ser a câmara digestiva. Acredito que joguem todas as sobras lá dentro. Os mortos também. E fortalecem a árvore. Muito eficiente...

– Doutor, e o garoto?

– Hein? Ah, sim... – Ele espiou o poço de novo. Ven ainda estava se segurando. – A que distância você acha que ele está? – perguntou o Doutor. – Eu diria aproximadamente vinte pés; isso dá uns seis metros... deixe-me ver... dois *floons* rigelianos e meio... Sim, isso deve dar conta do recado...

Enquanto falava, desenrolava o longo cachecol listrado do pescoço. Amarrou com firmeza uma ponta em volta de uma raiz protuberante na entrada do poço e desceu a outra com cuidado na direção do garoto.

– Segure isso, Ven!

O garoto olhou como se tivessem lhe pedido que tocasse uma cobra venenosa. Talvez achasse que *fosse* uma cobra venenosa, Leela considerou.

– Não vai machucá-lo – prometeu ela. – Chama-se "cachecol". É como uma capa, só que sem pontas. Segure-o! Ele está tentando salvar a sua vida!

O menino ainda parecia assustado.

– Mas a C-Caixa Azul – gaguejou. – E ele disse... que é o *Doutor*!

– Agora, segure-se – respondeu o Doutor com alegria. – Seja um bom rapaz.

Ven ficou pendurado ali por alguns segundos, olhando para cima. Mas, com um grito de medo, soltou o apoio precário e agarrou o cachecol. Balançou por um momento, lutando para conseguir um apoio para os pés nas paredes do poço. Pequenos flocos da casca da árvore, arrancados pelas botas, caíram girando até atingir com um baque aquele lago esverdeado abaixo.

– Espero que ele não o esgarce – sussurrou o Doutor para Leela enquanto o observavam escalar. – Mesmo assim, é um problema resolvido. Agora tratemos de pensar em como libertar a TARDIS... Sempre há uma solução para essas pequenas emergências. Só é preciso pensar nelas lateralmente.

Deixando Leela acompanhando o garoto que escalava, o Doutor deitou de costas e apoiou as mãos atrás da cabeça. Ele sempre pensava melhor relaxado. Contudo, quando estava prestes a focar a mente no problema da TARDIS, notou que ele e Leela não estavam mais sozinhos. Enquanto estavam ocupados salvando o jovem Ven, três homens e uma garota tinham se esgueirado em silêncio para a câmara atrás deles. Os quatro vestiam o que pareciam ser armaduras de madeira e todos carregavam lanças. A garota, que parecia ser a líder, apontava a sua para a garganta do Doutor.

O Doutor sorriu para ela.

– Olá! Acredito que você se dará muito bem com a minha amiga Leela.

Leela olhou ao redor, viu os recém-chegados e levantou-se de um pulo, levando a mão à faca. O Doutor gesticulou para que a mantivesse na bainha. Se sua jovem companheira tinha um defeito, pensou, era seu hábito de tentar enfiar facas nas pessoas assim que as conhecia. Pessoalmente, preferia conversar com elas. As pessoas em geral se sentiam menos motivadas a matá-lo depois de terem conversado um pouco, e, se não se sentissem assim, bem, pelo menos ele usava o tempo para pensar em um plano de fuga...

Levou um dedo curioso até a ponta da lança que a garota apontava para ele.

– Ai! De madeira, não é? Parece bem afiada.

– E é – retrucou a garota, que não parecia disposta a conversar. – Você descobrirá *o quanto* é afiada se não me disser quem é e o que está fazendo aqui.

– Ah, estávamos só de passagem – disse o Doutor, sorrindo bem-humorado. – Pensamos em dar uma olhada. Sou o Doutor.

A garota o encarou. Os homens atrás dela pareciam assustados. Um deles disse:

– *É* ele, sim!

Outro advertiu:

– Cuidado, Aggie! Lembre-se: "O Doutor é um mestre da enganação."

– Aggie? – perguntou o Doutor, pensativo. – Diminutivo de quê, eu me pergunto?

As narinas da garota dilataram de orgulho.

– Meu nome *completo* é Agonia-Sem-Fim-Deverá-Ser-A-Punição-Do-Doutor.

– Ah – gemeu o Doutor. – Sabe, Leela, cá entre nós, estou começando a sentir que não sou muito bem-vindo aqui.

– O presidente Ratisbon sentiu a árvore acordar e me enviou para descobrir o que a despertou – contou a garota.

– Presidente Ratisbon, é?

– Você já ouviu falar dele?

– Não. Quem é?

– Aquele que foi escolhido como instrumento da vingança do nosso povo – respondeu Aggie, cheia de orgulho.

– Ora, bom para ele...

– Cuidado! – exclamou um dos lanceiros, apontando para a entrada do poço.

Ven estava tão desgrenhado e coberto de seiva que a princípio eles não o reconheceram quando surgiu cambaleando e ofegante com o esforço da escalada. Então, Aggie gritou:

– Ven!

– É o Doutor! – disse ele, apontando. – Chegou na Caixa Azul, do jeito que as lendas contaram, e a grande árvore despertou e a capturou para impedi-lo de fugir.

– Louvada seja a grande árvore! – exclamou Aggie.

– Mas... Ele salvou minha vida! – Ven desamarrou o cachecol e o devolveu ao Doutor. – Eu teria caído na câmara digestiva, mas ele arriscou seu cachecol para me salvar... Então será que ele é mesmo o Doutor? O Doutor não teria feito isso, teria? E ele não se parece com a escultura.

– Talvez seja um disfarce – sugeriu Aggie. – Talvez tenha salvado você para obter algo em troca. – Ela olhou para o Doutor outra vez. – O dia pelo qual esperamos tanto tempo finalmente chegou. Temos que levá-lo para o presidente Ratisbon.

– Não – disse Ven. – É a juíza quem nos governa, não o presidente Ratisbon. Vocês devem levar o Doutor até a juíza. Ela vai decidir.

– E você acha que, só porque é filho dela, tem o direito de dar ordens aos guardas do presidente? – perguntou Aggie.

– Não, mas... É a lei antiga: quando o Doutor chegar, a juíza vai julgá-lo perante o povo.

Aggie assentiu com arrogância.

– Muito bem. Vamos levá-lo para a juíza e avisar Ratisbon para preparar a Cadeira. – Ela chamou um de seus homens. – Fique aqui e vigie a Caixa Azul. E, vocês, tragam os prisioneiros.

Um estranho som de água sendo agitada veio lá de baixo; um farfalhar molhado das profundezas da câmara digestiva.

– O que foi isso? – perguntou o Doutor enquanto os lanceiros de Aggie o forçavam a se levantar. – Mais alguém ouviu aquilo?

Ninguém estava prestando atenção nele, a não ser Leela. Ela sabia o que aqueles ruídos significavam. *A árvore está com raiva*, pensou, mas não disse nada. Ele só responderia que ela estava sendo pouco científica.

Abaixo deles, sem que percebessem, algo acontecia no complexo de cavernas de madeira formando a enorme câmara digestiva de Heligan. Brotos escuros cravejavam as paredes e o teto. Até ali não eram maiores do que bolas de futebol, mas estavam começando a inchar, crescendo cada vez mais, com colunas espinhosas abrindo caminho para fora das cascas. Alguns já estavam tão grandes que seus próprios pesos os arrancavam dos nichos nos quais tinham crescido. Rolaram até o lago de fluido verde e boiaram durante alguns instantes como minas flutuantes. Então, desdobrando-se, colocando raízes e tentáculos para fora, começaram a se arrastar para a margem...

3

Leela não sabia ao certo a distância que tinham percorrido pelas intermináveis curvas e voltas da Estrutura Heligan. Conforme avançavam, as passagens que os captores escolhiam começavam a apresentar paredes com placas e painéis, não eram mais apenas escavadas na madeira, e finalmente entraram na cidade formada por casas construídas nos galhos externos. Uma ou duas vezes, cruzaram amplas vias públicas e atravessaram aberturas que lhes permitiam vislumbrar grandes câmaras onde a comida era preparada e as fibras de casca de árvore eram transformadas em tecido. Às vezes, percorriam trechos movimentados onde as pessoas se aglomeravam para verem os estranhos serem levados. Leela ouviu as novidades seguirem de boca em boca, atingindo como um incêndio descontrolado: "É o Doutor! O *Doutor*!" As pessoas gritavam nas varandas de madeira, levando as novidades para os galhos mais distantes. Mas Aggie e seus companheiros não paravam, apenas cutucavam os prisioneiros com as lanças de madeira e os obrigavam a seguir em frente.

– Não são muito acolhedores – sussurrou o Doutor. – Mas não podemos deixar de admirá-los. Construíram este mundo todo a partir da madeira da Heligan. Extraordinário!

Porém, Leela achava extraordinário como ele permanecia tão despreocupado enquanto eram levados para qualquer que fosse o terrível destino que os habitantes da árvore planejavam para eles. Ele estava com aquele sorriso de novo. Ela supunha que fosse porque ele vivera tanto tempo e vira tantas maravilhas. Devia ficar chato depois de algum tempo. Qualquer novidade o encantava.

– Imagino que seus ancestrais tenham ficado encalhados aqui, não? – perguntou ele, olhando para Aggie e os lanceiros. Eles não responderam, e ele tentou falar com Ven, que ainda os seguia um pouco mais atrás. – Acidente espacial, não foi? Salvaram apenas uma Heligan e conseguiram transformá-la em uma espécie de estação espacial viva... Engenhoso! Há quanto tempo vivem aqui?

– A grande árvore é o lar de nosso povo há novecentos anos – respondeu Ven. – Sim, nossos ancestrais ficaram presos aqui...

– Mas não houve nenhum acidente espacial – disse Aggie, agressiva. – Foi *você* quem nos prendeu aqui, Doutor.

– Verdade? Eu? Não, acredito que houve um mal-entendido... – começou a responder o Doutor, mas a conversa tinha chegado ao fim, assim como a jornada.

Um dos lanceiros abriu uma porta entalhada e Aggie empurrou os prisioneiros para dentro de uma grande sala octogonal com painéis esculpidos nas paredes. Aquele lado da Estrutura Heligan ficava virado para o sol, e a luz solar filtrada pelas folhas entrava por uma janela feita de uma única folha translúcida de celulose. Uma mulher esperava por eles; era graciosa e tinha cabelos grisalhos. A barra de seu manto cor de chá confeccionado com fibra de casca de árvore varreu o chão quando se levantou da cadeira e se adiantou para analisar o Doutor.

Aggie e seus homens o obrigaram a se ajoelhar.

– Mãe! – exclamou Ven. – É ele!

A mulher franziu a testa.

– Não se parece com a escultura.

– Vi a Caixa Azul – contou Ven. – Mas...

– Ele mesmo confessou ser o Doutor – interrompeu Aggie. – Tenho que buscar o presidente. A justiça deve ser feita.

– Então você é a juíza? – perguntou o Doutor, sorrindo para a mulher assim que Aggie saiu. Apontou para a cadeira da qual ela se levantara; era um móvel de plástico e metal, bem diferente do restante daquele mundo de madeira. – Aquele é o assento do piloto de uma espaçonave classe Wyndham, não é? Uma antiguidade, a julgar pela aparência...

– Esperamos muito tempo por você, Doutor...

A voz da juíza soava austera, mas ela parecia perturbada. Durante toda a sua vida, soubera da existência do Doutor. Lembrava-se de que quando era criança e sua avó dizia: "Seja boazinha ou o Doutor vai vir te pegar!" Mas nunca acreditara nele de verdade. Um homem que viajava através do tempo e do espaço em uma caixa azul? Era tão improvável! Pensava que era apenas um símbolo; um mito útil que os fundadores inventaram para unir as pessoas e ajudá-las a sobreviver naquele lugar estranho. Quando fora eleita para o cargo de juíza, fizera um juramento solene de estar pronta para presidir no julgamento do Doutor caso ele retornasse. Mas cem juízes anteriores haviam feito o mesmo juramento, e ele nunca aparecera. Nunca imaginara que recairia sobre ela a responsabilidade de decidir sua sentença.

– Por nove séculos, nosso povo esperou a vingança – contou ela, olhando dentro daqueles olhos grandes e atentos, ainda se perguntando se aquele seria mesmo o Doutor. – O glorioso líder, diretor Sprawn, prometeu aos nossos ancestrais que você voltaria um dia, Doutor. Projetou a Estrutura Heligan para atrair você. "Um intrometido intergaláctico como o Doutor não resistirá a uma coisa dessas", disse-lhes. E aqui está você.

– Agora me diga, o que é toda essa conversa sobre vingança? – O Doutor começou a se levantar, mas os lanceiros o forçaram para baixo outra vez. – Vingança pelo quê? Nunca fiz nada a vocês!

– Talvez tenha traído tantos povos que já nos esqueceu – sugeriu a juíza.

– O Doutor jamais trairia ninguém! – exclamou Leela com raiva.

– Calma, Leela...

– Novecentos anos atrás – continuou a juíza –, nossos antepassados estavam colonizando um mundo chamado Golrandonvar. Eles eram da Terra. A floresta de árvores Heligan estava modificando a atmosfera; operações de mineração e de construção estavam em andamento. E então você chegou, dentro da Caixa Azul...

– Golrandonvar? – perguntou o Doutor. – Não, receio que isso não me soe familiar. Mas visitei tantos lugares... Parecia-se um pouco com uma cascalheira? Você ficaria surpresa com a quantidade de mundos alienígenas que se parecem com cascalheiras...

– Mãe – chamou Ven. – Ele salvou a minha vida. Eu teria caído nas câmaras digestivas se não fosse por ele. Por que o Doutor faria algo assim?

– Porque ele é um homem bom! – exclamou Leela. – É por isso que salvou você! É por isso que me impediu de matar a garota nervosa e esses covardes com lanças de brinquedo! Ele nunca deixaria que alguém fosse ferido sem motivo!

A juíza olhou para ela.

– Acredito que esteja falando a verdade – disse ela. – Acredito que pense que ele seja bom. Mas talvez tenha sido enganada. Nosso povo tem um ditado: "O Doutor é um mestre da enganação: até mesmo seus sorrisos são estratagemas." Ele *parecia* ser muito simpático quando chegou a Golrandonvar nove séculos atrás. Mas acabou ficando do lado dos nativos daquele planeta; criaturas ferozes, primitivas, moradoras do pântano, conhecidas como Thara. Ajudou-os a se rebelarem contra nossos ancestrais e os expulsou daquele mundo promissor. Uma espaçonave foi tudo que deixou para eles, além de combustível suficiente para que chegassem a esta rocha que orbitamos agora. É por isso que, durante todos esses anos, esperamos o retorno do Doutor. Para que ele pague pelo que fez contra nós.

– Mesmo assim, ele salvou a minha vida – protestou Ven.

– E sou grata por isso – reconheceu a juíza. – Isso será levado em consideração no julgamento.

A porta foi aberta com violência. Aggie permaneceu parada. Ao seu lado havia um velho alto, esquelético, de olhar feroz, sobrancelhas brancas e cheias como as de uma coruja bufo-real. Havia mais pessoas com ele; homens com lanças e porretes, espiando ansiosos por cima do ombro para poderem vislumbrar o Doutor.

– Não haverá julgamento algum! – trovejou o velho, com voz quase tão alta e grave quanto a do Doutor. – Nada dessa sua tal de justiça para o Doutor, juíza! Você não sentiu os arvoremotos? A Heligan despertou! Sabe que o Doutor está aqui e não quer justiça. Quer vingança!

4

No coração coberto de raízes da Heligan, o homem deixado para vigiar a TARDIS estava entediado. Deu toda a volta pelo emaranhado de novos troncos, espiando por entre as aberturas, mas mal enxergava a Caixa Azul, e, pelo pouco que podia ver, não parecia nem um pouco assustadora ou impressionante como as antigas histórias descreviam. Diziam que era "maior do lado de dentro", o que quer que aquilo significasse, mas ele não via nada pelas janelas.

Ruídos baixos emanavam a todo o momento pelos poços no chão: barulhos de algo chapinhando e deslizando, e um farfalhar estranho e áspero. Ignorou-os. A velha árvore estava inquieta naquela noite, e quem poderia culpá-la? Tremia e sacudia, repleta de novos sons.

Mergulhado em pensamentos e estudando a TARDIS, ele não viu as coisas que saíram dos poços ao redor. Espinhentas como cascas de castanha-da-índia, altas como homens, deslocavam-se como caranguejos sobre raízes que se pareciam com patas de crustáceos, devagar a princípio, depois rápido...

A árvore estava inquieta naquela noite.

Ninguém ouviu os gritos dele.

– Vingança? – perguntou a juíza ao se afastar dos prisioneiros para confrontar o recém-chegado furioso. – Sim, mas deve ser feita com honra, presidente. Eu sou a juíza e digo que deve haver um julgamento. Temos que nos certificar de que este realmente é o Doutor; ele terá permissão para contar o seu lado da história antes de ser sentenciado à morte.

– Você não está apta para ser juíza! – escarneceu o presidente Ratisbon. – Você é como tantos outros hoje em dia; acha que o Doutor é apenas um monstro de contos de fadas para assustar crianças travessas.

A juíza corou de raiva.

– Todos já não se perguntaram isso? Todos com um pouco de inteligência? Mesmo velhos brutais como você, Arranque-O-Coração-Do-Doutor Ratisbon? Mas aqui está ele, afirmando ser o Doutor, e, pelas leis antigas, deve ser julgado.

– Não há necessidade – contrapôs Ratisbon. – A sentença desse traidor foi dada novecentos anos atrás. A punição é sofrimento e morte, e é meu dever garantir que seja executada. Levem-no para a Cadeira!

Embora a juíza tivesse erguido as mãos e ordenado que parassem, não houve como impedir que os homens invadissem o gabinete, agarrassem o Doutor e o arrastassem para fora com violência. Enquanto os guardas que vigiavam Leela estavam distraídos, ela recuperou a faca que um deles lhe confiscara e correu para salvar o Doutor, mas um dos homens de Ratisbon a golpeou com o cabo da lança. Ela caiu de quatro, tonta, com sangue escorrendo de um corte na testa. Ven correu até ela, e sua mãe se aproximou e se ajoelhou a seu lado, estancando o sangramento com um pedaço de pano.

– Me deixe em paz! É só um arranhão... – Leela tentou afastá-los para poder correr atrás do Doutor. Eles a seguraram. – Para onde o estão levando? – exigiu saber. – Pensei que você fosse a líder.

A juíza explicou:

– Também pensei, mas parece que não. Ratisbon é o carrasco e está impaciente para começar a trabalhar.

A sala estremeceu. Toda a árvore parecia se agitar, inquieta, como algum animal grande atormentado por pesadelos. Do lado de fora do gabinete ouvia-se um farfalhar, como alguém arrastando um feixe de galhos pesado.

Um dos homens que permanecera na soleira da porta, sem saber se ficava com a juíza ou se acompanhava o presidente Ratisbon, de repente gritou de medo:

– Juíza!

Ele cambaleou para dentro da sala e tentou fechar a porta, mas algo a abriu com brutalidade. O farfalhar soava mais alto, e de repente a sala se encheu com o cheiro de adubo que Leela lembrava-se de ter sentido lá embaixo. Olhou para Ven e sua mãe, viu medo e incompreensão em seus rostos e levantou-se, faca na mão, pronta para enfrentar aquele novo perigo cara a cara...

Só que a coisa não tinha cara alguma. Tinha uma casca dura e esverdeada coberta de espinhos afiados, um aglomerado de raízes inquietas e velozes parecidas com garras, gavinhas delicadas que tateavam e tremiam, um grosso tronco peludo, mas nada em lugar algum que se parecesse com olhos ou boca.

Atrás dela, uma das criadas da juíza berrou, e a criatura se virou na direção do som. *É cega*, pensou Leela, *mas não é surda...* Gesticulou para que os outros ficassem quietos. Não sabia se seria capaz de lutar com aquela coisa, não sozinha. Alguns homens na sala tinham lanças, mas pareciam assustados demais para usá-las. De qualquer modo, em que área se golpeava uma coisa como aquela? Quais seriam os pontos fracos?

Alguém choramingou. A coisa se contorceu, arrastando-se para a frente sobre o manto de raízes, gavinhas tateando o ar à frente. Leela prendeu a respiração, tentando não tremer quando a ponta de uma gavinha ficou a poucos centímetros de seu rosto.

De algum lugar lá fora, ouviu-se outro grito – *deve haver mais dessas coisas*, pensou Leela –, e a criatura se virou e saiu depressa. Mais gritos no corredor; sussurros das pessoas amedrontadas que se amontoavam na sala.

– O que era aquilo? – sibilou Leela.

– Não sei! – sussurrou Ven em resposta. – Nunca vi nada parecido.

– O Doutor – disse ela. – Ele saberá o que são e o que fazer.

– Mas Ratisbon prendeu o Doutor! – exclamou a juíza.

– Então temos que salvá-lo!

A juíza olhou para ela por alguns instantes e assentiu devagar. Para as pessoas na sala, disse:

– Quem estiver armado, venha comigo; os outros, reúnam-se no Salão da Justiça. Tomem cuidado com aquelas... seja lá o que forem.

Leela já estava na porta. Agia como se tivesse esquecido que fora prisioneira, e eles não tentaram lembrá-la. Do lado de fora, os corredores de madeira estavam tomados pelo farfalhar das raízes e pelo úmido cheiro vegetal das coisas rastejantes. A companheira segurou a faca com mais firmeza.

– Para onde o levaram? – perguntou.

5

Eles o fizeram descer escadas, atravessar corredores entalhados e polidos, até chegarem a uma porta pesada. O próprio presidente Ratisbon a destrancou e escancarou. E ali, em uma câmara grande e sombria, estava a Cadeira.

A Cadeira era invenção do próprio Ratisbon. Por muitos anos, o carrasco sentira que a crença no Doutor enfraquecia assim como a sede de vingança. Encarregou-se de lembrar as pessoas do antigo ódio e de demonstrar a própria fé nas antigas lendas ao preparar o dispositivo no qual o Doutor seria torturado e morto quando finalmente aparecesse. Ao longo dos anos, ele e seus seguidores juntaram madeira e a maior parte do metal remanescente da espaçonave dos primeiros colonos e construíram a Cadeira.

Era uma cadeira de metal e plástico, muito parecida com o trono da juíza, mas cercada por um aro espinhoso repleto de apetrechos afiados presos em braços articulados de madeira. Havia brocas, lâminas e agulhas, seringas cheias dos ácidos da própria árvore, tubos de borracha e terminais elétricos, dispositivos engenhosos projetados para descamar, trinchar e esmagar.

– Achou que sua morte seria rápida, Doutor? – desdenhou Ratisbon, e apontou para a Cadeira. – Por favor… sente-se.

– Ah, estou bem – respondeu o Doutor. – Prefiro ficar em pé, se você não se incomodar.

A câmara deu um solavanco; as paredes rangeram. Algumas pessoas reunidas ali gritaram de medo, e do lado de fora vieram ruídos; gritos e berros, o estrondo de algo caindo.

Ratisbon bufou, irritado.

– O que foi agora?

A porta foi aberta. Aggie irrompeu câmara adentro, gritando:

– Presidente! Há... coisas! Estão vindo do Coração da Madeira! Estão por toda parte!

Mais gritos soaram atrás dela, depois um ruído estranho, como alguém arrastando um grande feixe de varas. Ratisbon agitou as mãos, descartando aquele aborrecimento.

– Então resolva, Agonia-Sem-Fim. Arrisco dizer que é apenas algum truque da juíza. Ela não tem coragem para deixar que a verdadeira justiça seja feita...

Mas, enquanto falava, o chão atrás dele inchou e se partiu, e as velhas placas de madeira explodiram em estilhaços quando um forte golpe as atingiu por baixo. Os partidários do presidente se dispersaram quando algo grande e espinhoso se espremeu para dentro da câmara. Outros também subiam pelo restante do lugar. Esticavam as gavinhas para capturar homens que lutavam e gritavam. Um deles arrebatou Ratisbon, envolvendo-o com raízes e arrastando-o na direção do buraco pelo qual tinha emergido.

O Doutor, esquecido pelos guardas assustados, correu até a Cadeira e quebrou o braço que tinha a lâmina maior e mais afiada. Quando se virou, Ratisbon desaparecia pelo buraco. O Doutor correu até ele, cortando as raízes que o seguravam. Agarrou as mãos que o presidente agitava e gritou:

– Segure-se, homem! Aggie, me ajude!

Mas Aggie estava lutando com outra criatura. Raízes se enroscaram na garganta de Ratisbon e apertaram, sufocando e quebrando. Os dedos afrouxaram o aperto na mão do Doutor, e a coisa arrastou o corpo para dentro da escuridão subterrânea.

O Doutor correu para ajudar Aggie. Defendendo-se com a lança, a garota mantinha o monstro que a atacava a distância. Quando o Doutor se juntou a ela, a coisa recuou, balançando as raízes e gavinhas de modo ameaçador, emitindo ruídos ferozes e farfalhantes que soavam como o vento na copa das árvores.

– Vamos! – gritou o Doutor.

Ele e os outros sobreviventes fugiram da câmara, e Aggie fechou a porta. Os corredores também ecoavam com o farfalhar, além dos gritos que indicavam que mais criaturas estavam à solta no labirinto da Estrutura Heligan.

– O que são essas coisas? – perguntou Aggie.

– Diria que são uma espécie de esporo móvel – respondeu o Doutor. – É assim que as Heligans costumam se reproduzir. Devem estar se espalhando para se transformarem em árvores novas. Mas foram alterados, reprogramados, se preferir. Viraram guerreiros...

Aggie assentiu devagar, entorpecida pelo choque.

– As lendas dizem que, quando o Doutor voltar, a própria árvore vai nos defender dele. Mas por que os guerreiros iriam *nos* atacar? Também somos filhos da árvore!

– Bem, imagino que estejam atrás de mim – conjecturou o Doutor. – Esse é o problema com as plantas: nem sempre são inteligentes. Acredito que todos nós somos parecidos aos olhos deles. Simplesmente agarram qualquer coisa que faça barulho...

– Mate-o, Agonia-Sem-Fim! – gritou um dos homens ali perto. – Ele é aliado dos monstros!

– Não! – exclamou Aggie, com raiva. – Ele me ajudou. Lutou com coragem e tentou salvar o presidente.

A porta atrás deles rangeu, dobrando-se para fora sob a carga de algo muito pesado. Eles ouviam as pontas das raízes dos ferozes esporos arranhando a porta. Vindos do outro lado, mais ruídos chegavam até eles, passos rápidos e furtivos. Sombras surgiram onde o corredor fazia uma curva. Aggie agarrou a lança.

– Não... – disse o Doutor.

Pela curva da passagem veio não um guerreiro-esporo, mas outro grupo de seres humanos aterrorizados. Entre eles estavam a juíza, Ven e Leela, que correu até o Doutor e lhe deu um abraço apertado.

– Sabia que você escaparia! Vim salvar você! Há coisas, criaturas...

– Nós sabemos, nós sabemos – disse ele.

– Estão por toda parte! – exclamou Ven.

– Temos que chegar ao Salão da Justiça – informou a juíza. – É lá que nosso povo se reúne em tempos de perigo. Juntos, talvez possamos mantê-las afastadas.

Ela apontou para um corredor largo. Correram por lá, parando uma vez nas sombras de uma interseção enquanto uma multidão de esporos passava farfalhando. Quando chegaram às altas portas duplas, Ven e um dos homens empurraram para abri-las.

Pelo jeito, os esporos ainda não tinham encontrado o Salão da Justiça que estava com a mesma aparência que sempre tivera por toda a vida de Ven, com a mesma aparência que tivera durante os novecentos anos desde que havia pessoas vivendo na Estrutura Heligan. Havia a cadeira onde a juíza se sentara, os bancos para os expectadores, a plataforma onde o Doutor ficaria e, atrás dela, agigantando-se acima de tudo, a grande estátua que os fundadores esculpiram para que os descendentes nunca se esquecessem daquele antigo inimigo.

– Quem é aquele? – perguntou o Doutor, olhando para cima.

– Você – respondeu a juíza, incerta.

Ela olhou do rosto do Doutor para o rosto da escultura, tentando ver alguma similaridade e disse:

– Essa era a aparência que o Doutor tinha quando apareceu para nossos ancestrais, novecentos anos atrás.

– Não se parece nem um pouco com ele! – exclamou Leela.

– Ah, não sei – ponderou o Doutor. – Há certa semelhança. Dois olhos, duas orelhas, um nariz. Será que podemos chamar aquilo de nariz? E é verdade que mudei um pouco com o passar dos anos. Mas tenho certeza de que nunca tive uma aparência como essa.

– Ele é tão jovem! – exclamou Leela. – E tão bonito!

– Ele está usando gravata-borboleta! – explicou o Doutor com paciência. – São objetos ridículos! Nem morto eu usaria uma gravata-borboleta!

– O Doutor disse aos nossos ancestrais: "Gravatas-borboletas são legais" – afirmou Ven.

– Legais? – O Doutor olhou surpreso para ele. – Eu nunca teria dito... Ah, esperem! Esperem um pouco! Ah! Acho que entendi o que está acontecendo. Aquele camarada deve ser uma das minhas regenerações *futuras*. Todas essas coisas que vocês acreditam ser culpa minha, a revolta dos Thara, o exílio de Golrandonvar... não aconteceram ainda. Não para mim. E vocês não podem me considerar responsável por algo que ainda não fiz. Isso seria justiça, juíza?

– Suponho que não...

– Devíamos matá-lo de qualquer maneira! – explodiu um dos homens de Ratisbon. – Então ele nunca poderá trair nossos ancestrais e ajudar os Thara.

– Não – explicou o Doutor –, isso não adiantaria de nada. Se me matarem agora, eu não visitarei Golrandonvar, os Thara podem não se rebelar, esta Heligan jamais existirá e vocês não estarão aqui para me matar. Todos vocês desapareceriam em uma nuvem de paradoxos em um segundo.

Outro forte tremor abalou o salão, sacudindo toda a cidade de madeira. Painéis entalhados caíram dos telhados. A estátua do futuro Doutor oscilou perigosamente.

– A árvore está nervosa – disse Leela de repente.

– Tem razão – concordou o Doutor.

– Tenho? – Ela o olhou com surpresa. – Não vai dizer que estou agindo de modo pouco científico?

– Esses arvoremotos, o modo como os esporos estão se comportando... – disse o Doutor. – Juíza, acho que os fundadores não foram honestos com vocês. O diretor Sprawn não acreditou que seus descendentes fossem me levar à justiça. Sabia que não podia depender de que vocês ficassem bravos todos esses anos. Sabia que se tornariam sensatos demais, misericordiosos demais. Só precisava que mantivessem a árvore viva. Podando um pouco aqui e ali e ficando de olho nos pulgões até o meu retorno. Então, ela mesma se vingaria. Mesmo que isso resultasse em sua própria destruição e na de todos vocês.

Todos ao redor gemeram e gritaram de medo.

– O que podemos fazer? – perguntou a juíza.

O Doutor abriu aquele seu sorriso largo e satisfeito.

– Ah, vamos pensar em algo! Agora, um organismo tão complexo como a Heligan, principalmente uma deste tamanho, deve ser controlado de algum lugar. Deve haver algum tipo de cérebro central que pressentiu a chegada da TARDIS e desencadeou a liberação daqueles esporos.

– O torrão de raízes? – sugeriu Ven. – Fica no Coração da Madeira, embaixo da câmara digestiva, bem no centro da árvore.

– Você pode me mostrar o caminho?

Ven olhou para a mãe, depois para o Doutor. E fez que sim.

– Vou com vocês! – exclamou Leela.

– Não, Leela, você vai ficar aqui; eles vão precisar de você se os esporos atacarem. Não se preocupe; voltarei em um piscar de olhos!

– Doutor...!

Mas ele partira, trotando atrás de Ven até uma pequena porta no outro extremo do salão e desaparecendo nas sombras.

Leela se virou para os outros.

– Quanto tempo demora um piscar de olhos? – perguntou. Mas ninguém sabia, e não tiveram tempo para responder. De súbito, o Salão da Justiça se encheu com o som das raízes dos esporos batendo nas portas.

6

A Estrutura Heligan estremecia em um ritmo constante, como se a antiga árvore tentasse se desvencilhar das elegantes construções de madeira presas a ela. Os lamentos dos galhos mais grossos, conforme balançavam e açoitavam, emitia uma música dissonante, como os urros de animais enormes. E descendo por isso tudo Ven guiou o Doutor, escondendo-se de vez em quando de esporos, passando pela câmara onde a TARDIS fora encoberta pela vegetação, até lugares profundos onde nem mesmo ele estivera.

– É proibido avançar mais – avisou ele, espiando a última passagem que levava até o torrão de raízes. Teias de aranha pendiam como cortinas, agitando-se suavemente ao vento que parecia vir do coração da árvore. Uma fraca luz prateada aparecia ao longe.

– Ah, bem, regras são feitas para serem quebradas! – exclamou o Doutor com alegria e, ao ver como o garoto estava assustado, acrescentou: – Tudo bem, você fica aqui. Grite se algum esporo aparecer agitando as raízes por aí, hein!

Avançou sozinho, usando o chapéu para afastar as teias de aranha. A luz ficou mais forte. Emergiu em um espaço cujas paredes, chão e teto eram feitos de antigas raízes entrelaçadas. Presas em um emaranhado de raízes viu máquinas arrancadas das entranhas de uma antiga espaçonave; um daqueles computadores do século XXIV, com mostradores e botões grandes que controlavam o fluxo de substâncias químicas pelos galhos da Heligan. Fios e cabos coloridos saíam das máquinas, se enroscavam nas raízes como galhos de hera e subiam ao teto. O Doutor os seguiu, observando as sombras acima.

Entre espirais e nós da madeira, dois olhos o observavam.

– Ah! – exclamou o Doutor. – Diretor Sprawn, presumo?

Ele podia identificar um rosto em volta dos olhos agora, velho, mudado, longe de ser humano, brotando ramos e gavinhas como um entalhe do Homem Verde em uma igreja do interior. Havia indícios de um corpo, pernas e braços abertos no teto, quase engolfado pelo emaranhado de raízes. Então foi assim que Sprawn certificara-se de que a Heligan seguisse suas ordens, mesmo depois de tantos anos. Tornara-se parte da árvore.

Eles bloquearam as portas, mas os esporos as atravessaram. Empilharam bancos, mas os esporos os afastaram com facilidade. E tudo se transformou em medo e confusão, cortes e estocadas de lanças, gritos das pessoas apanhadas pelos esporos, berros dos amigos enquanto lutavam para libertá-los, gritos das crianças escondidas atrás das mães no outro extremo do salão. E Aggie e Leela salpicadas de seiva, lutando lado a lado, lança e faca e uma coragem desesperada contra os espinhos e as gavinhas dos esporos...

– Então, Doutor! – rosnou o rosto no teto, a voz abafada pelas raízes. – Um novo encontro!

– Bem, estamos nos encontrando pela primeira vez, tecnicamente, Sprawn – disse o Doutor, olhando as máquinas ao redor. – Mas *vamos* nos encontrar de novo, novecentos anos no passado. Seu passado: meu futuro. Esse é o problema com a viagem no tempo, nunca se sabe se está indo ou vindo...

Estendeu a mão e virou os botões do painel de controle mais próximo. Só arrancou um sibilo irritado do rosto no teto, pois nada aconteceu.

– A Heligan vai se destruir para não deixá-lo escapar, Doutor! Finalmente teremos nossa vingança pelo que fez conosco tantos séculos atrás!

O Doutor roeu uma unha, os olhos ainda focados nos controles. Distraído, disse:

– Ah, sim, sobre isso. Posso muito bem aceitar que, um dia, em um momento de fraqueza, possa vir a usar uma gravata-borboleta, mas não há chances de que use armas contra alguém que não mereça. Acho que você e seus companheiros colonos em Golrandonvar não foram vítimas inocentes da rebelião dos Thara. Acho que eram tiranos perversos.

– Os Thara eram vermes! – gritou o rosto no teto. – Opuseram-se a todas as melhorias que tentamos estabelecer naquele mundo subdesenvolvido!

– Como alterar a atmosfera?

– Golrandonvar tinha que ser terraformada, transformada em um mundo apropriado para humanos, não para aqueles macacos de pântano que respiravam metano. Não tivemos nenhuma escolha a não ser exterminá-los!

– Essa é uma palavra da qual nunca gostei – comentou o Doutor, começando a falar com austeridade. – Posso ver por que meu eu futuro vai ajudá-los a se livrarem de vocês. Assim como vou ajudar o seu próprio povo agora, para salvá-lo de sua ira suicida.

– Deixe-os morrer! – gritou o rosto transtornado. – Que motivação eles têm para viver? Durante novecentos anos lutaram para sobreviver nesta miserável erva daninha, aprisionados pela sua intromissão moralista!

– Miserável? – perguntou o Doutor. Experimentou outro mostrador e soltou uma risadinha satisfeita quando ele emitiu um bipe, e um fluido âmbar começou a borbulhar em um recipiente de vidro entranhado nas raízes. – Ah, acredito que se saíram muito bem neste lugar, levando tudo em consideração. Estão prontos para seguir em frente. Só que você não foi muito sincero com eles, foi? Esta árvore deveria ter dado mudas, uma floresta de Heligans, que teria feito o mundo abaixo se tornar habitável. Mas você não queria isso. Se tivessem um mundo novo para construir, seus descendentes poderiam ter se esquecido da vingança. Por isso, mudou algumas coisas no genoma, não é? Impediu que a Heligan produzisse esporos, até agora...

– Doutor! – Houve sons de algo arranhando a passagem exterior. Ven chegou correndo, coberto de teias de aranha, ainda com medo da câmara proibida, mas com mais medo do que havia lá fora. – Os esporos estão vindo!

– Eu os chamei aqui para matar você, Doutor – explicou a cabeça no teto, começando a rir. Saliva tamborilou na aba do chapéu do Doutor.

– E tem outra coisa – disse o Doutor enquanto acionava os controles e as máquinas bipavam e arrotavam. – Esporos das Heligans não costumam ser agressivos. Você deve ter adulterado as mensagens químicas que controlam seus comportamentos...

– Doutor! – Ven fugiu para o outro lado da câmara quando o primeiro esporo saiu da passagem, tateando com membros de madeira.

– Está tudo bem, Ven – tranquilizou-o o Doutor. – As únicas coisas que os esporos das Heligans costumam atacar são parasitas que ameaçam a árvore-mãe. Agora que ajustei o equilíbrio químico, devem voltar a se comportar de maneira normal...

O esporo passou direto pelo Doutor. As gavinhas agarraram as raízes que formavam a parede. Escalou desajeitado, como um caranguejo terrestre. Outros esporos entraram e também começaram a escalar. A coisa que fora o diretor Sprawn observava com olhos arregalados. Ele tentou se libertar do teto, mas seus membros eram raízes, a carne era madeira, a matéria da qual era feita a árvore estava entrelaçada a ele. Gritou quando os esporos se apinharam ao redor. As pontas das raízes, duras como pedras, se ergueram e desceram como machados, golpeando e cortando, espalhando a seiva espessa. Os gritos não duraram muito.

– O que estão fazendo com ele? – perguntou Ven.

– Ele está sendo podado – respondeu o Doutor. – Cortado...

Sentiu pena de Sprawn. De muitas maneiras, aquilo fora uma realização maravilhosa, a árvore enorme que criara. Se ao menos tivesse conseguido aproveitá-la pelo que era, em vez de envenená-la com desejos de vingança.

– A Heligan ficará bem sem ele? – perguntou Ven.

– Ah, acredito que sim – respondeu o Doutor.

Alguns dos esporos agora se viravam para as máquinas, enfiavam as raízes nos velhos revestimentos dos computadores, arrancavam emaranhados de entranhas eletrônicas que soltavam faíscas ofuscantes. Piscando para se livrar das imagens que se seguiram às explosões, o Doutor começou a guiar Ven de volta pela passagem na direção dos galhos externos e de seus companheiros.

– Na verdade – disse ele –, acredito que ficará muito melhor sem ele...

No Salão da Justiça os esporos interromperam o ataque de uma só vez, parando de repente, como se tivessem esquecido o que deveriam estar fazendo – ou lembrado.

– É o Doutor! – exclamou Leela, limpando a seiva da faca e se virando para os outros. – Ele conseguiu!

Seus companheiros não tinham tanta certeza. Observavam com cautela, com as lanças a postos. Quando, de repente, os esporos farfalharam de volta à vida alguns instantes depois, eles pularam depressa para trás das barricadas de bancos empilhados.

Entretanto, os esporos não voltaram a atacar. Ignorando os humanos, arrastaram-se até as enormes janelas obscuras. A celulose se rasgou quando apoiaram suas formas espinhosas contra ela. Apinharam-se nos parapeitos, contraindo as muitas pernas, e, um por um, pularam, soltando jatos de gases reprimidos para ajudá-los a se livrarem da gravidade da Heligan.

– Pronto! – exclamou o Doutor ao entrar com as mãos nos bolsos, com Ven logo atrás. – Olhem para isso! Mais dez anos, mais ou menos, e o mundo que estamos orbitando começará a se tornar habitável.

– Dez anos, Doutor? – A juíza se virou para olhá-lo. Ainda sentia como se estivesse faltando com o dever de obrigá-lo a sofrer julgamento, mas tanta coisa acontecera desde sua chegada, tanta coisa mudara... – O que devemos fazer enquanto isso? – perguntou.

– Ah, vocês deveriam se ramificar! – respondeu o Doutor com um sorriso. – Pensem em anunciar este lugar. Uma árvore deste tamanho, cercada por sua própria floresta flutuante... Deve ser uma das maravilhas da galáxia! Vocês deviam tentar atrair turistas em vez de Senhores do Tempo...

Esporos levantavam voo de todas as janelas da Estrutura Heligan, sacudindo os jovens galhos enquanto se espalhavam pelo céu. Os humanos ficaram maravilhados, contemplando a floresta aérea que tinham semeado. Ven segurou a mão de Aggie. O Doutor deu tapinhas no ombro de Leela e acenou com a cabeça na direção da porta.

– Então? – perguntou o Doutor um pouco mais tarde, depois de terem aberto caminho entre os troncos até a porta da TARDIS. – Viu uma quantidade suficiente de árvores?

– Não me importo se nunca mais vir alguma – respondeu Leela.

– Excelente! Porque eu estava pensando que valeria a pena dar uma olhada nos recifes de areia em Phenostris IV. Não vou até lá desde...

A porta se fechou atrás deles. Após alguns segundos, a TARDIS se desmaterializou devagar, deixando uma gaiola de galhos em forma de TARDIS no lugar onde estivera. O barulho da partida ecoou de novo e de novo pelas passagens e câmaras do Coração da Madeira, mas não havia ninguém para ouvi-lo. Todas as pessoas da Estrutura Heligan se amontoavam nas janelas, observando os céus do mundo abaixo se encherem de árvores recém-nascidas.

O Quinto Doutor: Na Ponta da Língua

Patrick Ness

Tradução de
Antônio Xerxenesky

– Está quebrado? – perguntou Jonny, irritado.

Pela expressão de Nettie, parecia que ela estava esperando por aquilo.

– Não tem como *quebrar* – respondeu ela. – Está vivo. Ou algo do tipo.

– Bom, *doente*, então.

– Está bem. Escuta, você quer ou não?

Jonny tocou mais uma vez o dinheiro que tinha guardado em um rolo apertado no bolso. Dois dólares. Uma verdadeira fortuna, resultado de quase seis meses economizando as gorjetas em moedas que recebia como auxiliar na lanchonete do sr. Finnegan. Ele dava a maior parte do salário para a mãe, é claro; precisavam de cada centavo já que o pai estava no exterior, lutando na guerra contra Hitler.

Mas a família de Nettie também precisava de dinheiro (aquele foi o argumento que Jonny ensaiou dezenas de vezes na cabeça para quando chegasse o momento inevitável em que sua mãe ficaria furiosa ao descobrir quanto dinheiro ele estava prestes a gastar). O pai de Nettie morrera logo depois que ela nasceu. Porém, enquanto a mãe de Jonny encontrara um bom emprego durante a guerra na fábrica local de Temperance, produzindo cartuchos de balas para tanques, a mãe de Nettie não conseguiu. A mãe de Nettie era negra, e, apesar de morarem no Maine, e não no extremo sul do país, o sr. Acklin, dono da fábrica, encontrou maneiras de deixar a mãe de Nettie desempregada. Ela estava sustentando a si e a filha com o salário de faxineira, que mal pagava o uniforme escolar da garota.

A mãe de Jonny sabia de tudo. Ela e a mãe de Nettie eram amigas desde que Jonny e Nettie se conheceram, aos cinco anos, na única escola pública da cidade. As duas mães logo fizeram amizade, unindo-se como pessoas excluídas costumam fazer. A mãe da única garota mestiça da cidade e a mãe judia de um garotinho com sobrenome alemão.

Ela vai entender, pensou o rapaz, enrolando o dinheiro entre os dedos. *Não vai?*

– Tem certeza de que vai funcionar? – perguntou ele.

Nettie suspirou como se tivesse vinte anos a mais do que os seus catorze.

– Funcionou com o tio Paul – disse ela.

– Ele vai ficar furioso por você vender...

– Ele está em uma ilha tropical perto da Austrália, atirando em pessoas nos pântanos.

O jovem tio de Nettie alugara um quarto da mãe dela antes de partir. Havia uma ansiedade na voz de Nettie que ela não disfarçava totalmente.

– Ele tem outros problemas com os quais se preocupar.

Jonny ainda estava hesitante. A amiga soltou um *tsc, tsc* indignado.

– Experimente! – Ela praticamente gritou. – Se não funcionar, não precisa comprar. A gente pode esquecer isso tudo.

– Tudo bem – consentiu Jonny, enfim estendendo a mão aberta. Nettie colocou o Contador da Verdade na palma da mão dele. A coisa encarava Jonny de modo ameaçador, os olhos amarelos repletos de uma tristeza cansada. – Parece deprimido.

– Se fosse uma máquina, eu consertaria – disse Nettie, impaciente.

Era verdade. Ela era capaz de consertar quase qualquer coisa. Consertara a bicicleta de Jonny várias vezes, e uma porta na casa dele que nunca ficara bem encaixada. Tio Paul era ótimo com as mãos, e Nettie o idolatrava. A menina orbitara ao redor dele por anos, como se fosse a irmã menor mais dedicada do mundo, e aprendera quase sem querer como se consertava torradeiras e trocava o óleo de um carro.

– Tudo que posso dizer é que Paul falou que funciona.

Jonny cutucou de leve o rosto franzido em sua palma. A coisa nada disse, mas lançou um olhar previsivelmente magoado.

Ele soltou um longo suspiro. O Contador da Verdade era real. Era o mais próximo que algum dia chegaria a comprar um. Poderia ser seu por dois dólares.

E, assim, finalmente, *finalmente*, teria a chance de fazer com que Marisa Channing prestasse atenção nele.

Ele virou a coisa, abriu os dois encaixes na parte traseira e desenrolou o longo corpo. Nunca tinha usado um e não sabia direito como deveria ficar, mas não havia muitas opções. Ele abriu a boca, colocou os dois encaixes nas laterais da língua e desenrolou o corpo sobre o queixo e por baixo do pescoço, usando-o como se o seu rosto estivesse vestindo uma gravata.

– Que tal? – perguntou ele, com a língua travando com os encaixes.

Nettie cruzou os braços.

– Não me pergunte. Eu detesto essas coisas. Não aprovo a compra de modo algum, lembra?

– Eu sei – respondeu ele. – Como você faz a coisa falar algo?

– Ele deveria... – disse ela, se aproximando.

– *Gosto de você apenas como amigo* – disse o Contador da Verdade, os olhos no queixo de Jonny encarando diretamente o rosto de Nettie.

Ela franziu a testa.

– Funciona – retrucou.

Depois de pagar os dois dólares, e assim que um Jonny perplexo, mas nervosamente feliz, voltou para o trabalho na lanchonete e uma Nettie mais rica, mas, de certa forma, ainda irritada, voltou para o trabalho *dela* no posto de gasolina do sr. Bacon, um homem louro, vestido no que aparentava ser um uniforme de críquete e com o que aparentava ser um ramo de aipo na lapela, saiu do que aparentava ser lugar nenhum com uma expressão pensativa no rosto.

Mas era claro que tudo aquilo era impossível.

– Claro que tudo isso é impossível – comentou ele, de um jeito quase alegre.

– Isso tudo o quê? – perguntou uma mulher de cabelo longo e encaracolado, que saiu do nada atrás dele. – Eles parecem crianças simpáticas.

– Sim, Nyssa – respondeu o homem. – Mas estamos na Terra, em 1945. – Ele respirou fundo. Havia cheiro de maresia no ar. – No Maine, se não me engano.

– E?

– E os Dipthodat só deveriam chegar daqui a uns cem anos. Eles deveriam estar no meio da galáxia neste momento da linha do tempo.

– Então, o que eles estão fazendo aqui agora, Doutor?

– De fato, o que será, Nyssa? – perguntou o Doutor, colocando as mãos nos bolsos. – Essa é uma pergunta que precisa de uma resposta.

A moda começou pouco antes do verão, o que deixou tudo meio estranho de início. Não havia escola para irem para que conferissem que tipos de Contadores da Verdade todo mundo estava usando, nem quais atitudes tomavam em relação a eles, nem, mais importante ainda, qual era o estilo de cada um. Além do mais, eram tempos de guerra: se você tinha mais de doze anos (e, às vezes, nem aquilo), tinha que ir a um emprego de verão ajudando em uma fazenda ou trabalhando em uma loja local, e algumas crianças, mais velhas que Jonny e Nettie, inclusive trabalhavam em turnos de verão na fábrica de armas do sr. Acklin.

E foi, na verdade, a filha do sr. Acklin, Annabelle, que apareceu três dias antes do fim do ano letivo com um Contador da Verdade azul-escuro preso no queixo, como uma daquelas mulheres voluptuosas na frente de navios piratas. O pai dela não era apenas o dono da fábrica, também possuía a mercearia de Temperance, que a mãe dela gerenciava, e Annabelle era a primeira a adotar todas as modas que migravam para o norte, vindas das grandes cidades do sul, de onde, por acaso, toda a família Acklin se mudara cinco anos antes. Eles faziam viagens regulares ao sul, e ela tinha uma autoridade implícita com a qual nenhuma outra garota de Temperance poderia competir. Annabelle vestiu a primeira saia até o joelho (em vez de até as panturrilhas) que a escola já vira e fora logo mandada para casa por causa da roupa. Durante a noite, todas as garotas da escola fizeram bainha na altura do joelho em suas saias, e o diretor Marshall, cercado por aquilo que chamou de "uma epidemia que lembra a revolução bolchevique", cedeu. Também foi a primeira a usar um colarinho de pele verdadeira tanto nos casacos de verão como nos de inverno (pele de coelho, mas tingida para parecer de marta porque "tem uma guerra acontecendo, sabem?", dizia ela) e a primeira a usar maquiagem nas pernas em vez de meia-calça depois que os japoneses cortaram o fornecimento de seda para os Estados Unidos. Não que alguma outra garota da cidade comprara uma meia-calça de seda, de qualquer forma, mas as pernas maquiadas de Annabelle levaram a uma semana inteira de manchas na altura do tornozelo por toda a escola, até que o diretor decidiu bater o martelo.

– Que *diabos* é *isso* no seu *rosto*, srta. Acklin? – perguntou ele no primeiro dia dos Contadores da Verdade. Como sempre, parecia que estava prestes a ter um ataque cardíaco.

Annabelle ergueu o rosto, orgulhosa. Ela nem tinha passado pela entrada da escola, e o restante dos alunos, inclusive Marisa Channing, como observou Jonny, não tirava os olhos dela.

– O quê? – retrucou Annabelle com um ar afetado de "tem algum problema?" e insinuando que, se alguém ficasse perplexo, era problema dele. – Essa besteira?

A boca do diretor Marshall abriu e fechou algumas vezes, a descrença lutando contra a perplexidade e perdendo.

– Tire essa coisa já!

E, então, aquilo falou.

A coisa na mandíbula dela abriu a boca cheia de dentes, as pontas posicionadas na dobra do queixo de Annabelle, e uma voz suave e triste, que fez Jonny pensar em uma vaca chorosa, soou em um tom baixo, porém estranho e impossível, que alcançou todos os ouvidos que tanto queriam escutar.

– *Você é careca* – disse a voz –, *e a sua mulher não foi visitar a irmã em Boca Raton. Ela fugiu com o sr. Edmundsen da padaria. Todos sabem disso.*

– Dava para se escutar o arroto de um mosquito – comentou Nettie, em seguida, sobre o silêncio que se seguiu, e ela tinha razão.

O rosto do diretor Marshall ficou cada vez mais vermelho, até que ele finalmente gritou:

– Como *ousa*?

– É apenas a verdade – respondeu Annabelle, os olhos acesos. – Você não pode punir alguém por dizer a verdade.

Sem palavras, os olhos do diretor Marshall se esbugalharam e, infelizmente, deu tempo para que todos refletissem que, sim, o diretor Marshall era de fato careca, e todos sabiam que a sra. Marshall frequentava a padaria com entusiasmo antes do estabelecimento fechar misteriosamente e logo em seguida ela partir para "visitar" à irmã.

Annabelle foi suspensa, é claro, mandada para casa e ameaçada com a possibilidade de receber outras medidas disciplinares, mas não antes de contar a todos que havia um estoque de Contadores da Verdade na loja da mãe dela caso alguém quisesse comprar um.

Nunca houve outras medidas disciplinares. Os pais de Annabelle eram as pessoas mais ricas, poderosas e, francamente, assustadoras da cidade, e, ainda que ninguém de fato *gostasse* do sr. Acklin (Era impossível! A hipocrisia, a arrogância de morador da cidade grande, a maneira como ele esbanjava dinheiro, inclusive quando derrubou a única mansão da cidade para construir outra no lugar. Em tempos de guerra!), também não podiam se dar o luxo de se opor a ele. Apesar de os Contadores da Verdade nunca terem sido oficialmente permitidos na escola, aquilo não impediu que uma multidão de pessoas – jovens e velhos, homens e mulheres, quem tivesse dinheiro para comprar um, na verdade, e até algumas pessoas que não tinham – os comprasse em massa.

– *O seu traseiro é grande demais para esse vestido.*

Jonny escutou da calçada enquanto jogava fora o lixo da lanchonete. A mulher cujo traseiro estava em questão se viraria, transtornada de raiva, mas o homem atrás dela daria de ombro com um sorrisinho que não era ocultado pelo Contador da Verdade pendurado sobre seu queixo.

– Esses troços irritantes – diria ele. – Não dá para discutir com a verdade, né?

Naquele momento, o Contador da Verdade da mulher responderia:

– *O seu hálito sempre foi igual ao de uma pessoa morta há muito tempo. E ninguém acredita na desculpa que você deu de ter pés chatos para não se alistar junto com os outros corajosos soldados.*

Os dois sairiam irritados e frustrados, e com ainda mais vontade de atacar outra pessoa com a verdade.

Duas semanas depois que o primeiro Contador da Verdade foi vendido, a minúscula cadeia de Temperance estava lotada por causa de pequenas agressões, algumas entre pessoas que até então eram amigas por toda a vida. O pequeno tribunal recebia audiência após audiência de divórcios de casais que eram felizes desde antes da Grande Depressão. O ineficaz conselho da cidade implorou ao sr. Acklin para que parasse de vender as "coisas malditas", mas ele disse que não havia motivos para aquilo, afinal, era "só uma moda passageira. Em pouco tempo passaremos para a próxima. Por exemplo, você já ouviu falar de um negócio chamado bambolê? Custa só um dólar e noventa e nove lá na loja...".

Mas, como outras modas incompreendidas pelos mais velhos, ou seja, qualquer pessoa com mais de vinte anos, os Contadores da Verdade encontraram um mercado secundário, mas próspero, entre os jovens da escola de Temperance. Enquanto as mães e pais devolviam às pressas os Contadores da Verdade para a loja (sem reembolso, é claro), uma subcultura extraoficial se desenvolveu. No Horizon, o único cinema de Temperance, hordas de jovens se reuniam nos assentos durante as matinês, esperavam as luzes se apagarem e colocavam silenciosamente os Contadores da Verdade abandonados pelos parentes mais velhos, ou, em casos mais raros, comprados de segunda mão sem registro e com o próprio dinheiro na loja da sra. Acklin, que não era mulher de fazer vista grossa quando havia possibilidade de lucro.

Quase ninguém assistia às notícias antes do filme, pois as Sessões da Verdade, como ficaram conhecidas, começavam nas primeiras cinco fileiras do mezanino.

– Troy Davis gosta de você, mas não tanto quanto você acha, nem da maneira como você gostaria.

– Você acha que seu cabelo parece com o da estrela de cinema Veronica Lake, mas todos comentam pelas suas costas que parece uma crina de cavalo. Isso não deve ser interpretado como um elogio.

– Você é muito egoísta e barulhento, e todos os seus amigos ficam desanimados quando você entra na sala.

– A história de que o Troy Davis engravidou a Debbie Madison e de que ela teve que se mudar por isso é mentira.

– Você tem um leve cheiro que as pessoas comentam pelas suas costas.

– Todo mundo sabe que o seu pai é alcoólatra.

– As suas coxas são tão gordas quanto você acha que são.

– Você, Troy Davis, gosta de um colega do seu time de basquete de um modo que não seria aceito pelos hábitos da sociedade desta época e lugar.

As Sessões da Verdade eram coordenadas por Annabelle Acklin, é claro, que decidia quem seria a vítima do dia. Bem, não ela, exatamente, afinal, ela não tinha controle sobre aquilo, certo? Era o Contador da Verdade que possuía todas as verdades para contar, e a verdade, afinal, nem pode ser negada, nem escondida, e não há defesa contra ela. E se, às vezes, depois da Sessão, as pessoas se retiravam do seu círculo social ou decidiam se sentar o resto da vida em outro lugar na sala de aula, ou até mesmo saíam por completo da cidade (como quando Troy Davis mentiu sobre a idade para se alistar e ser enviado imediatamente para lutar no exterior), bom, talvez Temperance pudesse muito bem ficar sem elas, não?

Jonny nunca foi convidado para uma Sessão da Verdade. Não estava em uma posição alta o bastante na cadeia alimentar da escola. Além do mais, era muito baixinho e parecia estrangeiro, ainda mais com aquele sobrenome que pesava como um saco de trigo. Ele era invisível demais para sequer ser captado pelo radar de alguém como Annabelle Acklin.

Aquilo mudaria, no entanto. Sim, estava prestes a mudar.

Porque Jonny sabia que *Marisa* frequentava as Sessões da Verdade, embora não achasse que ela já tivesse sido o alvo de alguma delas, apenas contribuindo com o Contador da Verdade rosa-perolado que o pai tinha comprado para ela de aniversário.

A bela, alta e elegante Marisa, com sua única sarda deslocada, o cabelo louro sedoso. Ela parecia de outro mundo, como se fosse um anjo.

Jonny preferiria morrer a falar aquilo em voz alta.

Ainda assim, será que ela não ficaria surpresa quando Jonny aparecesse no mezanino com um Contador da Verdade?

– Essa coisa velha? – diria ele.

Não confessaria que comprara usado de Nettie.

(E, da parte dela, Nettie nunca chegara nem perto da Sessão da Verdade, e ele sabia que ela não iria nem se fosse convidada pela própria Annabelle Acklin. Às vezes, ele não entendia nem um pouco a Nettie.)

– Aconteceu uma coisa muito estranha hoje – comentou a mãe dele, pendurando o casaco no gancho da cozinha.

Jonny estava descascando as duas batatas que comeriam no jantar, antes de ele partir para o turno da noite na lanchonete do sr. Finnegan. Sua mãe sempre voltava da fábrica com um cheiro forte de ferro e óleo, e, quando tivesse terminado de se limpar com a água que ele aquecera para ela no fogão, o jantar estaria pronto. Eles comeriam, Jonny voltaria ao trabalho e sua mãe começaria o trabalho com costura, para ganhar um dinheiro a mais. Às vezes, a mãe de Nettie aparecia, e mais de uma vez ele voltou para casa e encontrou as duas sentadas, com xícaras de "café da guerra" postas sobre a mesa que as separava, ambas adormecidas com o trabalho de costura pela metade no colo.

– Que coisa estranha? – perguntou Jonny, ao notar que ela não continuara a história. Ele fatiou a segunda batata e despejou-a na água fervente.

– O quê? – perguntou a mãe, distraída.

Ele a encarou. Ela estava olhando para a foto do pai dele, pendurada ao lado da porta, e tocava-a em silêncio. Apesar do sobrenome e do fato de os avós de ambos os lados da família serem alemães, seu pai não tivera dificuldade de encontrar uma vaga no exército americano, e naquele momento estava lá, na Europa, lutando contra pessoas com quem talvez tivessem algum grau distante de parentesco. Era engraçado o que a guerra fazia, não?

– A coisa estranha? – relembrou Jonny, suavemente.

– Ah! – exclamou ela, sentando-se cansada à mesa da cozinha. – Sim. Houve uma inspeção.

Jonny acrescentou algumas ervilhas às batatas que cozinhavam. Aquela mistura, junto com um pouco de manteiga e sal, seria o jantar deles.

– E o que isso tem de estranho?

– Eram um homem e uma mulher. Britânicos, acho, o que já é estranho o bastante, mas ela estava de calças, se é que dá para acreditar, e ele estava todo de branco para inspecionar uma fábrica! – Ela se recostou à cadeira, como se o choque a tivesse empurrado. – Mas parecia que ele nem se sujava.

Jonny continuou cozinhando, tentando ignorar a presença do Contador da Verdade no bolso, que, em sua mente, parecia berrar como uma sirene, gritando a plenos pulmões (eles tinham pulmões?). Ele estava se perguntando por que a sua mãe não escutara desde que entrara na cozinha.

Mas é claro que ele não estava emitindo som algum. Só o faziam quando alguém os colocava. Eles não faziam *nada* se não fossem encaixados. Você nunca precisava alimentá-los, eles não precisavam ser limpos depois do uso. Apenas o observavam de um jeito triste, até que você os colocasse no queixo e eles falassem as verdades que você não tinha coragem de dizer.

Como, em um exemplo aleatório, falar para a mãe que você gastou dois dólares inteirinhos em um Contador da Verdade quando só comprava carne a cada quinze dias.

– Mãe – interrompeu ele.

– Mas você devia ter visto o sr. Acklin – disse sua mãe, rindo consigo mesma. – Acho que fico feliz com qualquer coisa capaz de deixar aquele homem nervoso.

– Mãe – repetiu Jonny.

– Ficou perguntando a todos sobre aqueles malditos Contadores da Verdade – continuou sua mãe.

Jonny ficou paralisado. Sua mãe, não.

– Nossa, detestei aqueles troços – disse ela, irritada. – As pessoas são rudes o tempo inteiro e agem como se fosse um ato de coragem, como se fosse culpa *sua* você ficar irritado com algo horrível que disseram. – Ela olhou para ele. – Eu sei que vocês, garotos, gostam, mas estou tão feliz que você nunca tenha comprado um, Jon.

Jonny não disse nada. Ela tirou uma mecha de cabelo da frente do olho.

– O que você ia dizer? – perguntou ela, de um jeito completamente inocente.

– Nada – respondeu Jonny. – Só que... a água do banho está pronta. Se você quiser.

– Obrigada, *Liebchen* – disse. Ela se levantou e o beijou na testa. Ele permitiu. – Você é um bom garoto.

Ela pegou a panela com água e levou para o banheiro, e Jonny ficou ali parado em frente ao fogão, deixando o vapor do jantar fervente soprar sobre ele.

– Então, funcionou? – perguntou Nettie enquanto andavam lado a lado de bicicleta.

Ela o encontrou no caminho para o turno da noite. Estava voltando para casa depois do dia de trabalho no único posto de gasolina da cidade. Ela deveria cuidar apenas da caixa registradora, mas graças ao jeito que puxou do tio Paul para consertar coisas, e na falta de mecânicos profissionais, levados para a guerra, ela acabava passando a maior parte do tempo trocando correias e substituindo velas de ignição. Cheirava mais a produtos químicos do que a mãe dele. – Já disse suas verdades?

– Não tive tempo de testar direito ainda – respondeu Jonny.

Eles seguiram em silêncio por uns minutos, Jonny pedalando com força, Nettie deslizando com habilidade e fazendo pequenas curvas, como sempre.

– Não fique... – Nettie começou a falar, mas não terminou.

– Não fique o quê?

Nettie parou a bicicleta, e Jonny fez o mesmo. Eles estavam a uma quadra de distância da lanchonete, uma quadra de distância do lugar onde Nettie faria a curva que levava para a parte mais pobre da cidade, que ela e a mãe chamavam de lar.

– Com Marisa – disse Nettie, sem olhar diretamente nos olhos de Jonny. – Não fique surpreso se isso não... conseguir o que você quer dela.

Jonny sentiu cada centímetro de pele ficar vermelha. O sol estava se pondo, e ele torcia para que estivesse escuro o bastante para que Nettie não o notasse enrubescer.

– Não sei do que você está falando – disse ele, a voz desafinando só um pouquinho.

– Garotas como ela... – começou Nettie, mas não falou como eram as garotas daquele tipo. Tudo que Jonny escutou no silêncio dela foi "*nunca dão bola para garotos como você*".

– Não sei do que você está falando – repetiu ele, daquela vez mais irritado, e saiu pedalando, deixando Nettie para trás.

– Tenho um nariz muito grande – comentou o Contador da Verdade para o espelho. – E minha testa é oleosa e vai se encher de espinhas quando eu for mais velho.

– Bom, não conte *isso* para as pessoas – disse Jonny, com a língua ainda enrolando um pouco nos encaixes do Contador da Verdade.

A coisa parou de falar e olhou para ele de um jeito tristonho. Jonny não estava no intervalo e só poderia ficar mais um minuto no banheiro antes que o sr. Finnegan aparecesse batendo com força na porta, gritando que ele tinha mesas para limpar.

Porém, Jonny tinha olhado por cima da pilha de pratos sujos e visto Annabelle Acklin e três amigas sentando a uma mesa com sofás para pedir milk-shakes. Duas das amigas eram Virginia Watson e Edith Magee.

A terceira era Marisa Channing.

Foi quando Jonny entrou correndo no banheiro. No espelhinho, tentara ajeitar o cabelo desgrenhado, de modo que parecesse pelo menos normal, limpou um rastro de mostarda dos lábios, dos restos de batatas fritas que roubou, e tentou acalmar a respiração para não hiperventilar.

Depois, tirou o Contador da Verdade do bolso e colocou na boca.

Não estava indo muito bem.

– *Estou com medo de que a guerra não acabe tão cedo* – disse a coisa –, *e que eu seja mandado para o campo de batalha e morra.*

Jonny se mexeu de um lado para o outro.

– Bom, todos têm medo disso. Não?

– *O sr. Finnegan está prestes a bater à porta* – disse a coisa.

– O que você está fazendo aí dentro? – perguntou o sr. Finnegan do outro lado da porta, batendo com a força de uma martelada. – Essas mesas não se limpam sozinhas.

Jonny tirou o Contador da Verdade e guardou-o no bolso.

– Já estou saindo – disse.

Jonny se aproximou da mesa onde estavam as garotas. Elas bebiam seus milk-shakes com um canudinho por cima dos Contadores da Verdade.

– *Você deveria esconder melhor as orelhas com o cabelo* – dizia o Contador de Annabelle a Edith Magee. – *Elas saltam para fora.*

– *Tenho medo de você* – respondeu o Contador da Verdade de Edith. – *Faço tudo o que você mandar.*

– E você acha que eu não sei disso? – comentou Annabelle com um sorriso. Então, ela viu Jonny. – O que você está olhando?

– Nada – balbuciou ele, e só naquele momento se deu conta de que estava *mesmo* encarando. Ele segurou a pilha de pratos sujos debaixo de um braço e com o outro mexeu no bolso, procurando o Contador da Verdade.

– *Você tem um nariz muito grande* – disse o Contador da Verdade de Annabelle antes que ele pegasse o dele.

– *E a pele muito oleosa* – comentou o de Virginia Watson.

– *Você não é de origem judaica?* – perguntou o de Edith.

– *E com certeza é alemão* – completou o de Annabelle. – *Com seu sobrenome complicado, você poderia muito bem ser um traidor do nosso país.*

– Eu não... – Jonny começou a responder.

– *E como você é baixinho* – disse o de Virginia.

– *E feio.*

– *Você acha que esses três pelos debaixo do nariz são um bigode?*

– *E ninguém sabe quem você é.*

– *E ninguém nunca vai ficar sabendo.*

Jonny se virou e saiu correndo, os pratos na caixa sacudindo debaixo do braço. Ele jogou-os sobre o balcão na cozinha.

– Ei! – gritou o sr. Finnegan lá da chapa. – Se você quebrar algum desses, vai ter que pagar com as suas gorjetas.

Jonny respirou fundo por um tempo. Seu único consolo era que o Contador da Verdade de Marisa Channing não tinha dito uma só palavra.

Mas aquilo era bom? Ou seria o pior de tudo?

– Dois milk-shakes de chocolate – anunciou Jonny minutos depois, colocando as bebidas no canto da mesa sem olhar para nenhuma das pessoas sentadas ali.

– Ele parece ser o único empregado deste estabelecimento – disse Nyssa, observando Jonny –, além do dono.

– Bom, tem uma guerra *acontecendo* – comentou o Doutor, cheirando a bebida. – Apenas chocolate, leite e creme de leite congelado. – Ele tomou um gole. – Delicioso.

– Doutor – interrompeu Nyssa, um tanto impaciente. Ela olhava para as quatro garotas a duas mesas de distância. – Você falou que eles corriam um grande risco.

O Doutor se virou e acompanhou o olhar dela.

– E é verdade. Os Dipthodat são impiedosos. Eles se escondem à vista de todos, convencendo aos poucos um planeta a aceitá-los. E então...

Ele não terminou.

– Não deveríamos tomar uma atitude? – questionou Nyssa.

– No momento certo – respondeu o Doutor. – Precisamos encontrar a fonte. Ah. – As garotas se levantaram ao mesmo tempo. O Doutor não parou de beber seu milk-shake enquanto as observava vestirem os casacos de verão e saírem rindo pela porta da frente. – Hora de partir – disse ele, tomando um último gole e preparando-se para sair.

Ele parou por um segundo e deixou dois dólares de gorjeta.

– Não funcionou? – perguntou Nettie. Ela estava debaixo de um carro reluzente de tão novo, apesar de serem tão raros em época de guerra quanto dentes de galinha.

– Não sei – respondeu Jonny, olhando para o Contador da Verdade em sua mão. – Mais ou menos. Acho.

Os sons de metal causados pelo trabalho de Nettie pararam.

– Você não usou, né?

Jonny não respondeu. O que, por si só, era uma resposta.

– Por que você gosta dela, afinal? – indagou Nettie. – Marisa Channing mal sabe que você está vivo.

– Agora ela sabe um pouco mais.

Nettie saiu de baixo do carro. Estava suja de óleo na bochecha.

– Você teve a sua própria Sessão da Verdade, não?

Mais uma vez, Jonny deu a resposta ao ficar calado. Nettie balançou a cabeça e voltou para baixo do carro. Ele estava visitando Nettie um dia depois do incidente na lanchonete. Tinha que voltar em alguns minutos, mas lá estava ele, sentado na garagem do posto, os raios de sol penetrando pela porta aberta. O Contador da Verdade em sua mão o fitou como sempre. Com cara de luto.

– De onde vêm essas coisas mesmo? – perguntou ele.

– Europa – respondeu Nettie. – Ou América do Sul, ou algo do tipo. Paul disse que achava que era um experimento químico que testaram para a guerra...

– Muito bem. – Uma voz surgiu na porta, e o dono dela cobriu os raios de sol de repente. – O que temos aqui?

Era o sr. Acklin, assomando de repente. Ele entrou na garagem, o casaco caro ondulando na brisa.

Ele estava com um Contador da Verdade sobre a barba rala.

– *A garota mestiça da cidade trabalhando no seu carro* – disse, de um jeito tristonho –, *ao lado do único judeu da cidade.*

– O único judeu *alemão* da cidade – complementou o sr. Acklin sorrindo e olhando para Jonny. – Não é verdade, sr. Heftklammern?

E lá estava. As duas toneladas que seu sobrenome pesava. Era a desgraça da sua infância. Tão inegavelmente alemão, ainda mais com a ascensão do sr. Hitler. Como se o pequeno judeu Jonny Heftklammern já não se sentisse excluído do círculo de gigantes do protestantismo em Temperance, Maine.

Nem era um nome alemão de verdade. O pai de seu pai tinha imigrado logo após a Primeira Guerra Mundial e, como aquela também fora uma guerra contra a Alemanha, aconselharam-no a anglicizar o nome ao chegar aos Estados Unidos. A recomendação foi dada com a intenção de que ele mudasse apenas o sobrenome de Mueller para Miller, mas, ao chegar morto de fome e sem dormir após uma viagem longa e horrenda atravessando o oceano, vovô Dietrich ficara apavorado diante do rosto severo do funcionário da imigração. Incapaz de se lembrar do discurso que ensaiara sobre o nome, ele olhou para a mesa do funcionário e balbuciou a primeira coisa que viu.

Heftklammern significava "grampos" em alemão.

O sr. Acklin balançou a cabeça, um sorriso desagradável pairando sobre o Contador da Verdade.

– Como vai a sua mãe, srta. Washington? – perguntou ele a Nettie, que tinha saído de baixo do carro.

– Este é o seu carro? – foi a única resposta de Nettie.

– Sim, de fato – respondeu o sr. Acklin. – Acabei de comprar. E imagine a minha surpresa ao encontrar uma menina de cor, filha de uma empregada, mexendo nele.

Nettie levantou-se com cuidado e engoliu a saliva, nervosa, ainda com a chave inglesa na mão. Jonny sentiu um baque repentino no estômago e ficou surpreso em perceber o quanto odiava vê-la nervosa.

– Precisa ajustar a embreagem... – ela começou a falar.

– Eu me pergunto o que a cidade pensaria se soubesse quem o sr. Bacon colocou para cuidar dos automóveis.

– Até agora tem dado certo – retrucou Nettie.

O sr. Acklin sorriu.

– Tem mesmo? – provocou ele. – Vamos testar para ter certeza?

Ele deu um passo repentino em direção a ela, que irritada, desafiadora, mas ainda assim alguns centímetros mais baixa, deu um passo atrás.

– Ei! – chamou Jonny, levantando-se, e, quando se virou, viu Nettie tropeçar. Ela esbarrou na pintura perolada de cor preta do carro do sr. Acklin e...

A chave inglesa na mão dela raspou o carro, desenhando arranhões na lateral enquanto ela caía.

Por um instante, nada se moveu além da poeira à luz do sol.

Então, o sr. Acklin sorriu. Outra vez.

– Você vai ter que pagar por isso – disse ele.

Seu Contador da Verdade acrescentou:

– *Vou fazer de tudo para que você nunca mais trabalhe aqui.*

– E essa é a verdade – concluiu o sr. Acklin. – Você não pode argumentar contra a verdade. Pode?

Ele saiu, bloqueando mais uma vez o sol que entrava pela porta aberta, chamando o sr. Bacon.

– Ele não pode fazer isso – disse Jonny. – Foi um acidente.

– Ele pode tentar – retrucou Nettie, irritada. – E você sabe que ele sempre consegue o que quer.

Ela pegou a chave inglesa e preparou-se para atingir a janela do carro do sr. Acklin.

– Não! – gritou Jonny. Nettie parou no meio do movimento. – Ele vai fazer você pagar pelo vidro também!

Ela largou a chave inglesa e suspirou.

– O que vou fazer agora?

Jonny se lembrou de repente dos dois dólares que alguém, por mais incrível e desconcertante que pudesse parecer, deixara de gorjeta na noite anterior. Ele tirou o dinheiro do bolso e entregou a ela.

– Fique com isto.

Nettie ficou irritada.

– Não preciso de *caridade*.

– Considere como um segundo pagamento – comentou ele, segurando seu Contador da Verdade.

– Não foi o preço que combinamos...

– Um *empréstimo*, então. – Ele ainda estava com o dinheiro na mão. – Para pagar o arranhão.

Nettie resmungou e pegou o dinheiro.

– Um empréstimo. – Ela olhou pela porta. – Mas essa história não acabou. O sr. Bacon não pode apenas...

Ela parou no meio da frase, porque o sr. Bacon (como se, ao falar o nome dele, ela o tivesse invocado magicamente) entrou, e o sr. Acklin vinha logo atrás.

– Nettie – chamou o sr. Bacon, e a expressão no rosto dele já dizia qual seria a notícia.

Uma campainha tocou na porta da loja da sra. Acklin. Ela se ergueu detrás do balcão, e o sorriso em seu rosto congelou quando ela viu um homem e uma mulher vestidos de um jeito muito estranho entrarem pela porta. Mas voltou a olhar com perspicácia. Talvez *outras* mulheres gostassem de usar calças. Talvez fosse algo que poderia *vender* a esses...

– Você é a proprietária? – perguntou o homem.

Por Deus, aquilo era um ramo de *aipo* pendurado na lapela?

– Sou – respondeu a sra. Acklin.

– Poderia então me contar onde encontrou *essas coisas*, exatamente?

Ele abriu a mão. Havia quatro Contadores da Verdade, inclusive um que ela reconheceu como pertencente a sua filha, Annabelle. Ela olhou para o homem, temerosa.

E começou a gritar.

★ ★ ★

Jonny ficou esperando que ela chorasse. Estava acostumado com o pranto. Sua mãe chorava bastante, ainda mais depois de ter recebido uma carta do seu pai, porque sentia um alívio fortíssimo por saber que ele *podia* escrever cartas e não tinha sido devorado pela guerra na Europa.

Ele também viu muita gente chorando na cidade, pois a mesma guerra tinha levado maridos e filhos, irmãos e namorados. Viu a mãe de Nettie chorar quando o irmão dela, o tio Paul de Nettie, fora enviado uma segunda vez no início do verão, e a viu chorar de novo quando ela deu a notícia para a mãe de Jonny durante a costura.

Mas nunca tinha visto Nettie chorar. Nem mesmo quando o tio Paul partiu.

E ela também não estava chorando naquele momento.

Bom, não exatamente.

– Eu vou matá-lo – disse ela pela centésima vez. – Vou pegar essa chave e vou arrancar aquele cérebro racista daquela cabeça.

Ela tomou um gole do refrigerante que Jonny roubara da lanchonete para dividir com ela depois do fim do turno da noite. Ele tinha que voltar para casa; tinha trabalhado o dia todo e sentia-se mais do que cansado, e estava escuro, e o dia seguinte era um novo dia, e ele teria que fazer tudo outra vez. Mas, em vez de ir para casa, ele permanecia sentado no banco do ponto de ônibus em frente à maior casa da cidade, do outro lado da rua. Os donos da casa eram, é claro, os Acklin. Era o casarão que tinham construído durante a guerra, uma atitude quase criminosa.

– As pessoas provavelmente vão gostar – retrucou Jonny. – Mas aí você vai para a cadeia.

– Pelo menos não vou ter que pagar pela comida lá – argumentou ela, amargurada.

– Ele não pode fazer isso – insistiu Jonny. – Não foi culpa sua. Vou contar para o sr. Bacon e tenho certeza de que em alguns dias...

– Se você fizer isso, Acklin pode decidir que também não gosta muito de judeus – disse Nettie, em um tom quase tranquilo. – Sua mãe precisa do emprego.

– E você precisa do *seu* – insistiu Jonny. – Vamos encontrar uma solução, eu prometo.

– Ah, você promete, é? – respondeu ela, mas o sarcasmo era leve, e, quando olhou para ela, Jonny viu que seus olhos brilhavam, úmidos sob o luar. Quando se deu conta de que ele percebera, ela secou os olhos, apressada, com a parte de trás da manga. – O que eu vou falar para minha mãe? O que nós vamos *fazer*?

– A gente vai encontrar uma saída – repetiu Jonny. – Sério.

Nettie o encarou.

– Eu sei que você fala a sério – disse ela, baixinho. – Você sempre fala a sério.

E a maneira como ela disse aquilo soou como um grande elogio. Ele a observou desviar o rosto e tomar mais um gole de refrigerante. *Gosto de você apenas como amiga*, tinha dito o seu Contador da Verdade, e nem ele nem Nettie discordaram daquilo.

Mas, ao vê-la agora, limpando mais lágrimas que ela esperava que passassem despercebidas, sentiu vontade de pegar a chave inglesa e golpear o crânio do sr. Acklin, só porque ele deixara Nettie daquele jeito.

– Nettie... – começou a falar.

– Alguém está vindo – disse ela, sentando-se mais ereta.

Ele olhou para a rua. Era um grupo de garotas, *o* grupo de garotas liderado por Annabelle Acklin. E lá estavam Virginia Watson e Edith Magee. E, é claro, Marisa Channing, dando a impressão de que o luar fora inventado só para iluminar sua pele fresca e clara. Elas estavam em uma discussão profunda e entrecortada, e Annabelle exibia seu perigoso sorriso para Virginia e Edith, que pareciam discutir e chorar ao mesmo tempo.

Nenhuma delas estava com seus Contadores da Verdade.

– Agora é a sua chance – disse Nettie.

Jonny estremeceu. Por um instante, ele tinha esquecido que Nettie estava ali. Ele olhou para ela. Os olhos de Nettie estavam um pouco mais desafiadores, e não de um jeito bom.

– Chance de quê?

– Chance de impressionar a sua *Marisa* – respondeu ela, e se levantou do banco, ainda segurando a garrafa de refrigerante.

Ele olhou para ela por mais um instante, depois fitou as garotas que se aproximavam na rua, indo em direção à casa de Annabelle.

– Você acha? – perguntou ele.

O ombro dela caiu e ela balançou a cabeça, reprovando-o. Ele não gostou nem um pouco da expressão no rosto dela.

– *Idiota* – ele a ouviu sussurrar.

– Por que...?

– Só coloque o negócio – disse ela. – Vamos finalmente ver o que acontece quando Marisa Channing escutar você falando a verdade. Vamos lá, vamos ver o que acontece, que tal?

– Nettie, eu não estou entend...

– Porque você realmente acha que é só uma questão de verdade, não é? Ela vai ver que você tem dinheiro para pagar um desses troços horríveis e que não tem medo de falar coisas rudes e horrorosas para qualquer outra pessoa, mas, quando olhar para ela, toda a verdade que você vai falar será sobre como a pele dela é linda, como o cabelo dela é ondulado e como o mundo para de cheirar a peido quando ela passa.

Jonny piscou, enrubescendo. Ela tinha razão em quase tudo, embora ele não tivesse pensado naquilo sobre peidos...

– Sinceramente – disse Nettie, balançando a cabeça em um gesto de reprovação outra vez. – Cada mentira que as pessoas contam a si mesmas e chamam de verdade. Bom, vamos em frente. O que você está esperando?

As garotas estavam quase no mesmo ponto da rua, do outro lado. Em questão de segundos, entrariam na casa de Annabelle e ele perderia a oportunidade. Seu estômago ficou embrulhado ao ver Nettie tão furiosa, e só naquele momento começava a entender o que podia estar acontecendo e o que pensava daquilo tudo. Porém, ele também escutava outra voz, a que olhara para Marisa Channing por tanto tempo com um desejo que não era capaz de descrever, e ela estava prestes a entrar no caminho que levava à casa dos Acklin...

Ele colocou a mão no bolso e pegou o Contador da Verdade. Ignorou o olhar de Nettie enquanto encaixava o objeto debaixo da língua e o esparramava sobre o queixo. Ele se ergueu, revelando sua estatura não muito impressionante, respirou fundo e atravessou a rua.

Foi quando a casa dos Acklin explodiu.

Não foram apenas as janelas explodindo, ou um quarto, ou uma porta, ou algo do tipo. A *casa toda* explodiu, todos os três andares, inclusive o teto, que saltou em um clarão de luz e fogo. As quatro garotas paradas em frente a casa, Jonny e Nettie gritaram quando uma onda de chamas voou na direção deles.

Jonny nem sequer pensou nas ações. Ele se jogou na frente de Nettie enquanto o sopro de chamas e fumaça se aproximava deles, e eles caíram juntos dentro do abrigo do ponto de ônibus. O fogo passou por cima deles, mas não os queimou, e sumiu em um instante. Protegendo Nettie o máximo possível (ela era muitos centímetros mais alta do que ele, e ele questionou, por um segundo, a eficácia da sua proteção), Jonny continuou achando que seria atingindo com destroços e tijolos...

Mas nada aconteceu.

– *Sai* de cima de mim – pediu Nettie, empurrando-o. Do outro lado da rua, as garotas tinham se agrupado na calçada, mas aparentavam não estar feridas e se mostravam tão confusas quanto Jonny e Nettie.

A casa dos Acklin tinha desaparecido. Não sobrara nem destroços em chamas.

Apenas... *sumira.*

– O que aconteceu? – perguntou Jonny.

– Eles construíram as casas deles com uma espécie de polímero secretado – respondeu uma voz feminina carregada de sotaque atrás deles. – Curiosamente, é muito parecido com açúcar. – Uma mulher de cabelo castanho encaracolado, usando calça, estendeu a mão para ajudá-los a se levantar. – Deve ser daí que surgiram algumas das casas feitas de doces nos contos de fadas.

Aturdido, Jonny aceitou o auxílio e se deixou erguer. Nettie fez o mesmo.

– Seja como for – continuou a mulher –, só *aparentava* ser uma casa. Mas, quando o polímero é atingido pelas próprias armas, ele meio que vaporiza, queimando depressa em uma temperatura muito baixa e deixando poucos resíduos.

Jonny e Nettie olharam fixamente para ela.

– Hein? – disse Jonny, afinal.

– Você é britânica? – questionou Nettie, como se aquilo fosse o mais surpreendente de tudo.

A mulher apenas sorriu para eles, então se aproximou e tocou com suavidade o Contador da Verdade que Jonny ainda usava.

– *Estou terrivelmente confuso* – comentou ele.

– Tenho certeza que sim – respondeu ela. – Mas nós passamos o dia todo reunindo os seus irmãos e irmãs.

– Nyssa! – chamou uma voz do outro lado da rua. Um homem surgia do lugar vazio e estranho onde antes ficava a casa dos Acklin.

E não estava sozinho.

Um leve som de engasgue foi ouvido antes de Virginia Watson cair desmaiada. Todo mundo só ficou parado, olhando de boca aberta.

O homem conduzia o que aparentava ser duas ovelhas que andavam eretas e eram bastante altas. Mas eram ovelhas com o rosto de uma espécie de peixe gigante. Mas também misturado com um esquilo. E uma abóbora.

Os peixes-ovelhas-esquilos-abóboras não pareciam nem um pouco contentes. Os dois estavam com os pés/nadadeiras presos, dando toda a impressão de terem sido capturados pela polícia.

– Prendi os dois! – gritou o homem, conduzindo-o pelos restos da entrada da casa. – Posso fazer isso, não?

Edith Magee gritou quando eles se aproximaram e saiu correndo pela rua, berrando sem parar. Annabelle e Marisa ficaram paralisadas, observando com os olhos arregalados.

A mulher britânica atravessou a rua em direção ao homem. Ela chamou Jonny e Nettie.

– Vamos lá – chamou ela. – Está tudo bem.

Estupefato, Jonny se deu conta de que estava seguindo a mulher. Olhou para trás. Nettie também os acompanhava com uma expressão tão perplexa quanto a dele. Ela ainda segurava a garrafa de refrigerante.

– E lá está o último – disse o homem, olhando para o queixo de Jonny ao se aproximar dele. Os peixes-ovelhas lançaram urros irritados, mas o homem olhou com severidade para eles, silenciando-os.

– O que está acontecendo? – perguntou Nettie, observando Marisa e Annabelle de olhos esbugalhados. – Quem é você?

Mas, antes que o homem pudesse responder, o Contador da Verdade de Jonny falou:

– *Você é o Doutor* – disse ele.

– Quem? – perguntou Jonny.

– O quê? – perguntou Nettie.

Mas o Doutor conversava com o Contador da Verdade.

– Sou – respondeu ele. – E você, meu amigo, está em segurança.

– *Estou a salvo agora* – disse o Contador da Verdade, e Jonny percebeu que, pela primeira vez, ele não falou com uma voz triste.

– Estes são seus pais? – perguntou uma voz.

Todos se viraram. Foi quando perceberam que foi Marisa quem perguntou. Annabelle ainda estava parada ao lado dela, aparentando estar, ao mesmo tempo, furiosa e apavorada.

– Mãe? – chamou Annabelle. – Pai?

Houve um momento de silêncio quando todos notaram que ela estava falando com os peixes-ovelhas.

– Receio informar, mas você terá que vir conosco também, Annabelle – anunciou o Doutor.

Os peixes-ovelhas emitiram um ruído borbulhante.

– Mas eu *gosto* daqui – disse Annabelle. – Todos me obedecem.

Os dois peixes-ovelhas fizeram mais ruídos borbulhantes que pareciam dizer que eles também gostavam de lá, mas não havia nada a ser feito.

– Ouvi falar sobre o acidente da fratura no tempo – falou o homem para Annabelle. – Seus pais me explicaram. – Ele olhou para trás, para o buraco onde antes estava a casa. – Com um pouco de insistência minha. Vocês caíram aqui por acidente, cem anos antes do que deveria ocorrer. E isso vai atenuar a pena que vão receber.

– Pena?! – gemeu Annabelle.

– Escravidão é ilegal – explicou o homem, repentinamente mais sério e um tanto assustador. – Neste sistema solar e nos sistemas vizinhos que ficam entre aqui e a terra natal dos Dipthodat. E, piorando a sua situação... – ele se curvou na direção de Annabelle – *eu* não gosto.

Annabelle deu a impressão de que iria discutir, mas os peixes-ovelhas emitiram longos ruídos borbulhantes, e, apesar de ainda parecer irritada, ela finalmente cedeu.

– Ah, *tá bom.*

Ela suspirou, tirou o casaco com colarinho de pele que vestia, e, diante dos olhos de todos, ela...

Transformou-se em uma daquelas coisas peixe-ovelha. E emitiu um ruído borbulhante para o homem.

– Não, não vou acorrentar você – respondeu o homem –, desde que se comporte.

O peixe-ovelha Annabelle foi até os pais peixes-ovelhas, e uma discussão borbulhante começou entre eles.

– Alguém pode me explicar o que está acontecendo? – perguntou Nettie, e Jonny viu que ela segurava a garrafa de refrigerante como uma arma em potencial contra os peixes-ovelhas e doutores misteriosos usando suéteres brancos ou mulheres britânicas que vestiam calças.

– Que corajosa, Nettie – elogiou o Doutor. – O perigo já passou. Pena que tive que destruir a residência deles, mas os Dipthodat podem ser uma espécie cansativa.

– Diptho-quê? – inquiriu Jonny, a língua ainda tropeçando sobre o seu Contador da Verdade.

O Doutor gesticulou em direção aos peixes-ovelhas.

– Dipthodat. Uma raça xenofóbica.

– Xeno-quê? – perguntou Jonny.

– Eles não gostam de quem não é como eles – explicou o Doutor.

– Pode ter certeza disso – concordou Nettie, olhando os peixes-ovelhas, que devolviam o olhar.

– Eles vão até outros planetas – contou o Doutor –, semeiam a discórdia entre os locais e se alimentam da energia negativa. É o que eles comem. Só isso. Tudo que gira ao redor de conflito, raiva e ódio. – O Doutor se curvou na altura de Jonny e olhou para o Contador da Verdade outra vez. – Essas maravilhosas criaturinhas ajudam muito na tarefa deles. – Ele fitou Jonny nos olhos. – Você convence as pessoas que jogar as "verdades" mais vergonhosas e dolorosas nas caras uns dos outros é uma boa ideia e gera energia negativa o bastante para dominar o mundo.

– Funciona melhor entre os jovens – explicou Nyssa. – Gente boa, como vocês. Parece tanto que é verdade que se torna muito doloroso. O estoque deles é quase inesgotável. É de partir o coração.

– A gente achou que eram brinquedos – disse Jonny.

– Não são brinquedos – corrigiu o Doutor. – Escravos. São chamados de Veritans. Pequenas criaturinhas fantásticas com poderes psíquicos que captam aquilo que todo mundo acha que é verdade. Conquistadas séculos atrás pelos Dipthodat e forçadas a trabalhar como escravos. Sentem falta da terra natal e lamentam que não há pagamento, conforto e nem chance de fugir. – Ele olhou irritado mais uma vez para os peixes-ovelhas. – O que é algo que me deixa, de fato, muito incomodado.

Os peixes-ovelhas fizeram uma cara envergonhada.

– Eles só devem chegar ao seu planeta daqui a cem anos, quando, felizmente, vocês estarão preparados para lidar com eles sem precisar de ajuda. Esses três vieram parar aqui por acidente. Demoraram alguns anos para se disfarçarem e se estabelecerem, entraram em contato com um comerciante de escravos do mercado negro que estava de passagem e arranjaram alguns Veritans.

– *Estou a salvo agora* – repetiu o Contador da Verdade.

– Sim, está – respondeu o Doutor. – E vai voltar para casa.

– *Vou voltar para casa* – disse o Contador da Verdade, e a felicidade na voz dele comoveu Jonny.

– Tudo bem – disse Nettie. – Peço desculpas por soar meio lenta. Os Acklin eram de outro planeta esse tempo todo?

– Isso é um alívio? – perguntou o Doutor

– Não – retrucou Nettie, irritada. – Eles pareciam humanos o bastante. No pior sentido.

Os peixes-ovelhas fizeram sons borbulhantes. Ela ergueu a garrafa de refrigerante, mas dessa vez não demonstrou medo.

O Doutor assentiu.

– Pelo jeito, os Contadores da Verdade não foram os únicos problemas que eles aprontaram por aqui.

– *Aprontaram?* – questionou Nettie, irritada com a palavra.

– Bom, logo eles vão embora – falou o Doutor. – Isso vai ajudar na situação por aqui?

Nettie concordou, desafiadora.

– Vai ajudar, sim.

O peixe-ovelha Annabelle se agitou de repente em barulhos borbulhantes. Ela se contorceu e assumiu parcialmente uma forma humana.

– Largue isso! É meu! – gritou.

O Doutor a segurou enquanto ela tentava agarrar Marisa, que, como todos podiam ver, tinha pegado o casaco com colarinho de pele e o colocava sobre o ombro.

– Sério? – perguntou Marisa. – Acho que fica melhor em mim.

Ela se mexeu de um lado para o outro, fazendo rodopiar o casaco, esfregando o rosto contra a pele. Juntou o colarinho sob o queixo e alisou o tecido. Olhou para Jonny.

– O que você acha?

– Você... – disse Jonny, olhando bem de perto para ela, observando como ela parecia adorar o casaco, como as sobrancelhas dela se erguiam, aguardando um elogio, um olhar que ele nunca tinha visto antes nela.

Ou, pelo menos, um olhar que ele nunca percebera.

– Você parece a Annabelle – respondeu ele.

– Eu não pareço nem um pouco com *aquilo* – retrucou Marisa, apontando com a cabeça para Annabelle, que estava um peixe-ovelha pela metade.

– Não, mas... – Jonny começou a falar, porém hesitou.

– *De repente, não tenho mais interesse em você* – disse o Contador da Verdade –, *embora não saiba ao certo o motivo.*

– Você vai descobrir – disse o Doutor.

– Você estava interessado em mim? – perguntou Marisa, com uma expressão no rosto que só podia ser descrita como pavor.

Jonny escutou Nettie fazer um barulho, mas, quando se virou, ela estava soprando de um jeito inocente na garrafa vazia de refrigerante.

O som das sirenes começou a aumentar. Os carros de bombeiro se aproximavam.

– Que atraso para uma explosão desse tamanho – comentou Nettie.

– Ah, demos um jeito de conseguir isso – explicou o Doutor. E então, fez uma expressão triste. – Sr. Heftklammern… ótimo nome, por sinal, nunca o mude, e srta. Washington. O povo decente dessa cidade fala muito bem de vocês, e os indecentes… – ele sinalizou em direção aos peixes-ovelhas – ... falam muito mal, de fato, o que conta pontos a favor. – Ele suspirou. – Perdi dois amigos recentemente. Um morreu de forma corajosa, outra voltou para a sua vida. Nyssa é uma grande companheira, mas gosto de ter um grupo grande ao meu redor. – Ele parou por um instante. – Será que algum de vocês estaria interessado em viajar?

– Doutor – interrompeu Nyssa, com um tom de advertência.

– Estamos em guerra – disse Jonny. – Viajar é perigoso.

– Não posso – respondeu Nettie, quase ao mesmo tempo. – Minha mãe precisa de mim.

– A minha também – explicou Jonny.

– Mas é claro – disse o Doutor. – Claro que tem isso. – As sirenes estavam cada vez mais próximas. – Leve os Dipthodat para a TARDIS, Nyssa. – Ele se voltou para Jonny e Nettie. – Digam à polícia que vocês escutaram uma explosão e isso é tudo que sabem.

– Acho que eles não acreditariam no resto, de qualquer maneira – disse Jonny.

– Nem sei se *eu* acredito – complementou Nettie –, e eu vi com meus próprios olhos.

– Todos os Veritans estão a bordo? – perguntou o Doutor a Nyssa.

– Todos menos um – respondeu Nyssa, levando os peixes-ovelhas embora enquanto Annabelle borbulhava bem alto para Marisa, que nem dava atenção.

– Todos menos um – repetiu o Doutor, e se inclinou na direção de Jonny. – Hora de partir – falou para o Contador da Verdade.

– *Liberdade* – disse a criatura.

– Liberdade, de fato.

– *Tenho mais uma verdade a dizer.*

– Estou certo disso – respondeu o Doutor, mas estendeu a mão delicadamente antes que o Contador da Verdade pudesse falar. Ele se desenrolou do queixo de Jonny, soltou os dois encaixes da sua boca e se aferrou com alegria à palma aberta do Doutor, que olhou para cima, encarou o garoto e depois Nettie. – Mas desconfio de que seja uma verdade que o nosso jovem amigo prefira falar sem ajuda.

Um barulho que parecia o de um moedor amaldiçoado preencheu o interior da TARDIS enquanto ela aquecia os motores para a partida.

– A primeira parada será para deixar os Dipthodat com as autoridades, Doutor? – perguntou Nyssa.

– Sim, de fato – respondeu ele, observando o garoto e a garota na tela à sua frente.

– E depois, para onde?

– Ah, você sabe – disse o Doutor, enquanto o garoto e a garota, sem segurar as mãos, sem se beijar, sem nada ridículo do tipo, caminhavam juntos depois de dar seja lá qual foi a explicação necessária para os bombeiros. Mas eles caminhavam de um jeito meio junto, como companheiros, o que indicava, talvez, apenas talvez, o futuro que os aguardava. – Temos todo o tempo e o espaço à nossa frente. E atrás de nós, é claro. E acima, e abaixo...

– Doutor... – disse Nyssa, sorrindo por causa do cesto de Contadores da Verdade, que dormiam reunidos em uma grande bolota quentinha e sonolenta, murmurando uns para os outros que estavam livres.

– O que eu quero dizer, Nyssa – falou o Doutor, desligando a tela e levantando-se cheio de floreios –, é que, como sempre, tudo é possível.

Ele apertou um botão, que lançou a TARDIS em disparada pela imensa eternidade do espaço e do tempo.

– O que, no final das contas – continuou ele –, é toda a verdade que se precisa.

O Sexto Doutor: Algo Emprestado

Richelle Mead

Tradução de
Marcelo Barbão

I

Típico. O Doutor me prometeu champanhe e bolo, mas em vez disso ganhei lagartos voadores.

– *Pterodactylus antiquus*, para ser preciso – contou ele, abaixando-se quando uma das criaturas em questão mergulhou sobre a sua cabeça. Passou tão perto que o ar deslocado fez balançar o cabelo dele. – Ou talvez *Pterodactylus extra-pequenus* seria um nome melhor, já que não me lembro de que cabiam no bolso na minha última viagem ao período jurássico.

Eu não os descreveria assim, mas talvez dependa do tamanho do bolso. Aquelas bestas eram do tamanho de pombos, e o único lado bom até o momento era que pareciam estar *nos* deixando em paz. Não poderia dizer o mesmo dos pobres pedestres ao nosso redor. Tínhamos chegado a Koturia havia poucos minutos, deixando a TARDIS em uma pequena viela escondida entre dois prédios com cores horríveis em uma rua cheia de gente. Ouvimos os gritos assim que saímos e encontramos a situação mais absurda que eu poderia imaginar quando penso em casamento. Despedidas de solteiro? Talvez. Casamentos? Definitivamente não.

– Talvez sejam filhotes – disse, encostando-me em um prédio pintado de rosa-escuro e decorado com treliças prateadas. Estava tentando me afastar, tanto dos pterodátilos quanto das pessoas em pânico que se empurravam tentando escapar. As criaturas se dirigiam especificamente aos koturianos, atacando-os com garras afiadas e bicos que arrancavam sangue e rasgavam a pele a cada golpe. Do outro lado da rua, vi muitos pterodátilos atacando uma mulher e querendo carregá-la. Ela foi salva no último minuto, quando um homem histérico trombou acidentalmente com a mulher, frustrando o ataque.

– Acho que não. – O Doutor estava calmo, o que era irritante, como se nem percebesse a loucura ao seu redor enquanto semicerrava os olhos para observar melhor as ameaças com asas. – Estes são algum tipo de cria especialmente modificada, nada natural. Dá para ver pelo brilho dourado na membrana de suas asas. Nenhum pterodátilo da Terra tinha isso. Não consegue ver?

A única coisa que eu via era que seria muito fácil aquelas garras se virarem contra nós a qualquer momento.

Pequenas linhas surgiram na testa do Doutor.

– Esta não é a primeira vez que vejo algo assim – murmurou.

Ele não continuou o raciocínio, como sempre fazia, e eu não estava com vontade de fazer nosso jogo habitual de Vinte Perguntas. O medo ao nosso redor era tão intenso que era quase tangível, e a certeza para mim era que tínhamos que fazer algo para acabar com aquilo.

– Como acabamos com eles? – perguntei.

Por um momento, pensei que ele não tivesse me ouvido, mas ele acabou por afastar o olhar das criaturas e fez uma rápida e precisa análise do que acontecia ao nosso redor. Os olhos percorreram a lateral do edifício rosa e prata, e ele fez um sinal decisivo com a cabeça.

– Ali. Você precisa subir até aquela placa.

Olhei. Ali, à direita da beira do telhado, havia uma placa de neon que brilhava apesar da luz do meio-dia. Espirais azuis e verdes, um pouco como uma lâmpada de lava, pulsavam por baixo da superfície iridescente enquanto mensagens em roxo-escuro rolavam por ela.

– São dois andares! – exclamei. – E estou de salto.

– Bom, você deveria ter colocado sapatos mais adequados, não é? Realmente, Peri, não me culpe por seus equívocos. Os apoios são muito pequenos para eu conseguir subir. Agora, corra!

Alguns dos vãos nas treliças pareciam muito pequenos para mim também, mas eu sabia que ele estava certo sobre qual de nós era a melhor opção. O grito de uma criança me levou a agir, e tirei os sapatos sem mais hesitação. Agarrei os ornamentos, grata por parecerem firmemente presos, e comecei a subir, contraindo-me quando alguma ponta afiada pressionava meus pés descalços. Subir também me colocava mais perto dos pterodátilos que voavam mais alto, no entanto sabia que não era o momento de me preocupar com isso.

– Rápido! – gritou o Doutor.

– Estou indo o mais rápido que consigo!

Eu me apressei. Em certo ponto, meu pé se soltou, e escorreguei uns centímetros. Agarrei-me aos ornamentos o mais forte que pude, respirando profundamente, tentando recuperar o apoio aos pés e continuar a subida. Afinal, com dificuldade, cheguei ao telhado e passei pela borda, grata por ter encontrado uma superfície sólida e segura para me ajoelhar.

– E agora? – gritei para ele.

Eu quase não consegui ouvir a resposta do Doutor por cima do barulho do pânico.

– Agarre a ponta da tela e arranque!

À primeira vista, não achei que fosse possível. Mas vi que em cada canto havia uma pequena alça de metal. Agarrei uma e gritei, soltando-a. O metal estava tão quente que me queimou. Embaixo, ouvia o Doutor tentando me encorajar, apesar de suas palavras estarem marcadas por urgência e impaciência.

Tive um lampejo de inspiração e agarrei minha saia. Era feita de duas camadas, uma de *chiffon* leve sobre outra de veludo pesado, e rasguei uma faixa grande da camada superior. Dividi-a no meio. O tecido transparente não era a melhor proteção, mas, envolvendo-o nas mãos, consegui algum alívio do calor quando tentei puxar a tela de novo. Nada aconteceu. Recusando-me a aceitar o fracasso, dei outro puxão e senti o pano ceder um pouco. Mais um puxão forte, e a tela começou a rasgar lentamente. Naquele momento, vi os fios e os circuitos brilhando dentro como se fosse um pequeno show do Dia da Independência, e o líquido fluorescente começou a pingar do fundo. Olhei para o Doutor embaixo, esperando as próximas instruções, quando algo incrível aconteceu.

Em segundos, os pterodátilos em miniatura abandonaram abruptamente as presas e fugiram como um bando organizado. O desagrado deles era expresso por uma cacofonia de gritos desafinados enquanto planavam em bando e desapareciam de vista. Por um momento, um silêncio horripilante tomou a rua, e os koturianos finalmente começaram a se recuperar, olhando preocupados ao redor conforme se ajudavam a levantar e cuidavam dos feridos. Considerando meu trabalho terminado, voltei ao ornamento de treliça e pulei os últimos metros. O Doutor estava radiante.

– Muito bem! Não foi tão difícil, foi?

Examinei as feias marcas vermelhas em minhas mãos.

– Depende de sua definição de difícil. O que aconteceu?

Ele apontou para a placa desmantelada.

– Aquelas luzes usam tecnologia de tubo gengi radiante. Um pouco brega, se quiser minha opinião, mas estão na moda em lugares como este.

– Bom, você *é* o especialista quando se trata de breguice – comentei, lançando um olhar significativo para o casaco quadriculado vermelho e amarelo com gravata verde.

Ele ignorou a provocação.

– Quando os tubos são danificados, eles emitem um tipo de radiação eletromagnética que você não percebe, mas que é bastante irritante para criaturas como aquelas.

Lembrei-me das primeiras palavras dele.

– Então você *já* os viu antes.

– Não estes especificamente – corrigiu ele. – Mas algo parecido. Vamos esperar que seja apenas uma coincidência.

Depois que não sentia correr perigo iminente, finalmente tive a chance de olhar ao redor e ver o mundo a que chegáramos. O Doutor já me falara sobre os koturianos, e os vi exatamente como ele tinha descrito. Na superfície, pareciam humanos – e Senhores do Tempo, aliás –, só que a cor natural do cabelo deles variava muito. Vi morenas comuns como eu e louros como o Doutor, mas a maioria tinha cores que eu esperaria encontrar em bandas de punk rock: roxo-forte, verde-limão, laranja-brilhante e assim por diante. Um olhar mais de perto me mostrou que eles não eram a única espécie ali. Pelo menos metade dos que estavam na rua era claramente de outros mundos, embora, como o Doutor e eu, não tivessem sido atacados.

Então, notei a cidade. Meu queixo caiu.

– Isto parece... – Eu quase não encontrei as palavras, certa de que meus olhos estavam pregando uma peça em mim. – Las Vegas.

– Bom, acho que sim – confirmou o Doutor quando começamos a caminhar pela rua –, pois foi o modelo que os koturianos usaram para a civilização deles.

Las Vegas ficava a uma viagem de carro de distância de minha faculdade em Pasadena. Eu só fora lá uma vez, mas não havia como ignorar a semelhança. Alguns dos prédios tinham mais do que uma semelhança leve, de acordo com minhas lembranças. Claro, alguns detalhes eram diferentes, mas, se você transportasse de repente alguns turistas para lá, tirando-os da principal avenida em Las Vegas na Terra, duvido que percebessem. Havia o mesmo tipo de fachadas exageradas acima de nós, cobertas de luzes que sem dúvida iluminavam a noite. Quando caminhávamos, vi mesas de jogo e máquinas caça-níqueis pelas portas de vidro. Vendedores se aproveitaram da nossa atitude e estavam de volta às ruas distribuindo folhetos para as atrações da noite.

– É *igualzinho* ao Sahara – falei, parando em frente a um incrível hotel e cassino. – Eu me lembro de tê-lo visitado.

O Doutor assentiu.

– Os koturianos também. Estamos uns, ah, duzentos anos depois do seu tempo. Os primeiros exploradores koturianos visitaram a Terra no final do século XX e ficaram encantados pelo luxo e a animação de Las Vegas, assim como pelo potencial para ganhar dinheiro. São muito empreendedores, como você vê. Logo perceberam a atração de uma cidade devotada unicamente ao prazer e aos jogos de azar, não só para humanos, mas para muitas outras espécies também, e usaram este conceito numa escala muito maior.

Balancei a cabeça, ainda me sentindo um pouco confusa.

– Que estranho.

– Você acha? – Ele me olhou de soslaio. – Parece um conceito muito norte-americano, na verdade. Explorar as esperanças e sonhos das pessoas para lucrar. Imaginei que você ficaria à vontade com isso.

Revirei os olhos.

– Essa é uma visão bem dura dos meus conterrâneos.

– Bom, acredite no que quiser, mas os koturianos ganharam muito dinheiro com esse plano de negócios. É um dos planetas mais ricos no sistema solar. As pessoas vêm de longe para ganhar fortunas e consagrar seu amor.

– Consagrar seu... você quer dizer se casar? Mas os casamentos em Las Vegas são bregas.

O Doutor sorriu.

– Ao contrário, essa é uma das coisas que na versão koturiana terminou diferente do original. Este lugar é considerado o soberano do romantismo. Todo mundo que é importante tenta se casar em Koturia, e, como verá em breve, os próprios koturianos têm um interesse especial no casamento.

2

O Doutor me levou a um prédio próximo à beira do centro, e inicialmente pensei que poderia ser outro hotel, baseando-me no tamanho e na arquitetura. Mas, quando vi que não havia o movimento habitual de turistas, percebi com assombro que era uma residência particular. O edifício amplo ocupava vários quarteirões, tinha cinco andares, e o vidro nas janelas em forma de arco na frente tinha sofrido algum tratamento especial para fazê-lo brilhar em um arco-íris. Até tinha arcobotantes, apesar das superfícies azul-prateadas não terem nada a ver com uma igreja medieval.

– Quantas pessoas moram aqui? – perguntei. – Deve ter mais do que apenas seu amigo e a família dele.

O Doutor deu de ombros.

– Não que eu saiba. Bem, tirando os empregados.

Um desses empregados, vestido com um uniforme amarelo-escuro, nos levou a um vestíbulo abobadado. Demos nossos nomes, e momentos depois um homem mais velho com pouco cabelo lilás veio apressado. O rosto estava iluminado de alegria.

– Doutor! É você mesmo? Está mudado... Mas estamos acostumados a esse tipo de coisa por aqui.

Ele devia ter visto o Doutor antes de sua mais recente regeneração.

O Doutor apertou vigorosamente a mão do homem.

– Sim, sim. Um pouco diferente no exterior desde nosso último encontro em Kiri 4, mas todo o charme e intelecto ainda estão aqui.

– E a modéstia – acrescentei.

O homem se voltou para mim, e o Doutor pareceu lembrar que eu estava ali.

– Ah, sim. Evris, deixe-me apresentar a srta. Peri Brown, da Terra. Peri, este é lorde Evris Makshi. Uma vez nos envolvemos em um pequeno incidente com alguns robôs muito desagradáveis.

Evris riu.

– Incidente? É assim que chama salvar minha vida? Por mais que queira modificar a história, sinto-me honrado que tenha vindo ao casamento do meu filho. E você também, srta. Brown.

Um brilho astuto perpassou os olhos do Doutor.

– E aqueles adoráveis e assustadores pterodátilos que encontramos no caminho? Eles estão na lista de convidados também?

O olhar feliz desapareceu do rosto de Evris.

– Ah. Eles. Ouvi dizer que houve outro ataque hoje.

– Outro? – perguntou o Doutor. Parecia um cão de caça farejando o vento.

Evris assentiu.

– Essas criaturas nos perturbam há alguns meses. Começou apenas como um incômodo. Elas apareciam brevemente no Polo e...

– Polo? – interrompi.

– O principal distrito turístico da cidade – explicou ele. – Chamamos assim porque é um polo de comércio e diversão.

– Mas não é uma avenida.

Tentei manter a expressão séria.

– Não. É muito mais amplo. – Evris limpou a garganta. – Enfim, eles se contentavam com ataques ligeiros: alguns golpes, um pouco de sangue aqui e ali. Nas últimas duas semanas, a coisa aumentou. Eles aparecem quase diariamente, e os ataques são mais violentos. Até começaram a carregar vítimas, que nunca mais são vistas.

– Horrível – comentei, lembrando-me de como quase tinha presenciado aquilo.

O Doutor assentiu, concordando.

– Dificilmente um momento como este pode ser considerado favorável para um casamento.

– Concordo. – O rosto de Evris ficou ainda mais sombrio. – O turismo diminuiu muito, e metade dos nossos cidadãos não sai na rua. Se Jonos não estivesse tão perto do fim de seu Faseamento, cancelaríamos. Mas ninguém sabe quanto tempo ele tem, então mantivemos tudo esta noite. Depois disso... bem. Esperamos fazer algo em relação a esse probleminha.

Não achei que répteis voadores que atacavam e sequestravam pessoas podiam ser classificados como "probleminha", mas eu também estava interessada nas palavras anteriores.

– Faseamento? – perguntei. – O que é isso?

O Doutor sorriu com seu costumeiro deleite por tudo que era curioso e fascinante.

– Foi o que eu quis dizer antes sobre os koturianos terem um interesse especial em casamentos. Durante a cerimônia de casamento, eles se transformam e assumem uma nova aparência. Vários fatores, internos e externos, aceleram seu metabolismo, por falta de uma explicação mais técnica.

Evris estava concordando.

– É um ritual muito sagrado para o nosso povo. A pessoa amada é a primeira a ver seu novo rosto no início da nova vida juntos. Também marca um importante rito de passagem em geral, uma experiência incrível pela qual todos os koturianos devem passar. – Seu breve entusiasmo virou consternação. – No entanto, só podemos fazer isso uma vez, durante um breve período na juventude. Depois, a oportunidade termina para sempre.

Era complicado entender um conceito como aquele, apesar de que seria mais difícil de entender antes de ter começado a viajar com o Doutor.

– E seu filho já quase passou pela modificação dele?

– Isso. Na verdade, tínhamos desistido. Ele é um bom garoto, mas tem suas peculiaridades. Esse tipo de indivíduo pode ser um desafio, sabe?

– Sei – concordei. – Claro que sei.

O Doutor me olhou.

– Você está terrível hoje, não é?

Evris, sem entender nossa conversa, balançou a cabeça com uma mistura de alegria e exasperação enquanto continuava a falar do filho.

– Suponho que não devíamos ter nos surpreendido quando ele escolheu uma noiva alienígena. É uma atitude ousada típica dele.

O Doutor ouvia com uma expressão indulgente, mas, com essas palavras, ficou de repente alerta.

– Alienígena?

– Humanoide – respondeu Evris, depressa. – Nenhum tentáculo nem pilha de lodo sensível. Claro, estávamos tão desesperados que poderíamos até ter aceitado alguém assim. – Ele riu de sua própria piada. – E, na verdade, ela é uma mulher adorável. Culta e inteligente. Jonos está encantado por ela.

– Sim, tenho certeza – comentou o Doutor, mais para si mesmo do que para nós.

Franzi a testa.

– Mas se ela é alienígena... ele ainda pode se transformar? Passar pelo Faseamento?

– Claro – disse Evris. – Quer dizer, ela não pode, claro. Não é da fisiologia dela. Mas para nós são os elementos químicos e neurotransmissores envolvidos no amor e na ligação com a outra pessoa que servem como catalisador. Funcionam em Jonos de qualquer jeito, independentemente de seu objeto de afeição.

Dava para ver que o Doutor ainda tinha algum enigma na mente, mas não disse nada.

– Bom. Entre o casamento iminente e visitantes voadores não convidados, vocês certamente estiveram ocupados. Adoraria ouvir mais sobre isso. E também adoraria ouvir mais sobre a futura nora. Na verdade, eu não poderia conhecê-la?

Evris pareceu surpreso.

– Não antes da festa desta noite, infelizmente. Ela está totalmente envolvida com os preparativos. Além disso, está na ala feminina da casa, inacessível a nós. Mas estou livre agora, se quiserem jantar mais cedo.

– Parece maravilhoso – respondi.

– Não, não, não no seu estado, Peri. – O olhar de censura do Doutor foi totalmente inesperado.

– Meu estado? – perguntei.

Ele fez um gesto para minha saia.

– Veja o que você fez em seu descuido. Você não pode participar de um evento civilizado dessa forma. Evris, seus empregados não poderiam deixá-la respeitável?

– Descuido! Respeitável! – Foi a melhor resposta que pude balbuciar.

– Facilmente – respondeu Evris. Ele caminhou até uma mesa num lado da sala e apertou alguns botões em um console.

Segundos depois entrou uma jovem com um uniforme amarelo dos empregados. Um véu combinando cobria parte da cabeça, mas dava para ver que seu cabelo louro claro, com mechas azuis, estava preso em um coque. Ela se curvou na direção de Evris e manteve os olhos baixos.

– Sim, milorde?

– Por favor, leve a srta. Brown e ajude-a com tudo que precisar para se preparar para o casamento. O Doutor e eu estaremos na sala de jantar verde.

– Quantas salas de jantar existem exatamente? – perguntei.

O Doutor fez um gesto na minha direção.

– Parece que você está em boas mãos. Vá se divertir e quem sabe? Talvez você possa dar uma olhada na noiva sortuda.

Seu rosto ainda tinha aquela expressão iluminada que podia convencer qualquer um, mas eu via um brilho familiar nos olhos dele. Entendi perfeitamente o que queria que eu fizesse, mesmo sem saber seus motivos.

– Talvez – concordei.

Ele e Evris saíram sem mais palavras, e eu me virei para a empregada, que esperava paciente.

– Vamos, senhorita? – perguntou ela.

3

A criada começou a me conduzir pela casa, e eu me perdi imediatamente. Os muitos corredores eram como um labirinto, conectando-se um com o outro de uma forma que eu não conseguia acompanhar. Tudo era tão vasto quanto o hall de entrada, com tetos altos e janelas decorados de forma artística naquele esquema de cores brilhantes que os koturianos aparentemente adoravam. Ainda era surpreendente para mim que somente uma família morasse ali e que houvesse mais quatro andares como aquele.

– Você é casada? – perguntei, ainda fascinada pelo processo. – Passou pelo, hã, Faseamento? Ah, e não sei seu nome.

– Wira, senhorita. E, não, não tive esta honra. – Ela suspirou. – E às vezes não sei se terei.

– Mas você deve ter tempo, certo? – Wira parecia jovem para mim, mas eu não sabia quanto tempo durava o período koturiano. – Ou você é como Jonos?

– Sim, tenho tempo. – Ela se animou, mas tinha um olhar melancólico ao mesmo tempo. – Estou feliz por ele completar. Fico imaginando como será a aparência dele depois.

– A nova aparência é aleatória? – perguntei, pensando nas regenerações dos Senhores do Tempo. – Ou existe um padrão?

– Há um certo controle sobre isso – explicou ela. – A vontade e a força do amor. E a pedra Imori.

– A o quê?

– São pedras sagradas encontradas no nosso mundo. A noiva e o noivo colocam as mãos sobre uma durante a cerimônia, e seu poder divino amplifica o amor deles para completar a transformação.

Pensei sobre aquilo, imaginando o quanto o "poder divino" desempenhava um papel. Se eu conhecia o Doutor, ele provavelmente teria uma explicação mais científica.

A expressão de Wira ficava mais sonhadora conforme ela gesticulava para que eu a seguisse por uma escada.

– Mas tenho dificuldade de imaginar Jonos mudando. Ele já é tão bonito. Como poderia ficar melhor?

Não pude deixar de sorrir.

– Parece que você não se incomodaria de ser a noiva dele.

Mesmo debaixo do véu, eu a vi corar.

– Ah, não. Eu não poderia. Não alguém como eu. Ele nem olharia duas vezes para alguém como eu.

– Alguém gentil e bonita? Aposto que você receberia um terceiro ou quarto olhar. – Ela corou ainda mais.

Finalmente chegamos a uma porta dupla com abertura para uma enorme suíte com janelas do chão ao teto mostrando a cidade. Havia uma gigantesca banheira de mármore de um lado.

– Não importa – disse Wira. Ela tocou um pequeno painel na beira da banheira, e jatos no fundo da cuba começaram a soltar água. – Ele nunca se interessaria por mim. É tão esperto e maravilhoso. É por isso que demorou tanto para encontrar alguém. Lania, ela é uma verdadeira dama. Pode ser de outro planeta, mas é de família respeitável e é muito sofisticada.

– Lania é a noiva dele?

– Isso. – Wira tocou outra parte do painel e colocou luzes de todas as cores na banheira, como um arco-íris. Nada era simples para os koturianos. – É uma mulher brilhante. Tão inteligente. Com tanta cultura. Não é à toa que Jonos se apaixonou por alguém como ela. – O que Wira não queria dizer, percebi, era que ele não poderia se apaixonar por alguém como *ela*.

Ela parecia tão triste com seu amor não correspondido que não perguntei mais nada sobre o casamento. Senti-me um pouco boba por tantos cuidados para o evento de um casal que nem conhecia, mas

Wira certamente fazia aquilo sempre e era rápida e eficiente em seu trabalho. Parecia distraí-la de seus desgostos, e ela começou a se entusiasmar ao descrever outras facetas da vida koturiana para mim. Logo também fiquei absorta, ainda impressionada com uma civilização que tinha se modelado a partir de uma das mais notórias cidades da Terra.

Só demorou uma hora para ela me transformar em uma convidada aceitável para o casamento, e eu me olhei no espelho encantada, quase incapaz de acreditar no que ela conseguira em tão pouco tempo. Meu cabelo estava preso em tranças elaboradas, e a maquiagem, apesar de parecer extrema pelos padrões da Terra, estava de acordo com o que tinha visto nas mulheres koturianas nas ruas. Era tanto arte quanto ornamentação, com flores extravagantes e espirais no meu rosto e nos cantos dos olhos, tudo em verde, que combinava com o vestido longo que eu usava. Pareceu uma pena quando ela me ofereceu um véu como o que usava.

– É obrigatório? – perguntei.

Wira deu de ombros.

– É parte do vestido, mas não uma exigência. Haverá muitas mulheres de outros mundos sem véu.

As palavras dela me fizeram lembrar a principal razão para aquele dia de spa, e eu me perguntei como poderia realizar o pedido do Doutor de encontrar a noiva.

– E Lania? Ela segue seus costumes?

– Ah, claro. Ela os aceitou desde cedo... apesar de ainda continuar com muitos costumes próprios. Ela tem seus próprios empregados e mantém sua ala na casa privada.

Analisei o que Wira dissera enquanto ela me conduzia de volta pelo labirinto de corredores. Quando chegamos ao térreo, notei uma escada que levava para baixo. Parei.

– Há níveis no *subsolo* também?

– Dois – confirmou Wira. – É onde Lania fica.

– Ah? – Dei uns passos na direção da entrada. – Eu poderia dar uma olhada?

– Ah, não! Como eu disse, privacidade é muito importante para ela. Nenhum de nós ousa... – A garota sufocou um ruído de surpresa quando um grupo de pessoas de repente apareceu, seguindo para a escada. – É ela! Venha.

Wira agarrou meu braço e me puxou para o canto do corredor. Ela baixou a cabeça, olhando para o chão em deferência.

Eu não tinha essa obrigação e, além disso, estava dominada pela curiosidade. Estava morrendo de vontade de ver a mulher que tinha encantado um nobre koturiano a ponto de estar disposto a usar sua única transformação com ela. No começo, não vi nada por causa de seu séquito. Quatro de cada lado, e era difícil dizer se eram homens ou mulheres. Mas ficou claro que *não* eram koturianos. Eles tinham traços de répteis bastante distintos, com mandíbulas ressaltadas, narizes achatados e escamas douradas e negras como pele. Admito, não era exatamente o que imaginara quando Evris dissera que a noiva de seu filho era humanoide. Acho que o amor é de fato cego.

Mas uma espiada na mão dela me mostrou que não era réptil como seus empregados. Parecia com a minha, e fiquei com vontade de olhar mais de perto seu rosto. Estava usando um véu koturiano muito bonito, no entanto, só permitia um rápido relance de seus olhos azuis, que passaram por nós de forma imperiosa e desdenhosa. O vestido era similar ao meu, comprido e volumoso, apesar de ter toques azuis e prateados. Ela já tinha quase passado por nós quando parou de repente e se virou. Seus olhos se arregalaram.

– Você! – gritou ela.

4

No começo, fiquei muito espantada para reagir. Havia algo familiar naquela mulher, mas não identifiquei o quê.

– Se você está aqui... então *ele* também está. – Os olhos azuis me espiavam através de uma abertura no véu que escondia seu rosto quase completamente. – Agarrem-na! Rápido. – Seus olhos então se voltaram para Wira, que recuava e tentava ficar o menor possível. – E a outra também, acho.

Tive o bom senso de gritar por socorro, mas a mão escamosa logo cobriu a minha boca e um braço forte me arrastou pelas escadas. Lutei contra meu captor, chutando o mais forte que consegui. Isso só me deu um pouco de liberdade antes que outros dos subordinados de Lania viessem ajudá-lo. Ainda não sabia sobre o gênero daquelas coisas, mas meu cérebro começou a categorizá-los como homens.

Eles nos arrastaram dois andares para baixo, através de outro labirinto, e terminamos em uma sala bloqueada por uma pesada porta dupla. Fomos empurradas para dentro, e Lania entrou atrás de nós, olhando ao redor. Ela apontou para um disco de metal no chão.

– Ali.

Os homens-lagarto nos jogaram na direção do disco sem cerimônia. Quase instantaneamente, um cone tremeluzente de luz dourada apareceu ao nosso redor. Com cautela, estiquei a mão para tocá-la e encontrei uma superfície aparentemente sólida, que de repente avançou alguns centímetros. Eu me afastei em direção a Wira, que estava tremendo e se encolheu perto de mim.

Eu esperava que os aposentos de Lania fossem tão luxuosos e confortáveis quanto os que eu vira no andar de cima. O que vi no lugar foi um laboratório improvisado, cheio de mesas e computadores. Lania se curvou sobre um desses computadores e olhou brevemente para nós antes de voltar a atenção ao que prendia seu interesse.

– É um campo de força encolhedor – explicou ela, sem emoção. – Cada vez que você tocá-lo, vai se aproximar até afinal sufocá-las. – Ela fez uma pausa para causar impacto. – Portanto, se estivesse em seu lugar, eu não o tocaria.

Não conseguia observá-la direito, especialmente curvada como estava. Aquela sensação de familiaridade continuava a me incomodar, e a voz dela só piorava. Quem era ela? De alguma forma, eu a conhecia, e ela obviamente conhecia a mim e ao Doutor.

– Ah. Aqui está o registro de entradas na casa. Ele chegou há duas horas. Não dá para saber quantos problemas já causou neste tempo. – Ela se levantou de repente e fixou os olhos em mim. – Onde ele está agora?

– Quem? – perguntei.

– Você sabe quem! – Ela se virou para um de seus guardas. – Não há tempo para levar essas duas para a minha TARDIS. O campo vai contê-las, mas vocês terão que ficar aqui enquanto os outros vão procurá-lo. É absolutamente essencial que o encontremos antes do casamento. Ele pode arruinar tudo. Não consigo imaginar como descobriu isso. Mas nada nele me surpreende mais.

– Ele é só um convidado – disse.

Aquele olhar gelado se voltou para mim.

– Ele se regenerou? Ou ainda tem a mesma forma bizarra?

TARDIS. Regeneração. E, de repente, todas as minhas lembranças foram liberadas.

– Rani – gaguejei.

Quando aqueles olhos duros se semicerraram ao ouvir seu nome, pareceu impossível não tê-la reconhecido de imediato. Pela carranca, ficou claro que ela pensou que sua identidade deveria ter ficado óbvia para mim também. Então, entendeu.

– Ah, sim. Isto. – Ela tirou o véu da cabeça e soltou o cabelo castanho-claro. O rosto era exatamente o mesmo que antes, adorável de uma maneira dura e fria. – Costume estúpido. Vou ficar feliz de me livrar de tudo isso. – O sorriso que me dirigiu não chegou a seus olhos. – Uma pena você não tê-lo seguido. Eu não a teria reconhecido se tivesse colocado um véu. – Ela contou quatro de seus guardas e gesticulou para a porta. – Vão encontrá-lo. Deve estar com Evris, então sejam discretos. Não podemos fazer uma cena enquanto esta palhaçada não terminar.

– O que você está fazendo aqui? – exigi saber. – Você está... está apaixonada por Jonos?

Parecia impossível, especialmente considerando a história dela de armações científicas cruéis e frias, mas por qual outro motivo ela ficaria noiva de um koturiano?

– Amor? Este estado de idiotice forçado e impulsionado quimicamente? – Rani girou os olhos. – Sinceramente, você continua tão burra e tonta quanto da última vez que nos encontramos. Nunca entendi por que o Doutor viaja com gente do seu tipo. Eu ficaria louca... mas ele tampouco é um modelo de saúde mental.

– Ele vai impedi-la – falei, por desafio e obrigação. – Não importa o que você está fazendo, ele não vai permitir que continue.

– Quando ele perceber o que aconteceu, será tarde demais. – Ela chamou outros dois homens-lagarto. – Vamos. Aqueles tontos estão me esperando para o ritual de preparação das mulheres ou qualquer besteira dessas.

Ela digitou algo no computador e recolocou o véu na cabeça. Seus dois ajudantes imediatamente se colocaram perto dela.

– Volto assim que puder – ela avisou aos que permaneciam. Só ficaram dois, mas notei que tinham pegado algum tipo de arma ao entrarem no quarto.

Rani saiu pela porta dupla, fechando-a com um estrondo e nos deixando sozinhas com os guardas.

5

Comecei imediatamente a pensar em uma forma de fugir. Olhei para todos os lados, certa de que deveria haver um modo de romper o campo de força. Tinha surgido do chão, e me perguntei se seria esta a solução. Infelizmente, quando tentei tocá-lo, esbarrei por acidente na parede de luz, o que a aproximou. Wira chorou.

– Não entendo o que fizemos para desagradá-la – disse com a voz baixa. – Por que Lania faria algo assim?

– Porque ela enganou vocês – expliquei. – O nome dela não é Lania. Ela é Rani. Um Senhor do Tempo como o Doutor. Ou melhor, Senhora do Tempo.

Na verdade, era alguém que eu não esperava ver de novo. Nosso último encontro tinha sido na Terra, durante uma viagem pela Revolução Industrial, quando ela tentara extrair uma substância química indutora do sono de humanos inocentes presos no caos do tempo. Lembrava-me disso muito bem porque ela tinha tentado fazer isso comigo também.

– Ela é cientista.

Era muito mais que isso, mas eu não sabia como explicar para Wira toda a obsessão de Rani. Para Rani, ciência ganhava todas as outras coisas na vida. Às vezes, ela tinha objetivos específicos e egoístas. Outras, ficava focada nas próprias experiências: a ciência pelo bem da ciência. Suas experiências foram o motivo de seu exílio de Gallifrey, e aquele foco total na pesquisa substituíra qualquer moralidade que ela poderia ter tido, além de qualquer respeito pelas formas vivas que considerava inferiores.

– Temos que avisar o Doutor – falei para Wira. A garota estava com tanto medo que nem sabia se tinha me ouvido. – Ele é o único que pode...

Um barulho de metal foi o aviso que recebi antes de um buraco no teto abrir-se de repente e o Doutor cair, aterrissando de forma pouco graciosa sobre o piso xadrez de arco-íris. Mesmo assim, ele se levantou com toda a dignidade de um ginasta olímpico que tinha acabado de dar uma cambalhota perfeita.

– Por favor, continue – pediu ele, alegre. – O único que pode... o quê? Maravilhar as massas com sua inteligência e charme? Superar as inteligências mais reverenciadas de seu tempo ou de qualquer tempo?

– O único que está a ponto de levar um tiro! – gritei. – Cuidado!

Os dois homens-lagarto que Rani deixara de guarda estavam correndo com as armas na mão. O Doutor se abaixou quando ouviu o disparo de um raio de luz azul que atingiu o campo de força que nos cercava. O raio quicou em nossa parede de luz, voltando ao homem-lagarto que tinha atirado. Ele caiu, batendo no chão com um baque seco. Wira pulou alarmada, atingindo a parede de luz e diminuindo o espaço ao nosso redor. Eu a agarrei e puxei-a para perto, com medo de respirar pela proximidade das paredes ao nosso redor.

A outra criatura avançou ameaçadora contra o Doutor, que estava procurando algo para se defender. Ele viu um painel de metal do teto por onde tinha caído. Pegou-o e girou-o com força espantosa, errando o alvo, mas evitando o ataque. Sua segunda tentativa acertou o homem-lagarto na cabeça, fazendo-o cair no chão. O Doutor agarrou a arma improvisada e parou, esperando uma ação dos inimigos caídos. Quando nada aconteceu, ele se ajoelhou e estudou o que tinha acertado.

– Ele vai ficar desacordado por um tempo. – O Doutor olhou para o que tinha sido atingido pelo raio. Ficou com uma expressão triste e, para minha surpresa, tocou o rosto da criatura. – A arma estava no nível máximo. Uma pena. Sempre me sinto culpado por matar um dos lacaios criados pela Rani. Eles já vivem em um estado lastimável. Nunca têm a oportunidade de escolha.

– Eles pareciam ter oportunidade de escolha quando nos sequestraram – respondi. – E quando aquele quase o atingiu. Você teve sorte.

O Doutor pegou as armas e as colocou com cuidado em um balcão. Limpou as mãos como se estivessem sujas. Por um momento, vi remorso verdadeiro nos olhos dele, mas logo ele voltou ao normal.

– Habilidade, minha querida. Não sorte.

– Bom, por que não usa um pouco da sua habilidade para nos tirar... – Parei de repente quando repassei em minha mente seus comentários sobre lacaios criados. – Você sabia que Rani estava aqui.

– Sim, infelizmente. Suspeitei antes de mandar você para investigar, o que vejo que cumpriu com sua usual meticulosidade. Tudo se confirmou quando ouvi as histórias de Evris, e vim o mais rápido que pude para encontrar uma forma silenciosa de entrar e dar uma olhada. Dutos de ar não são minha forma favorita de deslocamento, mas funcionam. – Ele caminhou pela sala, observando tudo e estalando a língua. – Nossa, nossa, ela andou ocupada.

– Você acha que poderia...

– ... fazer isso? – Ele apertou um botão, e o campo de força desapareceu. Respirei aliviada, sentindo-me como se tivesse emergido do fundo da água.

– Sim, obrigada.

Dei uma avaliada rápida em Wira, mas ela estava só assustada, sem sinais de dano físico. Envolvendo o corpo com os braços, ela se sentou em uma parede próxima, olhando incrédula. Dei um tapinha em seu ombro antes de voltar a atenção ao Doutor.

– Como você sabia sobre Rani?

– Por seus pequenos cartões de visita com asas. Eu vi algumas de suas invenções antes, tanto do tipo que ela cria, como os que encontramos lá fora, quanto os que manipula, como esses coitados no chão. Esse brilho dourado é um efeito colateral do processo. – Ele parou para apertar alguns botões e ler o que aparecia na tela. – De qualquer jeito, achei que poderia ser coincidência até começar a ouvir toda a conversa sobre a "brilhante e culta" noiva alienígena de Jonos. Essas não seriam as palavras que *eu* usaria para descrevê-la, mas ela é um gênio da ciência... portanto, suponho que convencer os outros de que é agradável poderia ser só um pouco mais difícil do que modificar répteis geneticamente.

– Mas por que ela está fazendo isso? – perguntei. Parei ao lado dele para olhar a informação no computador, mas quase nada fazia sentido para mim. – O que pterodátilos têm a ver com enganar alguém para se casar?

– Enganar? – perguntou Wira. Ela levantou a cabeça, que estava apoiada sobre os joelhos. – Como assim?

O sentimento de amor que eu tinha sentido nela antes brilhou em seus olhos e me deixou triste.

– É como eu disse – respondi com gentileza –, Lania não é quem parece ser. Ela enganou a todos vocês como parte de algum plano para fazer Jonos se casar com ela.

– Mas por que ela precisa enganar alguém? – perguntou Wira. – Jonos já a ama.

– O que Peri está sendo delicada em dizer é que ela, Rani, não está apaixonada pelo pobre Jonos. Ou, eu deveria dizer, pelo sortudo Jonos. – O Doutor deu de ombros. – Dá para imaginar uma vida preso a essa mulher? Ele vai escapar de uma boa, supondo que a gente chegue a tempo à igreja para salvá-lo de uma morte prematura. Diga-me, o que você acha disso?

Demorei um segundo para acompanhar a mudança de assunto e deixar de olhar a perturbada Wira. Inclinei-me mais para perto do Doutor e tentei entender o que ele estava me mostrando.

– Você poderia ter um pouco mais de tato com ela – sussurrei.

– Eu contei a verdade. – O Doutor não fez nenhuma tentativa de regular o volume da voz.

– Não sabemos se ele terá uma morte prematura.

– Não, mas é provável. Lembre com quem estamos lidando. – O Doutor ainda estava sendo frívolo, mas outra vez reconheci um toque de preocupação nos olhos dele. – Agora, veja o que temos aqui. Uma bagunça de dados biológicos, e é realmente uma bagunça. Não há nenhuma ordem, só um monte de entradas, registros genéticos. A única coisa que posso dizer com certeza é que é tudo koturiano.

– Mas, se ela não o ama, por que iria se casar com ele? – gemeu Wira.

O Doutor deu uma olhada breve e irritada para ela antes de voltar aos dados.

– Se eu fosse chutar, diria que deve ter algo a ver com o Faseamento. Ainda assim, adivinhar os pensamentos de Rani... Bem, é algo que poucos conseguiram com sucesso. É incrível que ela tenha sido capaz de coletar tantos dados sem que ninguém percebesse.

Olhei para a tela sem realmente vê-la.

– Porque não foi ela que coletou. Os pterodátilos é que coletaram. Eles tiraram pele e sangue das vítimas e trouxeram para ela. E algumas vítimas também.

Um brilho ansioso tomou os olhos do Doutor.

– Então me ajude, Peri, talvez esse seja o raciocínio correto. Nenhum dos koturianos pensou em conectar os ataques com a noiva de Jonos. Por que fariam isso? A maioria das pessoas espera que as garras sejam expostas *depois* do casamento. Uma escolha criativa para coletar dados, preciso reconhecer.

– É mesmo? – perguntei, irônica. – Quando a vimos pela última vez, você a prendeu na TARDIS dela com um *T. rex*. Talvez ela tenha encontrado uma forma de passar o tempo.

– Eu fiz isso? – Ele arqueou uma sobrancelha. – Sim, acho que sim. Bom, não podemos dizer que Rani não sabe fazer uma limonada se lhe derem os limões. Ou ferramentas de pesquisa modificadas biogeneticamente com eficiência a partir de um assustador encontro pré-histórico. – Levantando-se, ele começou a caminhar pela sala. – Rani não é do tipo que coleta esse tipo de informação sem justificativa. Há um propósito; só precisamos encontrá-lo. Ela depositou o material bruto aqui. Mas seu verdadeiro trabalho... deve estar em outro lugar. Venha, ajude-me.

Ele começou a passar as mãos pela superfície lisa nos consoles e balcões que podia encontrar. Eu imediatamente o imitei, sem saber o que deveria procurar até que, minutos depois, meus dedos passaram por cima de um caroço quase imperceptível em uma superfície quase reta.

– Doutor?

A animação encheu os olhos dele quando se aproximou e viu o que eu estava apontando. Quando passou a mão em um movimento circular, uma entrada quadrada surgiu no metal. Ele tocou a superfície e ela se abriu, revelando um pequeno compartimento.

– E aqui está. – Triunfante, ele levantou um pequeno cristal tetragonal. – Rani, apesar de imprevisível de muitas maneiras, também é previsível em outras. Ela montou este laboratório nos moldes do que tem em sua TARDIS, e é paranoica demais para deixar dados em algo que não possa levar consigo se precisar fugir. Isso vai nos dar nossas respostas. – Ele foi até outro computador e inseriu o cristal em uma abertura que eu não tinha percebido.

Outro suspiro alto veio de Wira.

– Pobre Jonos.

O Doutor fez uma careta pela interrupção de sua brilhante revelação, mas, com pena, deixou a garota em paz.

– Como suspeitei – disse ele. – Aqui é onde está a ordem. Ela tem a informação genética deles organizada por idade e gênero, assim como o ponto em que estão no período de Faseamento.

– Então você sabe o que ela está fazendo? – perguntei.

– Não faço ideia – admitiu ele. – Mas não importa. É seguro presumir que não é nada bom, então vamos impedi-la agora e fazer perguntas depois. Se ela a prendeu, sabe que estou aqui.

Assenti.

– Mas não sabe como você é. Perguntou se tinha regenerado desde a última vez que nos encontramos. Ela não é muito fã desta aparência, sabe.

Ele riu.

– Sim, ela deixou isso muito claro antes. Mas deveria ser mais gentil, pois sabe tão bem quanto eu que não há nada que se possa fazer.

Além disso, acho que está claro que estou melhorando. – Estudando seu reflexo em um monitor, ele deu um aceno decisivo.

– É tão triste – afirmou Wira. Eu nem tinha certeza de que ela estava falando conosco. – Jonos vai perder sua única chance de passar pelo Faseamento com uma mulher que não o ama.

Isso pareceu deixar o Doutor louco.

– Sinceramente, você vai continuar... – Ele parou, chocado, e dei uns passos na direção dele.

– O que foi?

– Aquilo. Isso. – Ele segurou o cristal que tinha retirado do console. – É por isso que Rani está estudando os koturianos. Ela está tentando de alguma forma influenciar a regeneração dos Senhores do Tempo. Deve suspeitar que existe, ou talvez tenha descoberto uma conexão entre nossas respectivas transformações.

– Existe uma? – perguntei, espantada. – São processos completamente diferentes. As deles vêm do amor. A sua, da morte.

– Sim – concordou ele. – Mas as duas resultam em uma transformação completa do corpo. E se alguém pode encontrar conexões entre coisas que não têm relação... – ele parou e lançou um olhar significativo aos homens-lagarto – ... é ela. Vamos, temos que impedir este casamento.

Sem esperar para ver se eu ou Wira estávamos indo, ele correu para a porta dupla e puxou uma das maçanetas. Houve um brilho forte de luz, e ele pulou para trás com um grito de surpresa.

– Não acertamos uma hoje – falei, correndo até ele.

– Parece que Rani não quis correr nenhum risco – afirmou ele, olhando para a própria mão. – Ela lhe dá algum crédito, achando que você escaparia do campo encolhedor e dos guardas.

– Ela não *pareceu* me dar muito crédito – respondi. – Ficou falando que eu era burra e tonta.

– Não deixe isso afetá-la – disse o Doutor, ajoelhando-se para estudar a porta. – Você não é nada burra.

– Podemos subir pelo teto? – perguntou Wira.

Eu me virei e fiquei surpresa ao vê-la ao meu lado. Ela tinha limpado as lágrimas, e uma expressão determinada brilhava em seus olhos. O Doutor olhou para ela, avaliando-a.

– Bem, você já passou por uma transformação própria, não é? – afirmou ele.

Ela levantou a cabeça.

– Se podemos impedir Lania de se aproveitar de Jonos, então eu quero ajudar. Diga-me o que preciso fazer – respondeu ela, impetuosa.

Vi um sorriso começando a se formar nos lábios do Doutor, mas logo voltou a assumir uma expressão rígida.

– Certo. Poderíamos subir pelo teto, mas demoraria mais... e seria muito desconfortável. Não, senhoritas, precisamos simplesmente explodir esta porta.

– Explodir é algo simples? – perguntei.

– Simples, sim. Fácil, não. – Ele olhou para o laboratório. – Uma pena que ela não deixou nenhum explosivo ou combustível por aí.

Eu apontei.

– Que tal as armas dos guardas?

– Infelizmente, o dano causado por elas vem de um sinal para destruir a função biológica, não qualquer outro tipo de destruição com força bruta.

– Mas elas devem ter uma bateria ou fonte de energia, certo? – insisti. – Há alguma forma de usá-las?

O Doutor pegou uma das armas e a desmontou, revelando um objeto retangular prateado. Ele o examinou na luz.

– Sim e sim. Vá pegar a outra.

Corri para pegá-la. Enquanto isso, ele se ajoelhou na frente das portas e colocou a bateria na frente delas, bem onde as portas se encontravam. Colocou outro objeto em cima de uma e depois a segunda bateria. Girei minha cabeça para ver melhor.

– Esta é a sua lança sônica?

– É.

Ele a ligou, se levantou e agarrou minha mão. Fomos até o outro lado do laboratório na hora em que as baterias explodiram e levaram a metade inferior das portas. Ele voltou e puxou o que sobrou pela nova abertura. As portas não resistiram.

– Sua lança está em pedaços – observei, chutando um fragmento com o pé.

– Tenho outra e vou tomar cuidado para não explodi-la. Agora, venham. Não temos tempo a perder. – Ele se virou para Wira, que nos seguia. – Você pode nos levar ao casamento?

Ela ainda tinha aquele ar determinado e apontou para cima, cruzando o labirinto da casa.

– Claro – disse ela. – Está acontecendo na capela em cima do Flamingo.

E correu.

6

Seguimos Wira pelos corredores sinuosos e subimos as escadas até o grande hall de entrada.

– O Flamingo? É outro lugar de Vegas – observei, correndo para acompanhar a recém-motivada Wira. Podia ver que o Doutor estava tendo o mesmo problema.

– É o lugar mais exclusivo do Polo – disse Wira quando chegou à enorme porta da frente. – A capela tem a maior pedra Imori já encontrada em nosso planeta. Só famílias da elite podem usá-la.

– Sem dúvida, parte da motivação de Rani para escolher seu amante – murmurou o Doutor. – Ela vai atrás do melhor ou nem tenta.

– Wira disse que as pedras são divinas. Mas acho que não são, certo?

– Não – respondeu ele. – São uma combinação de elementos só encontradas neste planeta. Uma parecida encontra-se em Azzarozia, que é usada como combustível de foguete. Aqui, as pedras Imori ajudam a fornecer energia para o metabolismo acelerado necessário durante as transformações koturianas. Tenho certeza de que Rani obteve algumas amostras para sua pesquisa também, mas provavelmente de uma forma menos sangrenta, a menos que tenha decidido manipular biologicamente uma broca. – Ele parecia muito feliz com sua piada, mas minha pergunta seguinte acabou com seu entusiasmo.

– E as vítimas que foram levadas? Algumas ainda podem estar vivas.

– Eu sei – disse ele, preocupado. – Meu palpite é que não continuarão quando ela decidir terminar a pesquisa.

Wira nos levou de volta ao Polo, que estava cheio de gente, e corríamos, impulsionados pela urgência de nossa tarefa. A noite caíra, e todos os prédios tinham ganhado vida com mostras deslumbrantes de luz. Encontramos o Flamingo e entramos pela porta principal, atravessando um cassino cheio de jogadores e empregados com roupas brilhantes que nos olhavam feio quando os empurrávamos. A decoração era quase tão confusa quanto a casa de Evris.

Eu estava arfando ao chegarmos à porta de mármore branco que levava à capela. Ao encostar-me nela, descansando as mãos nos joelhos, descobri que tinha rasgado o vestido de novo. O Doutor parou ao meu lado, igualmente ofegante.

– Parece que teremos que fazer mais exercícios quando voltarmos à TARDIS – observou ele.

– Mais? – perguntei. – Como se fizéssemos algum.

Dois empregados usando a roupa amarela que era o uniforme de Evris guardavam a porta. Eles pareciam simplesmente cerimoniais, sem armas, provavelmente porque ninguém esperava que uma vilã mortal aparecesse num casamento, muito menos que fosse uma das protagonistas.

– Desculpe – disse um deles para Wira –, mas não podemos deixá-la entrar, não quando já começou.

– Isso é importante! – exclamou ela. – Jonos está correndo perigo.

Os dois trocaram olhares incertos, mas o Doutor não tinha mais paciência. Ele simplesmente abriu as portas. Com um olhar pesaroso dirigido aos empregados, eu o segui rapidamente e senti Wira bem atrás de mim. Não tinha ideia de onde estávamos e senti um medo terrível de que todo mundo se virasse para olhar.

As pessoas não se viraram porque ninguém nos notou. A "capela" era tão grande e tão ampla que nossa entrada não desviou a atenção do drama que se desenvolvia à frente. O aposento parecia muito com uma catedral da Terra, com bancos e janelas de vidro, só que tudo era feito com um esquema de cores mais extravagante. Onde deveria estar o altar, havia enormes urnas de flores, mais altas do que as pessoas reunidas abaixo. Uma rocha roxa e brilhante que imaginei ser a pedra Imori estava entre eles, do tamanho de uma mesa de cozinha. Esperando de cada lado, de perfil para a plateia, estavam Jonos e Rani. Ele tinha o cabelo cor de lavanda como o pai e era tão lindo quanto

Wira tinha dito. Algum tipo de oficiante, vestido, por mais incrível que pudesse parecer, como Elvis Presley, levantou os braços no ar, e eu ouvi baixinho a palavra "Comecem". No mesmo momento, Jonos e Rani se aproximaram e colocaram as mãos na pedra. Eu não sabia o que estava acontecendo, mas Wira sabia e correu.

– Não!

Era tarde demais. Uma forte luz amarela começou a brilhar a partir do lugar em que o casal colocou as mãos unidas. Foi crescendo até se espalhar pelo restante da pedra e neles. Logo, era impossível olhar toda a metade inicial da capela, e tive que cobrir os olhos. Durou quase trinta segundos, e de repente a luz sumiu. Eu ainda não conseguia ver bem, não depois de todo o resplendor, e precisei piscar para voltar ao normal. Quando enfim consegui focar no casal de novo, me perguntei se minha visão tinha sido danificada.

Porque Jonos estava igual.

Os gritinhos sufocados e as reações espantadas do casal e da congregação logo me mostraram que eu não era a única que tinha notado a falta de transformação. Wira, ousada antes, recuara de volta para nós. Os olhos estavam bem abertos, o rosto, pálido.

– É impossível – sussurrou ela.

– O que é isso? – exigiu saber Rani, suas palavras ecoando com raiva. – Por que você não mudou?

Jonos, parecendo tão espantado quanto todas as outras pessoas, examinou as mãos e depois tocou o rosto.

– Eu... eu não sei. A pedra ganhou vida. Eu senti. Senti a reação começar em mim, mas depois... simplesmente não funcionou.

– A culpa não é sua. É da sua noiva tímida – anunciou o Doutor, aproximando-se. Sua voz ecoou no aposento.

Evris se levantou na fileira da frente.

– Doutor! O que você está fazendo?

O rosto de Rani se contorceu em um sorriso desdenhoso quando ela removeu o véu.

– Claro. Claro que você está por trás disso.

O Doutor parou e enfiou casualmente as mãos nos bolsos.

– Na verdade, não. A culpa é toda sua. Lindo vestido, por falar nisso. Gosto do detalhe azul. Você está usando algo novo e algo emprestado também? Não preciso dizer que você já carrega o "algo velho" em si mesma.

– Eles disseram que funcionaria sem dois koturianos! – gritou Rani. Ela olhou para todos, incluindo seu noivo. – Vocês todos disseram que funcionaria. Disseram que ele se transformaria mesmo se não se casasse com uma koturiana.

– É verdade que seu corpo não importa para a transformação dele. – O Doutor parecia estar no topo do mundo, provavelmente porque adorava tanto uma plateia quanto vencer Rani. – Mas seu coração importa. O coração figurativo, quer dizer. Não os seus físicos. As substâncias químicas que viajam pelo corpo de uma pessoa apaixonada são o que dispara a pedra, o que faz girar seu ciclo de energia. Ela precisa de dois catalisadores para ser impulsionada, mas só há uma pessoa apaixonada nessa relação. Só uma pessoa capaz de sentir emoções, na verdade. Considerando o número de casamentos sem amor no mundo, meu palpite é que a pedra aceita um nível baixo de *algum* afeto, mas você não chegou nem a esse nível, Rani.

Jonos olhava para a noiva e para o Doutor em óbvia confusão.

– Minha querida Lania... o que é tudo isso?

– O nome dela não é Lania – disse o Doutor. – E "querida" provavelmente não é o melhor adjetivo. Ela é gallifreyana como eu e esperava tirar vantagem de seu Faseamento para benefício próprio. O que era, Rani? Não conseguiu coletar amostras suficientes com a equipe de pesquisa pré-histórica? Precisava de alguém que se transformasse especificamente por sua causa e cujo DNA iria, portanto, refletir sua influência?

Rani apontou acusadoramente para ele.

– Não aja como se fosse uma ideia ridícula, Doutor. Você não pode me dizer que nunca quis mais controle sobre o processo regenerativo. A maioria dos Senhores do Tempo está à mercê do destino depois da morte. Mas imagine se pudéssemos controlar definitivamente o resultado! Estas pessoas são a melhor indicação disso que encontrei. Elas não só controlam suas transformações, mas também melhoram em termos de corpo e mente. Claro que você também estaria interessado nisso, não é mesmo?

– Essa é outra indireta sobre a minha aparência? – Ele deu um suspiro melodramático. – O destino tem sido bom comigo, muito obrigado, e estou bastante contente. Talvez não tenhamos o controle que eles têm, mas somos dotados com vida muito mais vezes do que os outros.

– Tontos se contentam com seu destino – gritou ela. – Quem tem bom senso busca controlá-lo e até o desafia.

O Doutor não se abalou.

– Bom, então você terá que encontrar outra forma. Você nunca será capaz de influenciar uma transformação koturiana, seja com Jonos ou qualquer outra pobre alma cuja vida você engane e depois destrua. Você não consegue amar. Não consegue ser parte disso.

– Falando por experiência própria? – disse ela, jogando o cabelo para trás. – Por favor, Doutor. Conte-me mais sobre suas grandes experiências com amor e seus sentimentos. Para alguém que sempre viaja acompanhado, você ainda me parece incrivelmente solitário.

Ele sorriu.

– Para você, vamos começar com algo mais básico. Como empatia.

Jonos, nervoso, deu uns passos na direção de Rani e disse a ela:

– Vamos resolver isso. Deve ter ocorrido algum engano. O que ele está falando... não é verdade...

Ele tentou tocá-la, mas Rani o empurrou.

– Ah, fique quieto. Estou tão cansada de suas besteiras. Não é por acaso que nunca se casou. Ficar livre de sua tagarelice não compensa o fracasso de um dos meus maiores empreendimentos, mas ajuda.

Gritos de choque e raiva se seguiram.

– Encontrem guardas e prendam esta mulher! – exclamou Evris. – Ela deve ser punida pelo sacrilégio que tentou cometer.

– Não – disse o Doutor, levantando a mão quando vários homens se aproximaram. – Deixe que ela vá. Deixe que ela vá, desde que conte onde está mantendo as vítimas que ainda estão vivas.

– O quê?! – exclamaram Jonos e Evris em conjunto.

Rani colocou as mãos na cintura e riu.

– Obrigada, mas não preciso de nenhuma barganha para sair daqui, Doutor. Quanto a onde elas estão... Bem, é um segredo que vocês nunca saberão. Boa sorte na busca quando eu tiver escapado daqui.

– Que tal uma barganha diferente? – perguntou o Doutor. Ele enfiou a mão no bolso e tirou o aparelho de armazenamento feito de cristal que encontrara no laboratório. – Não será uma grande vitória se você for embora de mãos vazias, não é mesmo?

Rani ficou pálida.

– Como você conseguiu isso? – exigiu saber, levantando a mão. – Dê para mim!

O Doutor colocou o cristal no chão, o pé sobre o objeto.

Ela ficou paralisada.

– Espere!

– São aparelhinhos tão contraditórios, não são? – meditou o Doutor. – Podem guardar gigantescas quantidades de dados, mas são tão frágeis. É uma pena.

– Você não ousaria. Os resultados de toda a minha pesquisa estão aí! Destrua-o e tudo vai desaparecer. Tudo. – Por uns poucos segundos, ela era toda fúria e ódio, e depois... titubeou. – Por favor. Não destrua. Eu investi muito trabalho nisso. Não quero perder tudo.

Os olhos do Doutor se arregalaram em fingida surpresa.

– Meu Deus. Parece que eu estava errado. Você *é* capaz de sentir emoção. Claro, por dados frios conseguidos devido ao sangue de inocentes, mas, bem, é um começo. Talvez possamos transformá-la em uma pessoa romântica, afinal.

– Doutor – resmungou ela.

Toda a frivolidade desapareceu dele.

– As vítimas. Diga-nos onde estão. Não em sua TARDIS, não é mesmo?

– Aquela gentalha? Claro que não. – Ela ficou em silêncio, mas quando seus olhos voltaram ao cristal debaixo do pé dele, vi o medo em seus traços. – Certo. Há um cassino abandonado a sete quarteirões da casa. Eu os levei para lá para experimen... exames. É onde ficam meus servos.

O pé do Doutor ainda estava no cristal, mas os olhos se voltaram para Evris.

– Envie alguém lá imediatamente. Uma equipe médica. – O koturiano acenou para alguns servos, que saíram correndo. – E talvez um mata-moscas gigante.

O olhar de Rani não deixou o Doutor.

– Pronto. Eu contei o que você queria saber. Agora prove que é mesmo um homem de palavra que alega ser e me entregue o cristal.

– Com prazer.

Com as mãos tão rápidas quanto as de um mágico, o Doutor pegou o cristal e jogou-o na direção de Rani, que o pegou com igual habilidade.

– Agora, Evris, depende de você.

Os guardas que Evris tinha chamado antes começaram a avançar. Por um segundo, Rani apertou o cristal com alívio no rosto. Então, o olhar arrogante que parecia ser sua marca registrada reapareceu.

– Acho que não. – Ela olhou para o outro lado da sala. – Venham impedi-los!

O contingente de homens-lagarto que tinham me dominado com Wira surgiram e interceptaram os guardas. Na luta e confusão, Rani foi momentaneamente esquecida, e eu a vi se afastar da luta, um sorriso triunfante no rosto.

– Você vai se arrepender de não me ajudar com isso um dia – gritou ela para nós. – Sua próxima regeneração pode ser mais cedo do que você pensa.

– Doutor... – comecei.

– Estou vendo.

Ele começou a correr na direção de Rani quando de repente ela *desapareceu* em uma das urnas gigantes. Foi seguida por um som muito familiar. A urna desapareceu.

– Era a TARDIS dela.

O Doutor assentiu. Sua expressão era um misto de resignação e inveja.

– Meu reino por um circuito camaleão. – Ele suspirou e voltou ao seu jeito jovial. – Acho que ela o colocou ali para raptar Jonos imediatamente, para fazer experiências quando ele tivesse mudado. Não devia estar pensando na noite de núpcias excitante que ele tinha em mente.

– Não consigo acreditar que fomos todos enganados – disse Evris, sombrio.

Ele estava ao nosso lado, e eu parei para observar a cena. As pessoas estavam de pé, ansiosas e confusas, mas não havia ninguém realmente machucado. Os guardas de Rani tinham sido dominados depressa, apenas por estarem em número muito inferior, e ela sabia que seria assim. Lembrei o que o Doutor tinha dito sobre eles antes, como nunca tiveram oportunidade de escolher.

– Não seja tão duro consigo mesmo – respondeu o Doutor, batendo no ombro do amigo. – Ela é uma mulher inteligente, uma mulher *muito* inteligente, e isso torna ainda mais trágico o fato de ela usar esse intelecto com tão pouca moral.

– Pobre Jonos – comentou Evris. – Ter seu coração partido assim. Como ele vai encontrar amor suficiente para completar o Faseamento?

Voltei a olhar para a pedra Imori. Um Jonos obviamente arrasado estava sentado no chão, enquanto Wira se ajoelhara ao lado dele, segurando a mão dele e falando palavras de consolo que eu não conseguia ouvir.

– Talvez ele consiga encontrar em um lugar inesperado – falei.

Evris seguiu meu olhar e fez uma carranca.

– Uma empregada?

O Doutor zombou.

– Essa é a sua preocupação? Vamos lá, você é um homem civilizado. Deixe para trás suas ideologias classistas tontas e arcaicas, tente se concentrar no fato de que aquela linda garota gosta de seu filho, e não é uma cientista inescrupulosa.

– Um argumento importante – admitiu Evris. – Perdoem-me, vou falar com meu filho.

Ficamos vendo-o se afastar, e eu torcia para que Jonos e Wira pudessem fazer as coisas funcionarem a tempo. No momento, ele estava muito arrasado para notar a presença dela, mas alguém merecia um final feliz ali. Era um pensamento esperançoso, mas que logo desapareceu quando me virei para o Doutor.

– Você deixou que ela ficasse com os dados – falei. – Talvez ela possa tentar uma nova tática com os koturianos.

Ele sorriu.

– Improvável. Eu apaguei o cristal no laboratório.

Fiquei de queixo caído.

– Ela já estava bastante brava com o fracasso dos planos aqui. Quando perceber o que você fez ao cristal, não vai ficar *nada* feliz com você.

– Ela nunca está feliz – disse ele, solene. Ofereceu-me o braço e eu o segurei. – Agora, então. Como estamos aqui, vamos tentar a sorte no cassino enquanto os outros resolvem esta confusão?

Eu ri quando cruzamos a confusa congregação koturiana.

– Sorte? Achei que você tinha falado antes que era habilidade.

– Desde que você não a deixe escapar, não importa como a chame.

– E não está preocupado que isso aconteça? – perguntei.

– Nem um pouco, Peri. Nem um pouco.

O Sétimo Doutor: O Efeito de Propagação

MALORIE BLACKMAN

Tradução de
Cláudia Mello Belhassof

I

O Doutor estava deitado com a cabeça dentro do console da TARDIS. Ace estava ao lado, segurando um monte de ferramentas que ela não reconhecia. Não eram pesadas, mas eram esquisitas.

– Me passa o desentrelaçador magnético – pediu o Doutor, esperando com o braço esticado.

– O quê? – perguntou Ace.

– O tubo de metal com uma bola vermelha na ponta.

Ace teve que fazer malabarismo com as ferramentas que segurava para não derrubar todas antes de pegar com cuidado a correta e colocá-la na mão do Doutor.

– Professor, o que você está fazendo exatamente? – perguntou ela, com a testa franzida.

– Estou reconfigurando o tensor cronodinâmico para conseguir um ângulo de fase não ortogonal – respondeu ele, como se aquilo esclarecesse tudo. – Agora, preciso de um filtro de táquions. Por favor. – Mais uma vez, estendeu a mão, balançando os dedos.

Ace examinou as ferramentas que ainda segurava. Esperava que aquela estivesse convenientemente etiquetada como "filtro de táquions". Não teve tanta sorte.

A mão vazia acenava impaciente.

– Ok, qual é essa? – perguntou ela, frustrada. Se precisasse explodir alguma coisa com Nitro-9, ela ficava bem, mas, para consertos delicados em uma máquina do tempo, era mais do que inútil.

– O tubo cintilante com um brilho azul fantasmagórico dentro – veio a resposta abafada. Os dedos do Doutor se remexiam com tanta rapidez que ficaram borrados.

Ace encontrou a ferramenta e colocou na mão do Doutor, que aguardava. Seus olhos se moveram para o monitor. Naquele momento fazia mais de uma semana que ele mostrava a mesma coisa. Névoa! Não uma névoa de verdade, claro – eles estavam no espaço –, mas um borrão multicolorido indefinido e sempre mudando. De vez em quando, um pedaço de lixo espacial aparecia por alguns segundos antes de desaparecer de novo nas trevas. E a TARDIS não era a única nave presa ali. Ocasionalmente, uma nave inteira aparecia entre os escombros. Algumas eram módulos minúsculos, outras eram enormes ônibus espaciais, mas todas compartilhavam uma coisa, inclusive a TARDIS: estavam presas. O Doutor já tinha percebido inúmeras naves já obsoletas, que deviam estar ali há séculos, talvez até milênios. Ace estava prestes a subir pelas paredes. Oito dias presa naquele lugar era mais do que suficiente para ela.

– Quando você tirar a gente daqui, as outras naves também vão ser liberadas? – perguntou ela.

A cabeça do Doutor apareceu, e ele olhou para cima, para ela.

– Não – respondeu. – Sinto muito. O Plexo Temporal é como uma areia movediça cósmica. Você pode tirar a si mesmo, talvez, mas os outros ficam presos, a menos que consigam um modo de escapar por conta própria.

– Não podemos fazer alguma coisa para ajudar? – A ideia de deixar os outros para trás não agradava Ace.

– Não é garantido que a gente consiga *se* tirar dessa, quanto mais os outros. – A cabeça do Doutor desapareceu de novo no console.

A névoa clareou por pouco tempo no monitor, e Ace pensou ter visto uma forma conhecida. Ela analisou com atenção.

– Preciso do estabilizador quântico – disse o Doutor sem cabeça.

– Tudo bem, só um minuto.

Ace encarou o monitor. Como se seguindo a vontade dela, a névoa clareou de novo, e ela viu. Uma cabine de polícia...

– Todos os Senhores do Tempo têm TARDIS? – perguntou ela enquanto os cachos de névoa espacial se fechavam de novo.

– Sim – respondeu o Doutor. – Mas a maioria não usa. Eles preferem ficar em Gallifrey e parecer importantes. Por quê?

– Acabei de ver uma.

– Onde?

– Lá fora.

O Doutor se levantou, esfregou as mãos uma na outra e foi para o lado dela, olhando o monitor. Além da névoa espacial multicolorida e sempre mudando, não havia mais nada para ver.

– O que fez você pensar que era uma TARDIS?

– Dã! Porque parecia uma cabine de polícia.

– Minha querida Ace, nem todas as TARDIS se parecem com cabines de polícia. Só esta aqui, desde que o circuito camaleão desta garota esperta ficou meio travado.

– Mas eu definitivamente vi...

– Então foi um eco temporal. O espaço e o tempo são tão misturados por aqui que o que você viu pode ter sido a gente dez minutos atrás ou talvez daqui a uma década.

– Nós não vamos ficar presos aqui por tanto tempo, vamos? – perguntou Ace, horrorizada.

– Bem, não se depender de mim – respondeu o Doutor com um sorriso confiante antes de voltar ao console.

Ace suspirou profundamente. Para o Professor, estava tudo bem. Um ano na TARDIS provavelmente passava para ele como uma hora para as pessoas na Terra. A TARDIS era enorme, e havia maravilhas suficientes dentro para manter alguém entretido a vida inteira. Havia uma biblioteca, os computadores, os tesouros alienígenas de mil mundos *e* uma piscina, mas Ace detestava ficar confinada, não importava se a prisão era interessante. Ela precisava sair. URGENTE!

Ace desligou o monitor.

– O que acontece se você não conseguir nos tirar daqui? – questionou ela, se agachando.

Houve uma pausa um pouco longa demais, a ponto de gerar um desconforto. O Doutor levantou a cabeça.

– Não vai ser assim.

Ele piscou. Ace não se convenceu. Três dias tinham se passado desde que o Doutor brincara com as colheres irritantes. Aquilo por si só dizia a Ace que eles estavam em uma GRANDE encrenca.

Dez minutos depois, ele se levantou e enfiou o estabilizador quântico no bolso de cima da jaqueta bege amassada. Colocou as mãos no console e abaixou a cabeça. Talvez estivesse apenas checando um dos instrumentos, mas, de um jeito suspeito, pareceu a Ace que estava acalmando a TARDIS. Mexeu em dois interruptores, fechou os olhos e puxou uma alavanca grande. O Rotor de Tempo – a coluna de vidro cintilante no centro do console – começou a subir e descer, e a companheira ouviu o conhecido barulho de sopro forte, assobios e guinchados quando a TARDIS começou a se desmaterializar.

– Isso!

O Doutor deu um soco no ar de felicidade e abriu um sorriso enorme. Ace estava prestes a se juntar à comemoração quando um sacolejo abalou a TARDIS toda. Sem alerta, o Rotor de Tempo enfraqueceu e parou. Silêncio total.

– O que aconteceu? – perguntou ela. – Estamos livres?

O Doutor correu pelo console verificando os instrumentos, uma ruga funda marcando o rosto. Depois de alguns segundos, ele parou.

– Não – disse ele, baixinho. – Estamos tudo, menos livres.

O coração de Ace despencou. Ela não queria ficar como as outras naves que tinha visto, presa como um mosquito no âmbar por toda a eternidade.

– Então, qual é o próximo plano perfeito? – quis saber Ace. – Mais reconfiguração?

Ela estendeu o desentrelaçador magnético, as sobrancelhas levantadas de um jeito esperançoso.

– Não – respondeu o Doutor. – Estamos sem planos perfeitos.

O Doutor parou de mexer na TARDIS e ligou o monitor. Encarou-o como se buscasse inspiração, depois voltou ao console, com as mãos brincando com as pontas do cachecol de estampa escocesa que ele gostava de usar.

– Vamos lá, Professor – disse ela. – Você nunca fica sem planos perfeitos. Está me dizendo que não tem nada na manga?

O rosto do Doutor era um estudo sobre a frustração. Ace não podia acreditar. Será que o Doutor tinha entrado numa situação da qual não conseguiria sair? Mas, então, o rosto dele desanuviou, os olhos arregalaram e a esperança brilhou dentro deles.

– Sabia que você não ia me deixar na mão. – Ace deu um risinho. – Me impressiona, vai!

– Pode ser que eu tenha um início de plano – comentou ele, baixinho. – Mas é mais desesperado do que perfeito.

Naquele momento, Ace aceitaria qualquer coisa.

– Que é...?

– Talvez seja possível sair daqui. O Plexo é gravitacionalmente ancorado a uma estrela... então, se eu fizer essa estrela se tornar uma nova...

– Que estrela?

– A mais próxima, a que está... – ele acenou de um jeito vago – ... logo ali... naquela direção.

O Doutor se ocupou de novo, resmungando enquanto trabalhava.

– Hum, explodir uma estrela não é um pouquinho perigoso? – perguntou Ace.

– Não se você fizer tudo com cuidado.

Com cuidado? Como exatamente isso funcionava? Ela entendia de explosivos e até carregava um suprimento útil de bombas de Nitro-9 na mochila, mas explodir uma estrela inteira com segurança era algo muito além do escopo de sua imaginação. O Doutor passou mais alguns minutos ajustando, consertando, verificando. Ace se sentia absolutamente perdida. Tudo que podia fazer era olhar.

– Doutor, fale comigo – implorou Ace.

– Vou enviar um pulso faseado para a estrela mais próxima, mas tenho que cronometrar tudo bem direitinho para não piorar as coisas, em vez de melhorar – disse o Doutor.

As coisas podiam piorar?

– Então dá um jeito de fazer isso direito – aconselhou Ace.

– Obrigado! Eu não tinha pensado nisso – respondeu o Doutor, irônico. – Bem, é agora ou nunca! Se segura com força.

Ace agarrou o console, se segurando o melhor possível. O Doutor moveu uma alavanca.

Uma luz ofuscante foi seguida de uma série de solavancos de abalar até os ossos. Tanto o Doutor quanto sua companheira foram jogados ao chão. A TARDIS se sacudiu com tanta violência que a cabeça de Ace bateu na beirada do console – e doeu. Muito! Foram necessários alguns segundos para o chiado nos ouvidos dela desaparecer. Enquanto ela se levantava devagar, percebeu um barulho de reverberação, um *bong* profundo, lento e dissonante, como um relógio de corda meio quebrado marcando as horas.

– O que é isso? – perguntou ela, assustada.

– Uma coisa que você nunca ia querer ouvir – respondeu o Doutor, verificando freneticamente os instrumentos. – É o Sino de Cloister. É o que a TARDIS faz em vez de gritar "perigo" quando algo muito ruim acontece!

– Tipo o quê? Por favor, me diz que saímos do Plexo desta vez – pediu Ace.

– Ah, sim! Estamos fora do Plexo – disse o Doutor. – Mas...

– Onde estamos?

O Doutor estudou o painel de navegação. A boca fechada se movia de um lado para o outro enquanto avaliava o dilema.

– Não tenho a menor ideia – admitiu afinal.

2

O Doutor ainda circulava de forma infrutífera ao redor do console, tentando descobrir o que estava acontecendo, quando a TARDIS começou a fazer o barulho de soprar e guinchar de novo.

– Ótimo! – disse Ace, aliviada. – Você consertou.

– Não, Ace, não consertei – respondeu o Doutor.

– Mas esse barulho significa que estamos nos materializando e pousando, não é?

– Bem, sim. A TARDIS está fazendo um pouso automático.

– Como é?

– A supernova nos arremessou pelo espaço e pelo tempo. Agora a TARDIS fixou-se em algum planeta com aparência sólida e vai pousar.

– Tudo bem – disse Ace. – Então, onde e quando nós estamos?

– Não faço ideia! É por isso que estamos pousando: precisamos de reparos. Esses instrumentos estão se comportando tão mal que não consigo...

Houve um solavanco colossal quando a TARDIS terminou o pouso automático, depois um breve silêncio antes que o conhecido barulho borbulhante do mecanismo eletrônico de abertura da porta começasse.

– Professor, você não acha que deveria descobrir onde e quando nós estamos antes de abrir as portas? Só por segurança? – sugeriu Ace.

O Doutor estava disparando na direção de um interruptor no console, mas era tarde demais. As portas se abriram. O Doutor e Ace trocaram um olhar, depois viraram hesitantes para a porta escancarada. A luz do sol, intensa e clara, entrou na TARDIS, e o som de crianças rindo e cantando vinha de fora.

– Não parece muito assustador – comentou Ace, esperançosa. Não importava quantas vezes eles faziam isso e quantos lugares visitavam, essa parte sempre fazia o coração dela bater um pouquinho mais rápido.

O Doutor parecia menos confiante.

– Hum! O modo como a TARDIS está se comportando é profundamente perturbador – disse ele. – É quase como se tivéssemos sido puxados para cá. Eu me pergunto... – O Doutor voltou ao console e se inclinou para examinar um dos instrumentos, e por isso não viu.

Mas Ace viu.

Um Dalek.

Ele deslizou depressa pelas portas abertas e entrou na TARDIS.

Ace congelou. Ela se lembrava muito bem do último encontro com aqueles robôs mortais com monstros mutantes malignos no interior, e não com carinho. A coisa estava a apenas alguns metros de distância e temporariamente distraída pelo cabide de chapéus perto da porta. Mas, naquele momento, ele não identificava ameaça vinda do chapéu-panamá e do guarda-chuva do Doutor, e seus olhos de Ciclope se viraram para Ace. Ela estava sem defesa, exposta a meio caminho entre o console e a porta. Nenhuma bomba... nenhum taco de beisebol... nada! A íris do olho na ponta da haste se arregalou, ajustando-se à relativa escuridão da TARDIS depois da claridade da luz do sol. Ele começou a deslizar na direção dela.

– DOUTOR! – gritou Ace.

O Doutor levantou o olhar e congelou, mas apenas momentaneamente.

O Dalek ainda não o vira, então o Doutor aproveitou a oportunidade. Ele agarrou o estabilizador quântico em seu bolso, ajustou-o para "alto" e apontou na direção do intruso. O inimigo deve tê-lo visto com sua visão periférica, mas, assim que começou a virar, o Doutor ativou o estabilizador. Ouviu-se um grito agudo e um facho de luz saiu da ponta, banhando o Dalek em uma luz violeta. O olho e os braços do Dalek se abaixaram de imediato, e o impulso o fez deslizar pelo chão até bater delicadamente no console e ficar parado.

– Caramba! Essa foi por pouco. Ele está morto? – Ace estava com dificuldade para recuperar o fôlego.

– Não – respondeu o Doutor. – Só atordoado. Um estabilizador quântico não é exatamente uma arma. – Ele parou por um instante para observar o Dalek neutralizado. – Muito estranho! Ele não parece ter uma arma.

Surpresa, Ace se aproximou para ver.

– Ah, é, nenhuma arma de raios.

No lugar do habitual braço manipulador à direita e da arma capaz de lançar raios de energia letal no lado esquerdo, aquele Dalek tinha apenas dois braços manipuladores.

Mais ruídos vindos do lado de fora arrancaram o Doutor de sua análise.

– Precisamos fechar a porta. – Ele passou por Ace e levantou o estabilizador quântico de novo. – Pode haver outros.

Porém, antes que ele chegasse à porta, uma pequena multidão de crianças de diferentes raças alienígenas entrou correndo. E ele ficou agitando a ferramenta em frente a uma garota alta, bonita e com a pele marrom-escura de quinze anos, que tinha marcas multicoloridas intricadas de minúsculos pássaros acompanhando a linha do cabelo e descendo pelas laterais do pescoço. O Doutor tentou espiar atrás dela para ver se as crianças estavam sendo perseguidas por monstros de metal, mas a garota deu um passo para o lado na frente dele, de modo que ele nada via.

– O que você fez? – exigiu saber. A expressão dela tinha partes iguais de raiva e preocupação.

– Eu... é...

– Você o machucou? – A garota apontou para o Dalek neutralizado.

– Ele? – ecoou o Doutor. – Se eu machuquei *ele*? Minha querida, ele te machucou?

– Estou vendo, pela sua nave, que você é um Senhor do Tempo, mas por acaso também é idiota? – perguntou ela, depois de olhar ao redor. – E me dá isso!

Ela arrancou o estabilizador quântico da mão do Doutor como uma professora confiscando um brinquedo perigoso de uma criança malcriada. Com outro olhar de pena, ela se reuniu às outras crianças concentradas ao redor do Dalek, tocando-o e passando as mãos pelo metal como se acariciassem um gatinho machucado.

O Doutor não foi o único a ficar totalmente confuso. Ace nunca, *jamais* tinha visto alguém demonstrar afeto por um Dalek. Antes que os dois pudessem dizer mais alguma coisa, outros três Daleks chegaram. Dois deles se aproximaram do colega neutralizado, enquanto o terceiro ficou mais para trás, bloqueando a porta. Felizmente, nenhum deles estava armado, embora os braços manipuladores ainda fossem poderosos o suficiente para esmagar o crânio de um humano como se fosse um ovo de galinha.

Mais Daleks tinham chegado e a garota virou-se de novo para enfrentar o Doutor.

– O que você é? – perguntou. – Um criminoso?

A boca do Doutor se abriu. Pela primeira vez, estava sem palavras.

– Então? – pressionou ela. – Que desculpa você pode ter para atacar um Dalek indefeso?

Antes que o Doutor pudesse reagir, um dos outros Daleks de cores cinza e vermelha se aproximou e falou com a garota.

– Tulana, está tudo bem. Sokar não foi danificado – disse. – Ele só foi atordoado por um intenso feixe de fótons.

O Dalek machucado tinha nome? Ace tocou hesitante na cabeça, no local onde tinha batido no console da TARDIS. Talvez a batida tivesse sido mais forte do que pensava. Isso certamente explicaria várias coisas, inclusive por que a voz do Dalek estava tão esquisita. Em vez de hostil, estacada e friamente mecânica, era tranquila e modulada. Ainda era gerada eletronicamente, mas tinha um toque agradável, quase alegre.

Tulana pareceu muito aliviada.

– Acho que ele... – ela inclinou a cabeça na direção do Doutor – ... usou isto.

Ela mostrou a ferramenta que tinha apanhado, e o Dalek a examinou.

– Estabilizador quântico. Muito avançado – informou ele. O olho se moveu da ferramenta para o rosto do Doutor. – Busco confirmação. Você é um Senhor do Tempo? – perguntou de um jeito agradável.

Tendo acabado de chegar em uma TARDIS, não havia motivo para negar. O Doutor se empertigou e levantou o queixo de um jeito desafiador.

– Sim, sou o Doutor.

– Sou Pytha. Bem-vindo à Academia – disse o Dalek.

– Todos são bem-vindos – disseram os outros em coro, exceto Tulana.

A haste do olho do Dalek girou e olhou para o rosto da garota irritada.

– Tulana? – disse, com um tom de reprovação. – Onde está a sua educação?

– Desculpa, Pytha – respondeu ela. – Todos são bem-vindos.

Mas ainda lançou outro olhar seco na direção do Doutor.

O Dalek voltou a olhar para o Doutor.

– Peço desculpas pelo meu colega Sokar – disse. – Você deve ter se assustado quando ele entrou de repente, sem ser convidado. Ele é jovem e pode ser muito impetuoso quando fica empolgado.

O Doutor estava sem palavras. Daleks educados? Daleks que *pediam desculpas*?

– Se me der licença – disse Pytha –, preciso garantir que Sokar se reinicialize corretamente.

Os Daleks saíram, dois deles empurrando o colega atordoado para a frente, seguidos de perto pelas crianças. O Dalek Pytha e Tulana foram os últimos a sair. Depois de ser instruída aos sussurros por Pytha na porta, Tulana virou-se de novo para o Doutor.

– Pytha diz que vocês estão convidados para conhecer a Academia mais tarde. Ele disse que eu devo vir buscá-los na hora do almoço, se vocês não se importarem. – O tom dela era sarcástico. Evidentemente chateada, ela girou nos calcanhares e saiu marchando.

– O que foi isso? – perguntou Ace.

– Sim, que estranho! – comentou o Doutor.

– Podemos sair daqui? Tipo *agora*?

– Vamos por etapas, Ace. Preciso convencer as portas a se fecharem antes de podermos ir a algum lugar.

Depois de alguns ajustes, o Doutor enfim fez as portas responderem, e a companheira soltou um suspiro de alívio quando elas se fecharam. Segundos se passaram enquanto Ace esperava o Doutor estabelecer uma rota para um planeta que não tivesse Daleks. O Doutor se inclinou sobre o console, mergulhado em pensamentos profundos.

– Doutor, por que ainda estamos neste planeta esquisito? Algo está evidentemente errado aqui, então podemos partir?

– Esse também foi meu instinto inicial – admitiu o Doutor. – Mas, como você disse, alguma coisa está errada por aqui.

– Mais um motivo para estarmos em outro lugar – argumentou Ace.

O Doutor balançou a cabeça.

– Ace, você sabe onde estamos? De acordo com o painel de navegação, estamos em Skaro. Mas nós dois sabemos que Skaro não existe mais. E esses Daleks são duplamente perturbadores.

– Você acha? – indagou ela. – Acabamos de ser convidados por um deles para almoçar!

– É, eu sei – respondeu o Doutor. – Você sabe como agir quando eles demonstram uma violência insensível. Essa gentileza é apavorante!

– E a voz? – acrescentou Ace. – Por que deixou de ser alta, mecânica e ameaçadora? Esses Daleks parecem sinos de vento. Esquisito demais! Podemos ir embora?

– Ace, neste momento, por mais que o outro lado do universo tenha certo apelo, precisamos de respostas.

O Doutor saiu a passos largos da sala de controle e se dirigiu às entranhas da TARDIS.

– O que você está fazendo? – perguntou Ace, correndo para alcançá-lo antes que ele desaparecesse.

– Vou conectar os computadores da TARDIS às redes externas de dados. Preciso descobrir o que está acontecendo.

Uma hora depois, o Doutor apareceu com uma expressão pensativa.

– E aí? – perguntou Ace. – Quem está dando pílulas da felicidade para os Daleks?

O Doutor ficou parado com as mãos nos bolsos, parecendo muito confuso. Mau sinal.

Ace tentou de novo.

– Na última vez que encontrei os Daleks, dois grupos lutavam um contra o outro em uma guerra civil. Quer dizer que este é um terceiro grupo que decidiu não participar da coisa toda de morte-e-destruição? Daleks pacifistas que só querem sentar para conversar?

O Doutor balançou a cabeça.

– Esses Daleks são anteriores aos Daleks malignos que eu conheci na Terra – comentou Ace – ou posteriores?

– Pelo que estou percebendo – respondeu o Doutor –, eles são o *contrário* deles.

– Como é que é?

– Não parece haver outros Daleks, apenas esses. Aparentemente, civilizados, filosóficos e pacíficos.

– Mas...

– Examinei todos os arquivos possíveis: a *Enciclopédia Universal,* a *FonteOmni Intergalática* e a *Rede Citrinitas.* Pelo que percebi, todos os arquivos são autênticos, e o banco de dados da TARDIS é a única fonte em toda parte que faz menção a Daleks militaristas malignos. Não há registros de Daleks conquistando nenhum povo, em nenhum lugar e em nenhuma época. Skaro agora é o centro universal da civilização, da filosofia, da democracia e da arte. É semelhante à importância da Grécia na Terra a partir de 550 a.C., com todos os povos viajando para cá com o objetivo de aprender.

– Mas como isso é possível? – indagou Ace.

– Não sei. Algo está errado aqui. Posso sentir. Deve ser algum tipo de trama dos Daleks, não tem outra explicação.

– Isso é terrível – comentou Ace.

– Ah, não, Ace. – O Doutor balançou a cabeça. – Isso seria excelente!

– Hein?

– Isso significaria o mesmo de sempre. Daleks malignos, planos de dominação galáctica, tudo igual, tudo igual.

– E isso seria bom?

– Ah, sim!

– E o que seria ruim?

– Ruim seria se a história registrada estivesse correta, e os Daleks fossem de fato amados, respeitados e um grande exemplo para a civilização.

– Por que isso seria ruim? – perguntou Ace. – Se os Daleks de repente se tornassem bonzinhos?

– Isso seria ruim, minha querida, porque algo teria reconstruído nosso universo todo com uma linha do tempo alternativa; mas você e eu ainda somos capazes de lembrar a antiga.

– Como isso é possível? – perguntou Ace.

– Não faço ideia, Ace, mas pretendo descobrir.

3

Instalada à margem de um deserto, com vistas estonteantes das montanhas ao longe, a Academia era linda. Daleks e diversos outros alienígenas se movimentavam ao longo de faixas compridas e em espiral de metal azul-cintilante que se entrelaçavam entre os prédios.

O almoço era um bufê em uma praça bem próxima de onde a TARDIS pousara. Ace não reconhecia nenhuma das comidas, por isso acompanhou Tulana e experimentou os mesmos alimentos que ela comia. A coisa macia azul era meio salgada, e a coisa verde-arroxeada que se parecia um pouco com cenoura ralada era nojenta, mas a coisa espessa marrom-alaranjada sobre os pequenos quadrados de torrada era deliciosa. Ace comeu muito daquilo.

Evidentemente, os Daleks não comeram, mas circularam, vendo se todo mundo tinha comida suficiente e puxando conversa. O Doutor também não comeu. Ele estava encarando os Daleks e seu comportamento era anormalmente silencioso.

Ace olhou para cima, para um enorme prédio elíptico que se erguia sobre a areia multicolorida do deserto. Ele se curvava delicadamente e brilhava sob o sol do fim de tarde, afunilando-se até um ponto bem alto.

– Aquela é a Escola de Medicina – contou Tulana. – Estudantes de toda a galáxia vêm estudar cirurgia e genética com professores Daleks. Os Daleks são os melhores cirurgiões que existem. Sua combinação singular de biologia e tecnologia permite que tenham um grau de microcontrole insuperável. Também são excelentes geneticistas.

– Ah, posso apostar que são! – bufou o Doutor.

Tulana lançou-lhe um olhar estranho. Tinha entendido o tom, mas felizmente deixou passar.

Depois do almoço, Tulana os levou para o passeio prometido pela Academia. Seguiram por entre prédios impressionantes de vidro e metal e caminharam ao longo de avenidas demarcadas por esculturas abstratas. Em todos os lugares que iam, grupos de alienígenas, alguns dos quais pareciam pouco mais velhos que bebês na fase de aprender a andar e outros, anciões com vários séculos de idade, se sentavam ou passeavam com um ou mais Daleks, aprendendo e debatendo. Havia uma aula ao ar livre em quase todas as praças sob a orientação de um tutor Dalek – desde crianças pequenas aprendendo uma matemática básica que mesmo Ace entendia até adultos participando de seminários sobre assuntos tão avançados que ela não tinha a menor ideia do que estavam discutindo.

Normalmente, o Doutor estaria falando sem parar e fazendo piadas bobas, mas mal dissera uma palavra, e o silêncio dele estava deixando Ace constrangida. Ela tentou atraí-lo para a conversa.

– O Doutor disse que tudo isso se parece um pouco com a Grécia antiga na Terra, muito tempo atrás – disse Ace.

Tulana pareceu confusa, mas um tutor Dalek parou de dar aula e se virou para encarar os visitantes.

– Obrigado – disse ao Doutor. – Existem alguns paralelos, mas, diferentemente dos humanos da Grécia antiga, não temos escravos aqui em Skaro.

– Ainda assim, vejo que vocês estão alegrando o restante da galáxia com a superioridade dos modos Dalek. – O tom do Doutor era puro ácido.

Ace estremeceu. Ela se perguntou se o Dalek tinha entendido o sarcasmo do Doutor.

– Achamos que devemos compartilhar nosso conhecimento, sim. Algumas raças avançadas têm sido indiferentes demais e perderam a oportunidade de compartilhar a sabedoria delas com as outras – retrucou o Dalek. – Os Senhores do Tempo, por exemplo.

Ai! Ser censurado por um Dalek por não cuidar de outras raças era demais para o Doutor. Com a expressão irritada, ele se afastou, mas não muito. Tulana o observou se afastar. O Dalek podia não ter entendido o sarcasmo, mas a aluna decerto entendeu.

– Por que o seu amigo está sendo tão desagradável, considerando que vocês dois estão sendo tratados como convidados de honra? – sussurrou ela para Ace quando estavam quase se aproximando do Doutor na extremidade da praça.

– Bem, se eu sou um convidado de honra, por que eles nos enganaram e deixaram você como nossa anfitriã? – perguntou o Doutor, ouvindo a conversa. – Por que não estamos sendo acompanhados por um Dalek?

– Talvez porque eles não queiram ser neutralizados por um feixe de fótons – enfureceu-se Tulana. – Ou talvez porque percebam sua hostilidade. Além disso, eles acharam que vocês ficariam mais à vontade com um guia humanoide.

Houve um silêncio desconfortável.

– Desculpe, Tulana – disse o Doutor por fim. – Só não estou acostumado com Daleks sendo simpáticos. Isso é simplesmente... esquisito.

– Você encontrou Daleks antes?

– Sim, muitas vezes – assentiu o Doutor. – E todas elas foram desagradáveis. Na minha experiência, os Daleks sempre foram um bando de valentões xenófobos e militaristas, mesmo antes de uma overdose de radiação autoaplicada tê-los transformado nos mutantes que vivem dentro daquelas armaduras.

– Isso não é verdade – retrucou Tulana, escandalizada. – Depois que a Guerra de Nêutrons acidental causou a mutação, os Daleks se tornaram acadêmicos pacíficos.

– Pode ser que você tenha aprendido assim, mas minha visão da história é muito diferente. A mutação os levou a um nível totalmente novo de psicopatia. Eles se tornaram megalomaníacos paranoicos, travando guerras com quem viesse pela frente e transformando sistemas solares inteiros em pó com o uso de todas as armas concebíveis.

Tulana olhou para o Doutor como se ele fosse demente. Estava irritada antes, mas o olhar que lhe lançou era quase de pena. Ela olhou para Ace, buscando apoio contra o lunático.

– É verdade – assentiu Ace. – Da última vez que os encontrei, eles tentaram me matar. Em grande estilo!

A expressão no rosto de Tulana revelava muito, mas ela era educada demais para dizer diretamente que ou Doutor e Ace estavam mentindo ou eram loucos. Ela encontrou um caminho diplomático.

– Bem, talvez vocês tenham conhecido alguns Daleks maus, não? Talvez alguns Daleks criminosos renegados? – arriscou. – Ou talvez vocês tenham encontrado imitadores que estavam *fingindo* ser Daleks. Isso explicaria tudo.

A boca de Ace se abriu. Ela olhou de relance para o Doutor. A expressão incrédula dele era uma imagem refletida da dela. Tulana sorriu e assentiu, feliz por ter resolvido o dilema de um jeito satisfatório para ela, e conduziu os dois até a Escola de Arte da Academia.

Quando voltaram para a TARDIS, eles tinham visto centenas de Daleks, mas nenhum deles estava equipado com armas, nem tinha latido uma ordem ou feito alguma coisa que o Doutor ou Ace pudessem caracterizar como comportamento típico de um Dalek. Era absolutamente perturbador.

– É uma pena eu não poder mostrar a vocês outras partes de Skaro – disse Tulana. – É muito bonito. Tem um rio de ácido e um pântano onde gêiseres esguicham fontes de mercúrio no ar. Mas demoraria muito para conseguir transporte e viajar até lá.

Os olhos do Doutor se estreitaram com astúcia.

– Ah, acho que não, Tulana – respondeu ele. – Tempo e velocidade não são problema quando você tem uma TARDIS.

Os olhos de Tulana se arregalaram de forma inconsciente. O Doutor não era exatamente sua pessoa preferida, mas a oportunidade de viajar em uma máquina do tempo era tentadora demais.

A TARDIS se comportou impecavelmente, e eles passaram a hora seguinte passeando por todo o planeta natal dos Daleks. Tulana era a guia oficial, mas, pelo modo como absorvia as paisagens, era óbvio que estava vendo uma boa parte pela primeira vez também.

– Por que você está fazendo isso, Doutor? – sussurrou Ace enquanto a TARDIS flutuava sobre um lago grande e Tulana tentava ver as criaturas mutantes caminhantes do vento que moravam ali.

– Quero ver o que ela sabe e o que não sabe – sussurrou ele. – Estou interessado em saber até que ponto os Daleks a deixaram ir e até onde tentam evitar que ela vá.

Quando eles flutuavam sobre uma floresta, o Doutor viu algo nos instrumentos.

– Ahá! – exclamou ele. – Uma estação espacial em órbita síncrona alta. Que interessante! Vamos dar uma olhada rápida. – Ele encarou Tulana para ver sua reação. – Claro que os Daleks não vão se incomodar com uma visitinha rápida, já que são tão abertos, simpáticos e democráticos, não é?

A TARDIS levou menos de cinco segundos para chegar perto da estação espacial no meio de um grupo de dez naves espaciais reluzentes.

– Ora, ora – disse o Doutor, semicerrando os olhos. – Cruzadores galácticos dos Daleks! Eu me pergunto para que seriam usados.

– Uau! – exclamou Tulana, boquiaberta com as naves gigantescas.

Enquanto observavam, um grupo de Daleks saiu da estação e se dirigiu depressa para um dos cruzadores.

– Olha – disse Ace. – Aqueles têm armas. Têm armas de raios embutidas, como os Daleks normalmente têm.

– Ahá! – repetiu o Doutor, parecendo muito satisfeito consigo. – Parece que a máscara de amizade pacifista caiu. Agora você pode ver como eles são de verdade, Tulana. Daleks armados em cruzadores de batalha de espaço sideral. Atacar! Escravizar! Exterminar! Esses são os verdadeiros Daleks que eu conheço e odeio.

– Ah, é? – disse Tulana.

– Você não acha que eles precisam de uma força de ataque de longo alcance para fazer pesquisas em cirurgia e genética, acha? – perguntou o Doutor.

Era como se uma lâmpada tivesse se acendido na cabeça de Tulana.

– Então essa viagem de turismo era para isso – disse ela. – Agora entendi. Você acha que eu não sabia dessas naves. Acha que descobriu um terrível segredo dos Daleks.

– Esses são os verdadeiros Daleks – retrucou o Doutor. – Ainda não descobri qual é o objetivo daquela farsa no planeta, mas vou descobrir.

Tulana balançou a cabeça, com uma expressão entre desprezo e pena.

– Os Daleks não são hostis, mas é claro que têm armas e naves. Seriam idiotas se não tivessem. Pense em uma raça de qualquer planeta que não tenha algum tipo de exército para se proteger? O universo é cheio de espécies que exterminariam os Daleks se tivessem uma chance. E matariam todos os humanos e os Senhores do Tempo também, e qualquer um que fosse diferente, na verdade. Se os Daleks simplesmente ficassem aqui sem defesas e fizessem pesquisas, por quanto tempo você acha que os Sontarans ou os Cybermen ou o resto do mundo os deixariam em paz?

Ace considerou uma boa explicação. O Doutor pigarreou, mas não parecia mais tão seguro de si agora.

– Os Daleks protegem a si mesmos e os outros, como o povo do meu planeta que não tem tecnologia para derrotar raças como os Cybermen. Você está dizendo que isso é errado? – A expressão de Tulana desafiava o Doutor a argumentar.

A única resposta que Tulana recebeu foi o silêncio no retorno deles para a Academia, quando então ele abriu as portas da TARDIS para ela sair.

4

Nas horas seguintes, o Doutor andou mal-humorado pela TARDIS, parecendo às vezes confuso e preocupado ou irado. Em alguns momentos, ficava com um brilho selvagem nos olhos, como se tivesse acabado de pensar em um plano brilhante, e corria para verificar alguma coisa nos computadores da TARDIS. Um pouco depois ele voltava, mais irritado do que antes.

– Nenhuma alegria? – perguntou Ace.

– Não – respondeu o Doutor, de cara feia.

– O que exatamente você está tentando fazer? – perguntou ela.

O Doutor suspirou.

– Estou tentando descobrir o que os Daleks estão aprontando e como enganaram tantas pessoas para acreditarem que eles são bonzinhos.

– E o que descobriu até agora?

– Nada. Já verifiquei histórias, arquivos galácticos, transmissões antigas que ainda estão espalhadas pelo espaço. Todos os dados parecem indicar que o que Tulana diz sobre os Daleks é verdade.

– Então eles realmente são bonzinhos, agora? – Ace deu um risinho irônico. – Uau! Isso é fantástico.

O Doutor olhou na direção de Ace com uma expressão que poderia ter azedado o leite. Ace arrancou o sorriso do rosto.

– Tem algo que você não verificou? – perguntou ela.

O Doutor fez uma careta. O que quer que fosse, ele obviamente achava a ideia de tentar profundamente desagradável.

– E aí, Professor? – provocou Ace.

– O único jeito de ter certeza total...

– Sim?

– Seria ir até Gallifrey e conversar com os Senhores do Tempo.

– E eles saberiam a verdade?

O Doutor assentiu.

– Os Senhores do Tempo têm maneiras próprias de monitorar os eventos significativos no espaço e no tempo.

– Então vamos fazer isso – disse Ace, despreocupada. – Uma viagem rápida até seu velho planeta natal, uma xícara de chá e uma conversa, e você vai saber exatamente o que aconteceu... certo?

Pela expressão no rosto dele, Ace avaliou que uma visita aos Senhores do Tempo era algo semelhante a ter que ir ao dentista na Terra.

– Por que você não quer ir? – perguntou Ace.

– Ah, Ace, eu tenho que dizer. Eles são velhos, chatos e críticos.

– Só isso?

– Estou apenas começando! São ultraconservadores, preferem usar suas túnicas cerimoniais e observar o universo do que participar de fato dele.

– Mais alguma coisa?

– Eles me tratam como um garotinho desobediente!

Ace riu.

– Mas você vai de qualquer maneira?

O Doutor suspirou.

– Sim. Preciso ir. Todas as células do meu corpo me dizem que tem algo terrivelmente errado aqui.

Ace olhou para o monitor e viu Tulana parada do lado de fora da TARDIS. Parecia estar procurando uma campainha.

– Doutor? – chamou Ace, apontando para a tela.

O Doutor levantou o olhar, viu Tulana e estendeu a mão para os controles da porta.

– Você vai se encontrar com os Senhores do Tempo?

Com o rosto iluminado, Tulana disparou a pergunta antes mesmo de passar pelo vão da porta.

Não pela primeira vez, a garota fez o queixo do Doutor cair.

– Como sabia disso?

As sobrancelhas de Tulana se levantaram por um instante.

– Seria meio esquisito se você não fosse – respondeu Tulana com uma expressão confusa. – Afinal, você é um deles. – Ela estava muito empolgada e saiu tagarelando, mal parando para respirar. – É muito estranho. Aprendi tudo sobre os Senhores do Tempo durante anos, depois conheci você e agora vou conhecer muitos outros Senhores do Tempo.

– Você não pode ir conosco, Tulana. – O Doutor franziu a testa.

– Não pode me impedir.

– Não vou levar você.

– Não precisa me levar; eu vou sozinha.

– E como vai conseguir isso? – perguntou o Doutor.

Tulana levantou uma sobrancelha, claramente sem se impressionar.

– Vou. Andar. Até. Lá?

– Andar? – perguntou o Doutor. – Até Gallifrey?

– Não – respondeu Tulana, incrédula. – Até o Grande Salão no Prédio da Assembleia. O Alto Conselho dos Senhores do Tempo chegou lá há uns dez minutos.

– O Alto Conselho veio até *aqui*? – O Doutor parecia estar sendo estrangulado. – Todos os membros?

– Sim! Eles vieram agradecer oficialmente aos Daleks por operarem o presidente dos Senhores do Tempo no mês passado para extrair um microaneurisma de seu tronco encefálico.

O queixo do Doutor praticamente atingiu o console.

– Os Senhores do Tempo trouxeram o presidente aqui para uma cirurgia? – perguntou Ace.

– Ah, não, ele estava doente demais para viajar. Eles levaram uma equipe de Daleks até Gallifrey. Mas estão todos aqui agora.

E ela saiu da TARDIS de novo.

Ace olhou para o Doutor. Ele estava com uma expressão que ela nunca tinha visto.

– Vamos lá, então. Vamos ver seus amigos Senhores do Tempo – chamou Ace.

– Não faz sentido. – A voz do Doutor estava monótona e sem vida. Ele parecia derrotado.

– Por que não? Você disse que os Senhores do Tempo monitoram tudo. Disse que eles saberiam o que está acontecendo. E agora tem um monte deles aqui pertinho.

– Acho que não vai funcionar.

– Por que não?

– Achei que tudo fosse uma armação dos Daleks, mas é muito pior do que isso. Achei que os Senhores do Tempo estavam apenas mantendo a cabeça baixa, como normalmente fazem. Ficam sentados em um isolamento esplêndido e não interferem.

– Mas?

– Mas de jeito nenhum convidariam Daleks hostis para irem a Gallifrey. Seria como se galinhas convidassem uma matilha de raposas para o chá da tarde.

– Uma o quê de raposas?

– Matilha, minha querida Ace, é o coletivo de raposas – respondeu o Doutor. – Mas agora não é hora para uma lição de gramática.

– Ainda bem! Então, por que essa visita dos Senhores do Tempo o perturbou tanto?

– Isso significa que essa alteração no universo é real e enorme. E quaisquer alterações desse porte que até mesmo os Senhores do Tempo desconheçam são perigosas e devem ser resultado de alguma força ou entidade muito poderosa que mudou tudo.

– Ainda mais poderosa que os Daleks e os Senhores do Tempo?

O Doutor assentiu com uma expressão tensa.

Ace não conseguia acreditar.

– Bem, você consegue consertar?

– Isso me parece bem além das minhas capacidades – admitiu o Doutor. – Nós, assim como o universo, estamos em uma grande encrenca.

5

Aquela tarde foi estranha, para dizer o mínimo. Ace nunca vira o Doutor em um humor tão estranho. Pelas rugas de preocupação que marcavam seu rosto, dava para perceber que ele ainda se sentia muito perturbado, mas pelo menos não estava tão agitado. O fato de os Daleks não estarem fingindo, mas *serem agradáveis* de verdade significava que ele não tinha que se preocupar com algum tipo de emboscada iminente.

Ace e o Doutor passearam pela Academia, trocando afabilidades com os Daleks que sempre paravam para desejar boa tarde ou para pedir conselhos em suas pesquisas. E o Doutor ajudava. Ele começou a falar com os Daleks e a tratá-los como colegas. Mas não perdia a expressão preocupada e vigilante.

No início da noite, com o sol se pondo e fazendo os topos das montanhas distantes parecerem em chamas, Tulana encontrou o Doutor e Ace admirando a paisagem.

– Ouvi dizer que você tem conversado com os Daleks, em vez de lançar raios neles. O que mudou? – perguntou Tulana.

– Esses Daleks não são como os que eu já encontrei – admitiu o Doutor. – Só pode haver uma explicação. Esta é uma linha do tempo alternativa, muito diferente da que eu conheço.

– Eu nunca fui muito boa em física temporal; me dá dor de cabeça. – Tulana fez uma careta.

– No entanto, por algum motivo, o universo mudou – afirmou o Doutor. – Algumas coisas estão melhores, outras não. O planeta Sussashia Quatro foi destruído, de modo que as ovelhas reticuladas de Chonev agora estão extintas. Os Sontarans venceram a batalha da Fenda de Kharax, o Império Suxora nunca caiu, mas o Império Kligoric caiu. A lista não tem fim.

– E o que fez tudo isso ser diferente?

– Ainda não sei – respondeu ele, baixinho, encarando o outro lado da praça, onde alguns Daleks se permitiam ser empurrados por jovens alienígenas que gargalhavam em um passeio da creche.

– Mas acha que os Daleks são responsáveis, não é? – indagou Tulana.

– Eu não descartaria a opção. Eles são muito avançados em termos de tecnologia e uma das raças mais desonestas e perigosas que eu conheço.

– Pelo que sei, você é só um homem que inventa histórias. – Tulana balançou a cabeça. – Pode contar historinhas o dia todo sobre planetas que foram destruídos, ovelhas que se extinguiram e universos alternativos em que os Daleks são maus. Mas isso é tudo que são: histórias. Eu moro *neste* universo, e os Daleks são meus amigos. E o preconceituoso xenofóbico, inflexível e bitolado é você!

E, com isso, ela saiu batendo os pés.

Ace a observou se afastar, depois se virou para o Doutor.

– Como pode todas as pessoas, incluindo os Senhores do Tempo, acharem os Daleks bonitinhos e fofinhos, mas você e eu ainda nos lembrarmos deles fazendo coisas horríveis?

– Boa pergunta, Ace – respondeu o Doutor. – É claro que algo aconteceu enquanto estávamos presos no Plexo Temporal. Algum evento cataclísmico alterou a história, mas fomos protegidos de seus efeitos pelo Plexo.

– Isso não teria que ser uma coisa enorme?

– Não necessariamente. Se você fizer uma alteração minúscula no momento certo do tempo, tudo segue com naturalidade, como um efeito de propagação de ondas.

– O universo pode mudar desse jeito? – perguntou Ace. – Quero dizer, a coisa toda?

– É raro, mas acontece.

– E aí?

– Alguém tem que consertar.

– Quem?

– Os Senhores do Tempo, normalmente.

– Os Senhores do Tempo acham que não existe problema.

– Um deles acha!

– Você pode estar sendo... preconceituoso?

– Não estou! – exclamou o Doutor, escandalizado.

– Tem certeza? Você se orgulha de ter a mente aberta e da sua atitude de viva-e-deixe-viver, mas, quando se trata dos Daleks, é tão bitolado quanto eles. Uma vez você me disse que podia existir um número infinito de linhas do tempo, cada uma sutilmente diferente da outra. Mas se recusa a acreditar em qualquer linha do tempo em que os Daleks podem não ser maus. Pense bem, Doutor, quando se trata dos Daleks, você é tão intolerante quanto o resto de nós.

– É claro que não sou – retrucou o Doutor, irritado. – Eu apenas sei do que eles são capazes. Isso não muda em nenhuma linha do tempo.

– Está vendo o que eu quero dizer? É isso!

O Doutor abriu a boca para argumentar, mas depois parou.

– Você está certa. Não gosto deles. O sopro fraco de ozônio quando eles se movimentam faz os pelos da minha nuca se levantarem. Odeio o modo silencioso como eles deslizam. Odeio ter centenas de anos de lembranças de todas as tramas malignas, podres, violentas, tirânicas e genocidas que eles já conceberam.

– Então talvez você precise parar de viver das lembranças, abrir os olhos e começar a viver neste mundo – disse Ace.

Tendo terminado de falar, ela saiu para encontrar Tulana e deixou o Doutor observando um grupo de crianças sentadas com as pernas cruzadas ao redor de um Dalek, ouvindo-o contar uma história de terror.

6

Na manhã seguinte, Ace foi acordada por um tranco na cama, que se sacudia violentamente. Sons enervantes ocupavam a TARDIS, e ela subia e vibrava como se estivesse presa em um tornado. Ace correu para encontrar o Doutor. Quando chegou à sala de controle, derrapou antes de parar e ficou chocada.

O console estava quase no teto, levantado por um pedestal branco cintilante. Metade do piso havia sumido, a outra metade fora coberta de ferramentas, e Ace só via a cabeça do Doutor conforme ele engatinhava por ali, ocupado fazendo sabe Deus o quê.

– Está redecorando? – perguntou ela, pulando com cuidado de um lado para o outro da sala.

– Estou convertendo a TARDIS em um Vortiscópio.

– Um oqueiscópio?

– Um Vortiscópio. É um jeito de examinar o vórtice temporal e... – Ele parou. – A ideia é que ele vai me permitir determinar as coordenadas do deslocamento espaço-temporal inicial.

Ace percebeu que ele estava empolgado. Pela primeira vez em séculos, estava entusiasmado de novo. Evidentemente, ela não tinha a menor ideia do que ele estava falando.

– Um deslocamento espaço-temporal parece doloroso!

O Doutor sorriu.

– Pense no espaço e no tempo como um lago. Sabemos que alguém mudou sua forma, colocou novos peixes, novas plantas, mudou sua profundidade.

– Certo...

– Mas tiveram que começar por algum lugar. Precisou haver uma primeira alteração: o primeiro novo peixe que derrubaram na água.

– E?

– Isso teria causado uma propagação de ondas.

Ace enfim entendeu.

– Então você pode descobrir...

– ... onde as ondas começaram, o que vai confirmar de uma vez por todas se os Daleks foram os responsáveis por esse universo alterado! Ah! Às vezes eu surpreendo até mim mesmo! – concluiu o Doutor, feliz.

– E se você descobrir que não foram eles? – perguntou Ace.

O Doutor acenou o desentrelaçador magnético na direção dela.

– Não vamos antecipar os resultados!

– Sei que os Daleks não provocaram isso, Professor. E, quando você tiver sua confirmação, podemos ficar quietos, certo?

Depois de pensar por um instante, o Doutor respondeu com cuidado:

– Se eu não estiver certo, se não houver nada fundamentalmente errado com este universo, aí ficamos... por um tempo.

Levou quase o dia todo. Ace ofereceu ajuda, mas, quando o Doutor disse não pela terceira vez, ela foi conhecer o quarto de Tulana na Academia. Depois de ver os Senhores do Tempo partirem, elas passaram o dia trocando experiências e dando risadas. As duas tinham tanto em comum que Ace sabia que tinha feito uma boa amiga. Ela não tinha muitas.

– Ace, quais são seus planos para o futuro? – perguntou Tulana enquanto elas estavam sentadas bebendo lamitos, uma bebida parecida com um gel grosso cinza, mas com gosto de manga e maracujá da Terra.

– Não tenho a menor ideia. – Ace deu de ombros antes de molhar os lábios. – Viajar e viver aventuras, acho. E você?

Tulana respondeu sem hesitar:

– Quero ser uma força do bem, uma voz pela paz, como os Daleks me ensinaram.

Ace só conseguiu ficar olhando para ela, admirada.

– Bem, Tulana, se alguém pode fazer isso, esse alguém é você.

Elas trocaram um sorriso e voltaram aos lamitos.

Quando Ace retornou à TARDIS, a sala de controle ainda parecia atingida por uma bomba. O console fora abaixado de novo, mas não até o chão. O Doutor estava na ponta dos pés para ver quais controles estava operando. Deixando as portas abertas, Ace andou até ele.

– Então? – perguntou ela. – Terminou de construir seu detector de propagação de ondas?

O Doutor encarava os instrumentos. Devagar, ele se virou para Ace.

– Terminei, sim.

– E?

– Eu sei o que provocou o problema.

Ace o encarou e depois assumiu uma expressão de raiva.

– E aí? Não me deixe em suspense.

– Fui eu.

– Você fez o quê?

– Eu provoquei tudo isso – respondeu o Doutor.

7

Os olhos de Ace se arregalaram de choque.

– Como?

– Você estava certa sobre ter visto uma segunda TARDIS no Plexo, mas foi mais do que apenas um eco temporal. Acho que éramos nós, mas em dois pontos diferentes do tempo, existindo simultaneamente dentro do Plexo. Quando criei a supernova para nos tirar de lá, o contrachoque gerou uma espiral no Plexo e misturou as linhas do tempo das duas TARDIS, entrelaçando-as em uma só. E, quando toda a energia das duas naves foi liberada, esta linha do tempo alternativa foi criada.

Ace piscou por um momento enquanto tentava absorver as informações.

– Calma. Isso significa que não haverá mais invasões dos Daleks? Isso é bom, não é?

Na verdade, o Doutor parecia menos feliz do que antes. Ele balançou a cabeça devagar.

– Eu alterei tudo.

– É, mas você muda as coisas o tempo todo – observou Ace. – Você vai e volta no tempo, se intrometendo nas coisas, derrubando tiranos e sabotando invasões alienígenas.

– Isso é diferente – disse o Doutor. – Não é uma alteração pequena em um canto tranquilo. É reescrever totalmente a história de tudo; e isso tem que ser corrigido.

– Você quer mudar tudo isso? – perguntou Ace, horrorizada.

– Eu preciso!

– Mas por quê? Este universo é legal. Pode não ser do jeito que você e eu lembramos, mas o que lhe dá o direito de dizer que essa mudança específica é errada?

– Eu sou um Senhor do Tempo.

– Ah, desculpa!

– Isso é um motivo melhor do que você pode imaginar.

– Ainda assim, os outros Senhores do Tempo não parecem preocupados. Então você não é apenas mais inteligente que os Daleks e Tulana, também é mais inteligente que todos os outros Senhores do Tempo?

– Você acha que eu não pensei nisso? – argumentou o Doutor. – Eu sei o que parece, mas este universo é defeituoso.

– Não é. Ele funciona! Os Daleks são fantásticos! Todas essas pessoas são felizes e produtivas. Você não pode apenas mexer em um interruptor de Senhor do Tempo e fazer tudo voltar a ser como era. Não é justo.

– Ace, este universo não deveria existir.

– Mas ele *existe*! Você está fazendo isso porque odeia os Daleks. Sempre os odiou. Você acha que eles não merecem ter sucesso neste universo e em nenhum outro. Você é apenas um Senhor do Tempo arrogante com um complexo mesquinho de Deus, punindo-os o tempo todo.

O Doutor passou a mão com nervosismo pelo cabelo.

– Isso não é arrogância nem elitismo, eu juro. Não acho que a minha opinião nesta situação seja melhor porque eu sou muito mais velho que você ou porque tenho um ego monstruoso, e sim porque sou um Senhor do Tempo. Para você, o tempo são ondas em uma praia onde se mergulha o dedão do pé. Para mim, é um oceano inteiro, de costa a costa, e da superfície até o fundo do oceano. Eu sinto o tempo na essência do meu ser de um jeito que você nunca vai sentir. Algumas coisas não devem existir. Algumas alterações são radicais demais; elas ameaçam a própria realidade. Esses Daleks filósofos não são um problema em si, mas também um sintoma de um universo que deu muito errado, e por *minha* causa.

– Certo, as coisas eram diferentes. E daí? Por que você não pode simplesmente manter este universo? Daleks bonzinhos; qual é o problema? De várias maneiras, este novo universo é melhor do que o antigo.

– Não, Ace, este universo é *errado.* Ele tem uma falha de projeto básica na essência. Neste momento, sou o único que consegue sentir, mas as rachaduras já estão por aí, e vão piorar. Quando os outros Senhores do Tempo perceberem, será tarde demais para corrigir os danos.

– Quem diz isso? Você?

– Ace, você simplesmente vai ter que confiar em mim.

– Mas e se nós não tivéssemos passado pelo Plexo? Ninguém ia saber que havia um problema.

– Você não entende? Nossa fuga do Plexo causou o problema – disse o Doutor. – Eu criei esta confusão. Cabe a mim resolvê-la.

– E como você vai fazer isso?

– Precisamos voltar ao Plexo – respondeu o Doutor.

Ace piscou como uma coruja assustada.

– Nós só escapamos daquela coisa por um triz. E agora você quer que a gente *volte*?

– Não temos opção.

– Sempre há uma opção. Você me ensinou isso – argumentou Ace.

– Mas, neste caso, as opções são não fazer nada ou consertar as coisas – disse o Doutor. – E, acredite em mim...

Uma vibração estranha se propagou sob os pés de Ace, seguida de perto por outra, e outra. Cada propagação de onda era progressivamente mais forte.

– Professor, você sentiu isso? – Ace franziu a testa.

– Claro que sim – retrucou o Doutor.

– O que é isso?

O Doutor verificou o console. Uma incredulidade assustada passou pelo seu rosto.

– Não era para acontecer ainda – murmurou ele, correndo para verificar outras leituras.

– O que não era?

– Eu falei que este universo era inerentemente instável – disse o Doutor. – Eu só não esperava que a desintegração espaço-temporal acontecesse tão rápido.

– Traduza, por favor – implorou Ace.

– Este universo já está se partindo – explicou o Doutor. – Achei que poderia levar décadas, possivelmente até um século ou dois antes de ficar mal assim, mas o ritmo de desintegração é claramente exponencial. – Ao perceber o olhar vazio de Ace, ele explicou: – Está crescendo e ficando cada vez maior e mais rápido, em um ritmo alarmante.

Como se quisesse destacar as palavras dele, o chão sob os dois começou a sacudir. Ondas de choque faziam a TARDIS se mover violentamente de um lado para o outro, como se estivesse sendo jogada em um mar tempestuoso. E, de repente, as ondas se acalmaram em uma imobilidade estranha.

– Acabou? – perguntou Ace, assustada.

– Não – respondeu o Doutor, tenso. – Está só começando.

Sem aviso, Pytha apareceu na porta da TARDIS, mas não estava sozinho. Daleks vinham ao seu lado e atrás dele até onde os olhos de Ace alcançavam.

8

O coração de Ace começou a martelar no peito. Apesar de seu discurso, a visão de tantos Daleks em frente às portas da TARDIS a deixou nervosa, para dizer o mínimo.

– Professor, temos companhia – informou ela.

– Eu sei. Estou vendo.

– Doutor, solicitamos sua ajuda. – Aquele tom na voz de Pytha foi o mais próximo de desespero que Ace chegou a ouvir em um Dalek.

– Estou meio ocupado tentando manter a TARDIS de pé – respondeu o Doutor, iniciando os estabilizadores.

– Nossos radares de espaço sideral de longo alcance estão relatando anomalias.

A cabeça do Doutor pulou para cima.

– Que tipo de anomalias?

– Sistemas estelares distantes que começaram a... desaparecer. Isso é impossível, claro, mas verificamos nossos instrumentos e não encontramos defeitos. E houve um aumento preocupante na atividade do nosso próprio sol. Solicitamos sua presença no observatório de astrofísica. Buscamos suas ideias.

Bem naquele momento, o chão se sacudiu de novo.

– Encontro com vocês lá – disse o Doutor. – Preciso ajeitar algo antes.

– Vamos esperar e acompanhá-lo até o observatório – informou o Dalek. – O tempo urge.

– Não precisa. Eu conheço o caminho. Vão e eu encontro com vocês lá – disse o Doutor. – Não se preocupe, Pytha. Vou consertar tudo, eu juro. Confie em mim.

Os Daleks se viraram juntos e saíram deslizando. Instantes depois, o Doutor fechou as portas da TARDIS.

– Precisamos sair daqui. *Agora!* – sibilou ele.

– Você não vai simplesmente abandoná-los, vai? – indagou Ace, chocada. – Você prometeu ajudar.

– Ace, você não entendeu? As estrelas deste universo estão começando a se apagar. E, acredite em mim, quando a estrela de Skaro despencar, não vamos querer estar perto daqui.

– Mas, Professor...

– Escuta – interrompeu o Doutor. – Precisamos voltar para o Plexo antes que ele também seja destruído, ou vamos nos apagar da existência, assim como tudo e todos.

9

O Doutor entrou debaixo do console e começou a recalibrar o sincronizador quântico; ou, pelo menos, foi o que Ace imaginou.

– Você não vai pelo menos avisar aos Daleks? – perguntou ela.

– Não temos tempo. Além do mais, qual seria a vantagem? – indagou o Doutor. – Depois que recalibrar os sensores de longo alcance, vamos para longe daqui. Precisamos voltar ao Plexo para reverter tudo isso.

– Você prometeu a Pytha consertar tudo.

– E vou consertar, mas não daqui.

– Mas não seria melhor ficar e tentar resolver o problema junto com os Daleks? Trabalhando juntos, vocês poderiam encontrar uma solução. – Ace não estava preparada para abrir mão daquele universo. Ainda não.

– Ace, sei que é difícil, mas você precisa se libertar desta linha do tempo. Ela não é correta; e não é a nossa.

– Se fosse, você se esforçaria mais para salvá-la?

O Doutor suspirou.

– Eu também não gosto dessa situação, mas o único jeito de salvar o universo é deixá-lo como antes. – O Doutor balançou a cabeça, os lábios retorcidos de arrependimento. – Ace, você pode não acreditar nisso, mas eu queria estar errado sobre este universo. Eu realmente queria.

Ace ativou o monitor. Daleks estavam se movimentando depressa entre os outros alienígenas. Parecia tentar tranquilizar todo mundo. Ace se agachou, com uma pergunta queimando na mente.

– Professor, o que vai acontecer com Tulana se você reverter tudo?

– Nem um Senhor do Tempo pode prever o destino de todas as pessoas do universo.

Ace não deixou de perceber que o Doutor não a olhava nos olhos.

– O que você acha que vai acontecer? – perguntou ela.

Houve uma pausa. O Doutor finalmente suspirou.

– Tulana é nativa do planeta Markhan.

– E daí?

O Doutor ficou mudando de posição de um jeito evasivo.

– O que você não está me contando? – insistiu Ace.

– Há cerca de duzentos anos, houve uma calamidade naquele planeta. Foi iniciada pelos Daleks como prelúdio para uma invasão.

– Quantos morreram?

– Todos, Ace. Todos morreram. O Genocídio de Markhan é uma das maiores atrocidades dos Daleks.

– Então, se colocarmos tudo de volta...?

– Tulana não vai existir – confirmou o Doutor.

– Não...

Ace se sentiu enjoada. Ela se empertigou, imediatamente seguida pelo Doutor, que abaixou o console até a posição normal. Ace vasculhou o monitor, tentando ver a amiga.

– Doutor, eu não posso me despedir dela? Por favor? É rápido.

– Não é uma boa ideia – disse o Doutor, com delicadeza. – Por todos os motivos possíveis.

Ace observou os estudantes ansiosos de um grande número de diferentes sistemas estelares se agruparem ao redor dos Daleks, buscando respostas que só o Doutor poderia dar. Na rampa de entrada para o prédio de astrofísica, Ace viu Tulana e alguns de seus amigos em uma conversa animada com um Dalek. Piscou por um instante para aliviar o ardor nos olhos e assentiu brevemente.

Pela primeira vez, viajar com o Doutor estava fazendo seus olhos transbordarem.

– Oh-oh! – O Doutor estava analisando o console com uma expressão mais do que preocupada. – Hora de partir, acho. Segure-se!

Ace só teve tempo de agarrar um dos apoios do console antes de a TARDIS se sacudir e se desmaterializar.

– Então estamos voltando para o Plexo?

– Isso.

– Para *consertar* as coisas?

– É.

– Se o que estamos fazendo é certo, por que não me sinto bem?

O Doutor não sabia a resposta.

10

– Como voltamos para o Plexo? Achei que o problema todo lá era que você não descobria onde estava nem como navegar ali dentro.

– Normalmente, sim, mas, neste caso, estamos simplesmente rastreando um lugar onde já estivemos duas vezes antes.

Ace suspirou.

– Essa coisa toda de viagem no tempo não faz sua cabeça doer?

– Sempre!

– Espere um instante – pediu Ace. – Se essa confusão toda foi causada por duas TARDIS entrelaçadas, não estamos acrescentando uma terceira TARDIS?

– Não, porque agora sei que *nós* éramos a outra TARDIS que você viu quando estávamos originalmente presos no vórtice temporal. Achava que o que viu era apenas um eco temporal ou uma imagem da espiral de tempo do Plexo, mas eu estava errado. Aquela segunda TARDIS éramos *nós* reentrando no Plexo, então pelo menos sei que vamos encontrar o caminho de volta até lá. E, quando estivermos lá, vou ter que encontrar o momento exato para restaurar a paridade cronodinâmica. Tenho que assegurar que a outra TARDIS se liberte sem para isso alterar o universo.

– E como você vai fazer isso?

– No exato instante em que a outra TARDIS atingir a estrela, vou ficar no caminho e atingi-la com pulsos cronodinâmicos intermitentes. Isso deve lhes dar energia suficiente para se libertar sem destruir a estrela.

– E nós? Podemos ficar presos de novo?

– Se eu cronometrar com precisão, a linha do tempo das duas TARDIS vão se misturar e sair do Plexo sem se machucar. Mas, se o cálculo estiver errado, posso destruir a TARDIS.

– Qual delas?

– As duas.

Arrependida por ter perguntado, Ace engoliu em seco.

O Doutor passou as mãos sobre os controles, e a TARDIS guinchou e assobiou, reaparecendo no Plexo, o único lugar do universo que Ace nunca queria voltar a ver. O Doutor ligou o monitor, e a imagem conhecida de uma cabine policial apareceu por um instante.

– Então aqueles somos nós, antes de você explodir a estrela?

O Doutor assentiu.

– Cerca de um minuto antes, se os meus cálculos estiverem corretos.

– E você tem certeza absoluta, total e definitiva de que é o único jeito?

– Tenho. E, quando sairmos do Plexo, já programei as coordenadas do nosso próximo destino.

Os sessenta segundos se arrastaram. Ace encarou a outra TARDIS no monitor e pensou em Tulana e nos Daleks pacíficos e no universo que o Doutor disse que nunca deveria ter existido.

– Lá vai! – gritou o Doutor.

Houve um brilho ofuscante, que pegou Ace de surpresa, apesar de ela estar esperando. A energia tirou-a do chão antes de jogá-la de volta para baixo. Prevenida, Ace sabia o que ia acontecer: um voo selvagem, maluco e descontrolado, seguido de uma parada de tremer os ossos. O Doutor também estava preparado. Ele controlou a TARDIS quase de imediato. Eles tinham escapado do Plexo, mas será que o plano do Doutor funcionara? Será que o universo tinha sido restaurado para o "normal"? Pelo monitor, Ace viu escombros espaciais: asteroides, alguns do tamanho de continentes da Terra, e grandes pedaços de rocha flutuando diante deles.

– Onde estamos? – perguntou ela.

Mas, antes que o Doutor pudesse confirmar a localização exata, uma nave apareceu no monitor e se balançou em um arco para ficar cara a cara com a TARDIS.

– Ahá! – disse o Doutor.

Houve uma explosão de estática antes de uma voz hostil e áspera encher a sala de controle.

– *VOCÊS INVADIRAM O NOSSO ESPAÇO. VOCÊS... SERÃO... EXTERMINADOS!*

Ace estremeceu ao reconhecer a voz e observou dois mísseis saírem do cruzador de batalha, indo bem em direção à TARDIS. Não havia gentileza agora; todos os traços de simpatia tinham sumido. Não houve tentativa de diplomacia nem de debate. Aqueles eram os Daleks que o Doutor e Ace conheciam muito bem, as impiedosas máquinas de matar que tinham queimado mil planetas e escravizado metade da galáxia.

– Ah, sim, os Daleks que conheço e detesto, ainda protegendo o que acham que é a parte deles da galáxia, apesar de não haver nada aqui além de rochas. O universo faz sentido de novo – disse o Doutor, ajustando os controles para que pudessem escapar pelo espaço e pelo tempo antes que os mísseis atingissem seu alvo.

– Professor, que lugar é este?

– Skaro; ou o que sobrou do planeta. Sempre tem um ou dois cruzadores de batalha dos Daleks nas proximidades.

– Você colocou Skaro como nosso destino? – perguntou Ace, surpresa.

– Só para garantir que tudo tinha voltado ao normal. – Sorriu o Doutor.

Ace observou os mísseis se aproximando. O Doutor fez uma mesura ao apertar um interruptor, e a imagem da nave Dalek e dos mísseis começou a desaparecer da visão conforme a TARDIS se desmaterializava.

Mesmo enquanto eles escapavam, uma voz de Dalek rangia triunfante.

– *DETONAÇÃO EM DEZ RELS. VOCÊ NÃO PODE ESCAPAR.*

O monitor ficou preto, e o eco da última provocação estridente e rangida se desvaneceu.

– *TODOS OS INIMIGOS DOS DALEKS DEVEM MORRER...*

– Então, Professor, Tulana nunca teve a chance de nascer – disse Ace, com os olhos brilhando. – Os Daleks voltaram a ser psicopatas assassinos. Este é o universo que você conhece e entende. Mas será que é mesmo uma melhoria?

O Doutor encarou o monitor. A vista naquele momento estava repleta de estrelas e tranquilidade. As mãos dele agarraram as beiradas do console com tanta força que os nós dos dedos ficaram brancos.

– Ace, nós vivemos algo que achei que nunca poderia acontecer em linha do tempo alguma. Daleks pacíficos que eram uma força do bem. Talvez, só talvez, isso aconteça neste universo também, a seu tempo.

– Você acha mesmo isso? – perguntou Ace.

– Alguns dias atrás, eu teria dito não sem hesitar – admitiu o Doutor. – Mas agora podemos ter esperança. E, pensando bem no assunto, já é um bom começo.

O Oitavo Doutor: Esporo

Alex Scarrow

Tradução de
Leonardo Alves

I

O Doutor abriu a porta da TARDIS e saiu para a noite quente do deserto. Uma brisa leve agitava a poeira do chão. O único som que se ouvia era o *cri-cri-cri* das cigarras.

Bem, o *cri-cri-cri*, o chiado distante de walkie-talkies e o ronco de motores a diesel em ponto morto.

– Este lugar me parece familiar – murmurou ele, baixinho.

Deserto de Nevada, Estados Unidos da América. Ele já havia visitado aquela região, não muito longe dali, nem muito tempo antes. Era 1947, certo? Um lugar chamado *Roswell*, se a memória não lhe faltava. O Doutor sorriu na escuridão.

Aquilo sim foi divertido.

Ele se perguntou se algum dia deveria tentar consertar o circuito camaleão da TARDIS outra vez. Parada ali, no meio do deserto, ela pareceria um tanto inadequada. Por outro lado, era noite e ele havia aterrissado a centenas de metros da estrada. Provavelmente ninguém a veria ali. Na escuridão, achariam que era só mais um tronco seco de iúca.

O Doutor trancou a porta atrás de si e andou pela terra seca batida em direção aos caminhões militares estacionados a meio quilômetro de distância, no acostamento de cascalho da estrada poeirenta.

Agora que estava mais perto, ele podia ouvir as vozes trêmulas de homens assustados, abafadas pela borracha grossa do isolamento de suas máscaras de oxigênio. A noite estava coalhada de chiados e apitos, das vozes confusas e frases incompletas ditas pelos comunicadores. Os refletores iluminavam um outdoor desgastado à beira da estrada e, pouco mais adiante, um posto de gasolina abandonado com as janelas lacradas por tábuas e o pátio cheio de mato. Ao lado da entrada havia um letreiro:

Cansado? Que tal descansar um pouco em Fort Casey?
O lugar mais acolhedor depois da sua casa!

O Doutor assentiu. Fort Casey. Provavelmente fora ali que a sonda que ele vinha seguindo caíra.

Estava quase chegando ao conjunto de veículos militares quando alguém o viu surgir na escuridão.

– Ei! – gritou uma voz abafada. – VOCÊ AÍ! PARADO!

O foco atordoante de uma lanterna atingiu o rosto do Doutor. Ele estreitou os olhos e os protegeu com a mão.

– Parado aí! – A voz abafada parecia jovem. Muito jovem. E muito assustada. – Mãos ao alto!

– Tsc, tsc – fez o Doutor. – Mãos ao alto... *por favor*!

– Cale a boca e levante as mãos!

O Doutor as levantou.

– Encantador.

– Major Platt? – chamou o soldado no rádio. – Peguei um civil aqui... Acabou de surgir na escuridão, senhor... Contaminado? Acho que não, senhor.

O Doutor viu a silhueta do jovem soldado atrás da luz da lanterna: ele usava um traje de proteção com um cilindro de oxigênio nas costas, e um fuzil oscilava de forma irregular nas mãos revestidas por luvas. Outro homem se juntou a ele pouco depois.

– Você! – Agora era uma voz mais grave, mais firme. – De onde você veio?

O Doutor sorriu.

– Não sou daqui da região.

– O senhor veio da cidade?

– Fort Casey, você quer dizer?

– Sim. Teve contato direto com *qualquer pessoa* de Fort Casey?

– Não. Acabei de *descer*.

Um momento de hesitação.

– De Atlanta? Você é da equipe do CCD?

O Doutor acabou assentindo. De fato, o major parecia tão ansioso para receber algum especialista do Centro de Controle de Doenças que seria melhor dizer o que ele queria ouvir.

– Para falar a verdade, sim... sou, sim.

– Até que enfim! É melhor lhe darmos um traje e as informações.

– Traje? – O Doutor estalou a língua. – Sério? Isso é absolutamente necessário?

O humor do major Platt não parecia estar bom para gracinhas.

– Acompanhe-me à tenda de comando. Vou lhe passar o *briefing*.

– A última comunicação registrada a sair da cidade foi há dezessete horas: uma ligação de emergência pedindo uma ambulância. A pessoa só conseguiu dizer... – O major folheou um bloco sobre a mesa. Ele tinha cabelo grisalho bem curto e um rosto magro e bronzeado que parecia esculpido em arenito. Fuzileiro dos pés à cabeça. *Hurra*. Ele leu as palavras rabiscadas na folha à sua frente. – ... Estão todos mortos... todo mundo morreu, os corpos viraram líquido. Está se mexendo... Tem coisas aqui! Coisas que se movem! Elas estão vivas... – O major Platt olhou para o Doutor. – A partir daqui a pessoa falou coisas sem sentido e desligou logo depois.

Pensativo, o Doutor tamborilou com os dedos na mesa dobrável de alumínio entre os dois.

– Hum... Isso não parece mesmo muito bom.

A tenda de comando era uma bolha vedada de plástico espesso, com várias luminárias de lâmpadas halógenas. O major havia retirado a máscara e o traje de proteção e naquele momento estudava o Doutor, curioso. Parecia dedicar especial atenção ao fraque antiquado, com colete e gravata plastrom.

– Eu estava na ópera quando meu telefone tocou – explicou o Doutor.

O major dispensou o comentário com um gesto da mão.

– Acreditamos que o patógeno *não* seja transmitido pelo ar, mas não temos como saber com certeza. Bloqueamos todas as vias de acesso à cidade. Parece que essa coisa, o que quer que seja, contamina e mata *muito* rápido.

– O que provavelmente é bom.

As sobrancelhas grisalhas de Platt se curvaram.

– Se mata rápido, major, não precisaremos nos preocupar com a possibilidade de um hospedeiro contaminado se afastar muito da cidade. – O Doutor assentiu, pensativo. – Você disse que mandou alguns soldados para lá?

Ele concordou.

– Há quatro horas. Já faz mais de três que não temos notícias.

– Qual foi a última coisa que vocês ouviram?

O major balançou a cabeça.

– Uma transmissão confusa. Não fez o menor sentido para mim.

– Conte-me, por favor.

– Algo sobre *teias por todos os lados. Teias pela cidade inteira.* – O major estreitou os olhos cinzentos. – Teias? Todo mundo virou líquido! Você tem ideia do que diabos está acontecendo?

O Doutor tinha uma boa ideia. Mas somente aquilo: uma ideia. Uma suspeita. Ele precisava ter certeza.

– Você tem razão. Não é transmitido pelo ar, major. Pelo menos ainda não.

– Quer dizer que você sabe o que é?

O Doutor assentiu com a cabeça, devagar.

– Já vi isso antes, sim.

– E isso tem algum nome?

– Pesadelo. – O Doutor encostou o polegar no queixo, pensativo. – Se o patógeno é o que imagino, vai se espalhar em pouco tempo. Não há nenhuma barreira entre espécies. Ele pode ser transmitido por qualquer criatura. Na verdade, qualquer *coisa* orgânica.

– Não é possível! Nenhum patógeno faz isso!

– Setenta horas após o contato inicial, essa coisa se tornará incontrolável. Em um mês...

O Doutor balançou a cabeça devagar. Não era preciso dizer nada.

O major estreitou os olhos.

– Você tem certeza de que é do CCD de Atlanta? Você não se parece em nada com aqueles magricelas esquisitões.

– Ah... você me pegou, major – respondeu o Doutor com um sorriso. – Eu menti.

O major Platt se empertigou.

– Então é melhor você me dizer agora mesmo quem o mandou.

– Sem dúvida você já ouviu falar na organização, major. O nome é sussurrado vez ou outra nos cantos escuros do governo.

– Para quem você trabalha?

– UNIT.

O major ficou pálido.

– UNIT?

A Força-tarefa Unificada de Inteligência; ela operava com diversos governos do mundo, fora do radar e dos registros oficiais. O Doutor já havia trabalhado para a UNIT antes. Pessoas comuns talvez nunca tivessem ouvido falar dela, mas o major Platt com certeza a conhecia, a menos que houvesse passado toda a carreira militar isolado em uma bolha.

– Ótimo. Parece que você *sabe* do que se trata. – O Doutor flexionou os braços e se afastou da mesa. – Excelente. Perderíamos um tempo precioso se eu tivesse que lhe explicar a situação. – Ele deu de ombros. – Não preciso de muito... só que você me deixe entrar lá.

– Impossível! Protocolo de contenção nível cinco. Ninguém mais entra, e ninguém sai!

– Acredito que a palavra final seja da *UNIT*. Não do exército. E como sou o representante dela aqui... acho que isso faz de mim a pessoa no comando.

O major Platt estreitou os olhos.

– Não recebi nenhum aviso de que minha autoridade...

– Major, cada segundo que passamos sentados nesta sua tenda linda e reluzente é um segundo que desperdiçamos. Muito em breve o patógeno passará a ser transmissível pelo ar. – O Doutor sorriu com tristeza. – E então todos os bloqueios, seus homens e os trajes divertidos de borracha, tudo isso será simplesmente... irrelevante.

2

O Doutor cruzou a barreira montada na estrada de uma faixa que levava à cidade. Os refletores deixavam a sombra dele comprida e estreita, projetada no asfalto esburacado na direção da silhueta escura da cidade quase imperceptível no horizonte.

Ele começou a caminhar – um passo difícil, desajeitado e abafado dentro do traje pesado. O fone de ouvido no capuz chiou com a voz do major Platt.

– A UNIT acaba de confirmar sua identidade... *Doutor.*

– Ótimo.

– "Doutor." Foi, hum... foi só disso que eles o chamaram. O senhor tem nome?

O Doutor sorriu. Ele tivera um nome no passado, muito tempo antes. Há novecentos anos. Tantas lembranças na cabeça, e muitas eram de suas encarnações anteriores, quase como se pertencessem a outra pessoa – lembranças tão difusas e indistintas que mal passavam de sussurros fantasmagóricos.

– Só "Doutor". Pode me chamar assim.

– Doutor, é? – O fone de ouvido chiou, com o canal ainda aberto. – Certo. – O major Platt não parecia muito convencido. – Bom, mantenha o canal do comunicador aberto, tudo bem, Doutor?

O Doutor não tinha a menor intenção de fazer aquilo.

– Sim, claro.

Dez minutos depois, o Doutor chegou às construções na periferia da cidade: casas desgastadas e abandonadas, com a madeira desbotada e a tinta descascando. Era óbvio que Fort Casey vinha sofrendo uma morte lenta muito antes daquela noite.

Longe do alcance dos refletores e da vista dos homens do major, o Doutor decidiu que seria naquele lugar. Soltou o capuz, retirou-o e desfrutou do ar fresco da noite. Puxou o zíper e se livrou do restante do traje de proteção, afastando-o com os pés.

Roupa ridícula. Para ele aquilo seria tão útil quanto um saco de papel molhado.

O Doutor aspirou o ar e no mesmo instante detectou o cheiro adocicado de carne em decomposição. Até certo ponto, aquilo confirmava suas suspeitas. Aquela contaminação – aquele *flagelo*, se é que se tratava do mesmo patógeno que fizera inúmeras vítimas em Gallifrey em certa ocasião, estava bem avançado no estágio inicial: absorvendo e decompondo a matéria orgânica que já havia sido assimilada. Transformava-a em uma matriz orgânica fluida e aproveitável.

Ele seguiu pela rua principal da cidadezinha. As lâmpadas dos postes ainda estavam acesas, zumbindo no ar noturno e lançando uma luz alaranjada doentia no asfalto desgastado e poeirento. À direita, um letreiro rosado da Budweiser piscava sobre a porta de vidro de uma mercearia.

O Doutor direcionou o feixe da lanterna para o estabelecimento. Na frente, uma banca improvisada com *pallets* vazios anunciava melancias a três dólares cada. Ele se aproximou e apontou a lanterna para um dos *pallets* vazios. As tábuas estavam cobertas por uma poça escura de líquido denso e viscoso. O líquido escorrera pelas laterais e caíra no chão. O Doutor iluminou o rastro irregular da gosma – fino e sutil como um pedaço de barbante esquecido. Tortuoso, parecia uma artéria negra, estendendo-se como uma rachadura pelo chão até o edifício seguinte. Ali, o rastro se alargava ao se juntar a outras artérias do líquido negro, parecendo uma corda grossa.

No térreo do edifício de dois andares ficava uma lanchonete. No segundo andar, apartamentos vazios pareciam precisar desesperadamente de inquilinos. O líquido cor de nanquim subia pela parede lateral e se dispersava como uma teia de aranha – filamentos negros espalhados pelos blocos de concreto e pela pintura de cal rachada.

O Doutor se aproximou devagar.

Ele viu os restos do que havia sido uma pessoa caídos no rodapé. Agachou-se diante do corpo e o examinou. Um par de botinas, calça jeans desbotada e camisa xadrez. No meio da roupa, havia ossos amontoados e unidos por resquícios de carne. O crânio ainda tinha tufos de cabelo branco. Mas não havia pele. Aquilo desaparecera muito tempo antes, junto com todo tipo de matéria orgânica macia. A gosma preta saía das mangas da camisa e seguia pelo chão até encontrar os outros fiapos de sopa orgânica.

Completamente liquefeito. As melancias na frente da mercearia e aquele homem, todos igualmente úteis, todos matéria crua igualmente digerível para o patógeno absorver. Era o que o Doutor havia imaginado, mas que desejara não encontrar.

O primeiro estágio parecia estabelecido: contaminação, desconstrução e consolidação. Era evidente que havia caído na cidade ou em algum lugar nas redondezas – um esporo minúsculo, do tamanho de uma cabeça de alfinete, disperso pela sonda, talvez disfarçado como pedra ou fragmento de meteorito e grudado na sola de uma bota ou no pneu de um caminhão. Bastaria aquilo, apenas.

O restante seria lamentavelmente inevitável. E horrivelmente rápido.

Com o feixe da lanterna, o Doutor iluminou os arredores e viu mais corpos na rua principal. Do outro lado, um carro tinha subido na calçada e derrubara algumas latas de lixo. O esqueleto do condutor estava parcialmente caído pela porta aberta. Mais adiante na calçada, havia uma pilha de roupas femininas ao lado de um carrinho de bebê.

– Eles nem tiveram chance – disse o Doutor, suspirando.

– Oi? – chamou uma voz de dentro da lanchonete. – Tem alguém *aí fora*?

Alguém sobreviveu? O Doutor balançou a cabeça. Impossível. Não existia imunidade àquilo. Pelo menos nenhuma imunidade *humana*. Ele foi até a frente da lanchonete e abriu uma das portas de vidro.

– Tem alguém vivo aqui?

– FIQUE BEM AÍ!

Uma voz abafada. De mulher. O Doutor ficou parado na entrada e levantou as mãos para mostrar que não estava armado.

Viu uma figura esguia com traje de proteção surgir lentamente de trás do balcão da lanchonete, o rosto oculto por uma máscara de oxigênio.

– Como... como você está vivo?

O Doutor sorriu e deu um passo à frente.

– Como minha mãe dizia, sou muito especial.

A mulher apontou para ele a arma em sua mão.

– É melhor você ficar parado aí! Não se mova!

Ele olhou a identificação no peito dela.

– É capitã Chan?

– Capitã Evelyn Chan.

– Suponho que você faça parte da equipe de investigação do major Platt.

A mulher abaixou um pouco a arma.

– Sabe, o major estava bastante preocupado porque faz tempo que você não entra em contato com ele.

– Meu comunicador quebrou. Joguei fora.

O Doutor olhou o cinto tático dela. Viu uma fivela retorcida e um pequeno rasgo naquela altura do traje.

A mulher acompanhou seu olhar.

– Aquela gosma encostou no meu equipamento de comunicação. Vi que começou a se espalhar! Tive... tive que arrancá-lo, me livrar logo daquilo – explicou ela às pressas. – Mas não fui contaminada, está bem? Aquilo não entrou no meu traje. Não encostou na minha pele...

– Eu sei – interrompeu o Doutor, sorrindo para acalmá-la. – Eu sei. Se tivesse tocado sua pele, você seria uma poça agora. – Ele passou os olhos pela lanchonete. – E sua equipe?

Depois de um instante de hesitação, ela respondeu:

– Só eu sobrei. – A voz dela fraquejou. – Os outros, eles... eles...

– O que aconteceu com eles?

– Atacados.

– *Atacados?*

A máscara da mulher assentiu, devagar.

– Coisas estranhas... rastejantes caíram em nós, nos atacaram...

O Doutor sussurrou um palavrão. Aquilo queria dizer que o segundo estágio já havia começado. Aquela coisa estava criando construtos defensivos.

Ele deu outro passo cuidadoso para a frente, e Chan logo levantou a arma e a apontou.

– Fique aí!

– Está tudo bem! – disse o Doutor depressa. – Também não estou contaminado. Na verdade, garanto que sou imune.

Ela balançou a cabeça.

– *Nada* é imune!

O Doutor deu um passo para o lado e se sentou a uma mesa perto da janela.

– Vou ficar sentado aqui, Evelyn. Tudo bem?

Chan saiu de trás do balcão. O Doutor viu que ela olhava em todas as direções: para o chão, embaixo das mesas e das cadeiras. A capitã avançou devagar na direção dele.

– Tudo. Humano, animal, vegetal. Essa coisa contaminou *tudo* nesta cidade.

O Doutor assentiu.

– Sim, é exatamente isso que ela faz.

A capitã deu mais alguns passos na direção do Doutor, com a arma ainda apontada para o peito dele. Deixou-se cair em uma cadeira a algumas mesas de distância.

– Nada pode fazer isso! Nenhum patógeno pode transitar entre espécies diferentes desse jeito! Pular de fauna para flora...

– Nenhum patógeno *da Terra* – respondeu o Doutor.

– Da Terra? – Os olhos de Chan se estreitaram atrás do vidro da máscara. – Quer dizer... o quê? Isso veio do...

– Veio do espaço, sim. – O Doutor mexeu no saleiro de sua mesa com uma expressão casual. – É uma sonda de fecundação Von Neumann.

– O quê?

– Von Neumann. O nome é em homenagem a um cientista de vocês, John von Neumann, que concebeu uma teoria sobre a criação de algo assim... um agente desenvolvido geneticamente para sobreviver no espaço sideral, ficar à deriva até encontrar um planeta habitável. Ele então desperta do estado dormente e começa a trabalhar.

– Começa a trabalhar?

– No início, é transmitido como um vírus. Começa a partir de um conjunto de partículas, contaminando, reprogramando o DNA para converter células. Ele contagia tudo o que toca. Reproduz milhões de cópias de si mesmo a partir da matéria dos organismos contaminados, e depois essas células trabalham em conjunto para decompor a estrutura da vítima.

Chan assentiu com a cabeça.

– Sim... sim, foi o que vimos. – Ela olhou para a rua deserta do outro lado da janela. – Tudo o que era orgânico – disse ela, ainda balançando a cabeça. Ela havia presenciado exatamente aquilo. – Tudo... parece entrar em necrose, virando aquela gosma preta.

– O estágio inicial do agente é este processo: adquirir matéria orgânica. O máximo possível e o mais rápido possível. O líquido tem uma inteligência rudimentar, se é que podemos chamá-la assim. Vai tentar convergir para si mesmo. Para se reagrupar, digamos. Quanto mais da massa assimilada se junta, mais sofisticada a estrutura interna pode ser.

– Estrutura interna?

– Aquela "gosma preta" é um fluido *transmórfico*. Pode se reestruturar e assumir a forma de qualquer coisa da qual tenha obtido uma referência genética, ou mesmo combinar referências. Quanto mais massa interligada ela tiver, mais sofisticados são os construtos que pode fazer.

A capitã Chan se virou para olhá-lo.

– Como você sabe tanto sobre isso? – Ela arregalou os olhos de repente. – Meu Deus! Este surto *não* é um caso isolado? Já aconteceu em outro lugar?

– Já houve milhões de surtos, Evelyn. Em muitos mundos, ao longo de bilhões de anos.

Ela estreitou os olhos de novo. Encarou-o sem falar nada por alguns instantes.

– Quem diabos é você?

O Doutor pensou na pergunta. Talvez pudesse explicar quem era, sem pressa. Poderia explicar que sua raça, os Senhores do Tempo, já havia sido atacada por aquele mesmo patógeno antes. Quando era jovem, o Doutor lera sobre a epidemia, em um passado muito distante. Mais de mil anos antes de ele ter nascido, o Esporo chegara a Gallifrey. Centenas de milhares de Senhores do Tempo morreram até seu povo descobrir como enfrentá-lo e criar uma imunidade genética transmitida de geração em geração para que eles nunca mais fossem vulneráveis àquilo. O Doutor poderia explicar tudo, mas não havia exatamente muito tempo. Decidiu dar uma versão resumida. Bastaria uma resposta breve, por enquanto.

– Você verá que sou mencionado em alguns sites especializados em teorias da conspiração. Desconfio também que um ou dois governos tenham arquivos extensos sobre mim. Sou conhecido como o "Doutor". Digamos apenas que não sou das redondezas. – Ele comprimiu os lábios. – Mas tenho o hábito de aparecer por aqui de tempos em tempos. – O Doutor se recostou no assento e ajeitou o fraque. – Mas as apresentações podem esperar, capitã Chan. Não temos muito tempo. Você disse que seu grupo foi atacado?

Ela confirmou com a cabeça de novo.

– Pareciam caranguejos. Eram centenas. Cortaram nossos trajes e entraram. – Ela fechou os olhos por um instante. – Quase não consegui escapar.

– Só você sobreviveu?

Chan balançou a cabeça e lançou um olhar rápido para as portas vaivém atrás do balcão.

– Rutherford também.

O Doutor viu uma marca escura e ensanguentada de mão em uma das portas.

– Foi um daqueles rastros de gosma preta. Rutherford tentou tirar uma amostra. Achamos que era só um líquido. – Ela balançou a cabeça, tentando entender o que havia presenciado. – Mas aquilo meio que *se retraiu* e saltou para cima dele. Atravessou a máscara. – Chan desviou o olhar. – Tentei salvá-lo. Mas ele morreria em questão de minutos, ou mesmo *segundos*. Arrastei-o para lá...

– Ele está ali agora? Atrás daquelas portas?

– Na cozinha.

O Doutor olhou para as portas vaivém. Chan amarrara os puxadores das portas com um guardanapo de pano. Aquilo não ia segurar nada, mas indicava que ela havia compreendido.

Melhor não abri-las. Melhor não entrar.

– Deixe aquelas portas bem fechadas, Evelyn. Haja o que houver, *não* entre lá.

Chan assentiu brevemente.

– Dei uma olhada ali dentro há uns vinte minutos. – Ela soltou um soluço contido. – Foi horrível. Rutherford estava...

– Esse negócio avança por estágios. O Estágio Um é assimilação e consolidação de biomassa. Foi o que aconteceu antes de vocês chegarem. No Estágio Dois, o agente começa a gerar construtos simples... *criaturas*, na falta de palavra melhor. É uma medida defensiva. Foi isso que vocês presenciaram. No Três... bem... – O Doutor alisou o queixo. – Esse estágio é o mais fascinante, na verdade. Realmente notável.

– O quê?

O aspecto mais curioso do ciclo vital do Esporo era o terceiro estágio. O que os Senhores do Tempo chamavam de "estágio inquisidor". Os misteriosos criadores daquele patógeno – talvez já há muito desaparecidos – embutiram um mecanismo de segurança para evitar que o Esporo destruísse outra civilização avançada. Era possível que eles tivessem medo de que um esporo desgarrado pudesse voltar algum dia e destruir o planeta deles. Ou quem sabe considerassem antiético que sua criação acabasse eliminando outra espécie dotada de inteligência.

– O que é o Estágio Três? – perguntou Chan.

O Doutor olhou para ela.

– No centro da disseminação, no ponto inicial, o Esporo constrói uma matriz de inteligência. Um cérebro, digamos.

– Um *cérebro*?

– Bom, uma espécie de inteligência.

– Por quê?

– Ele precisa fazer uma pergunta. – O Doutor deu de ombros. – Se receber a resposta certa, o cérebro transmite a todas as células da biomassa a ordem de interromperem a reprodução e produzirem uma toxina letal que, com o tempo, as destruirá.

– Por que ele faria isso?

– Dar a resposta certa indica inteligência. O patógeno é "programado" para não eliminar vida inteligente.

– E se não acertarmos a resposta? O que acontece?

O Doutor fez uma careta.

– Nesse caso, o Esporo continuará desenvolvendo construtos cada vez mais sofisticados. Criaturas capazes de correr, nadar, voar. Elas poderão levar esporos em todas as direções. Será impossível de conter. – Ele pressionou os lábios. – Daqui a uma semana, tudo o que for orgânico neste planeta terá sido convertido em biomassa.

– Não acredito! – sussurrou Chan.

– A teoria – continuou o Doutor – é que esse Esporo foi criado por uma civilização alienígena para "substituir" o ecossistema nativo de outros planetas pelo dela. Para preparar um novo lar nesses planetas séculos, milênios antes que essa civilização precisasse. Uma forma de terraformação biológica a distância. Ou é isso, ou é alguma arma horripilante.

– Mas você... você está dizendo que podemos nos *comunicar* com essa coisa? – Chan balançou a cabeça. – *Conversar* com ela?

– "Conversar" é um pouco demais. Não vamos trocar telefones e ficar batendo papo.

– Mas ela vai fazer a tal pergunta?

O Doutor sorriu.

– Sim, e esse é o problema. Os humanos não conseguirão entendê-la, que dirá respondê-la. Não pelos próximos cinquenta e poucos anos.

– Os próximos cinquenta anos? – Chan arregalou os olhos. – Quer dizer... você é do...

– Do futuro? – O Doutor assentiu com a cabeça. – E do passado. Digamos que eu viajo bastante. – Ele voltou a olhar pela janela. – E já perdi tempo demais. Preciso localizar a matriz de inteligência quanto antes. Ela não vai esperar eternamente até decidir se a espécie de vocês merece ser preservada. Tenho que encontrá-la antes que comece a gerar construtos aéreos.

Chan olhou para ele.

– Você vai voltar lá para fora?

– Claro. E sugiro que você fique bem aqui. Mantenha as portas fechadas até eu voltar.

Chan balançou a cabeça.

– Não vou ficar aqui. Não sozinha. De jeito nenhum.

O Doutor olhou para as portas atrás do balcão. Para falar a verdade, nenhum lugar era seguro, dentro ou fora. Não quando o Esporo estava criando construtos. Talvez fosse mesmo melhor ela ficar perto dele.

– Então está bem – disse o Doutor, dando de ombros. – Pode vir comigo, se quiser.

3

O Doutor foi para a rua, e Chan o seguiu. Ele apontou o feixe da lanterna para todos os lados. Havia rastros de gosma preta espalhados pelo asfalto, saindo de amontoados de corpos quase dissolvidos e carcaças consumidas; rastros que procuravam uns aos outros – convergindo.

– As colônias individuais de biomassa tentam se unir, para acumular a massa. Quanto mais dessa substância estiver reunida em um mesmo lugar, mais *ambiciosos* serão os construtos que ela tentará produzir.

– Ela pode fazer coisas *maiores* que caranguejos?

O Doutor ergueu as sobrancelhas.

– Muito maiores.

Eles seguiram devagar pela rua vazia e silenciosa. Uma brisa fraca agitou o ar da noite e, em um telhado, um cata-vento rodopiou com um *clack-clack-clack*. Na varanda de uma loja de material de construção, um sino de vento tilintou, soando notas solenes e aleatórias. A roda de um velocípede caído girou devagar, e os rolamentos estalaram como as bolas de alumínio de um pêndulo de Newton.

– Estamos procurando um padrão; uma convergência considerável de fluido, rastros se encaminhando a um aglomerado central. A imagem parece uma estrela, como dezenas de rios desembocando em um lago.

– Um aglomerado central? – Chan olhou para o Doutor. – O cérebro?

Ele assentiu.

– E isso, Evelyn, o Esporo com toda a certeza vai tentar defender.

Os dois passaram por um posto de saúde, diante do qual vários carros haviam parado de qualquer jeito, congestionando a rua. Parecia que muitas pessoas da cidade tinham tentado chegar ali, e algumas morreram antes mesmo de alcançar a porta.

– Meu Deus – sussurrou Chan. – Deve ter sido horrível. Deve ter sido...

Ela se interrompeu, ergueu a arma e assumiu posição para atirar.

– O que foi?

– Movimento. Ali. Entre os carros.

O Doutor virou o feixe da lanterna na direção que ela apontou. A luz refletiu no para-brisa empoeirado de um caminhão e no teto encerado de um Chevrolet.

– Tem algo ali – murmurou Chan.

A superfície lisa e arredondada de algo escuro se mexeu sob a luz forte da lanterna.

– Ah, sim – disse o Doutor. – Estou vendo.

Movimento de novo. Um vulto preto, do tamanho de um cachorro grande, com patas articuladas iguais às de uma aranha e coberto por uma carapaça escura e espinhosa, pulou no capô do Chevrolet. O carro balançou levemente sob o peso da criatura.

Chan apertou o gatilho, e a pistola recuou. O disparo atravessou a armadura orgânica do vulto e lançou fiapos de matéria escura. A criatura – escura e brilhosa – caiu e se retorceu.

– Excelente tiro. Muito bem.

A respiração de Chan estava acelerada, embaçando a máscara.

– Foi sorte. N-Não uso uma arma d-desde o treinamento.

Outro construto saiu do meio dos carros. Chan virou o braço e disparou. Um para-brisa explodiu ao lado da criatura. A capitã atirou de novo, e os dois ouviram o barulho seco do impacto e o som de gosma espirrando na lateral de um Honda. A criatura sumiu de vista.

Mas outras quatro apareceram correndo no lugar dela.

Chan atirou na direção da primeira e errou.

Deu vários outros tiros, e mais criaturas surgiram. A arma começou a clicar em vão, vazia e inútil, enquanto Chan apertava o gatilho compulsivamente.

– Ah, não... acabou a munição.

Havia mais de dez criaturas, todas do tamanho de rottweilers. Escuras, reluzentes, recurvadas, com patas articuladas e sem cabeça nem olhos – besouros ameaçadores. Elas avançaram devagar.

Chan soltou um gemido conforme elas se aproximavam. O Doutor pegou o braço dela e a puxou para trás de si.

– O que você está fazendo?

– Testando uma ideia – respondeu ele, depressa. Andou devagar na direção do bando e abriu os braços. Os besouros gigantes soltaram chiados e estalidos... e permaneceram imóveis. – Isso. O que eu imaginava. Já começou o estágio inquisidor. Ele está pronto para conversar. Pronto para fazer a pergunta. – O Doutor olhou para trás, para Chan. – Mas não vai esperar para sempre. Está entendendo? Temos que encontrá-lo logo.

Chan assentiu com a cabeça, nervosa.

O Doutor virou o feixe da lanterna.

– Esses construtos estão reunidos aqui para proteger o cérebro. Devemos estar muito perto. Procure, Evelyn. Dê uma olhada à sua volta. Está vendo algo?

Ela movimentou a luz da lanterna, acompanhando os rastros escuros que serpenteavam pela rua, cruzando-se e formando rastros mais grossos. Um deles parecia ter adquirido a função de artéria principal, atraindo os outros como a chama de uma vela atrai mariposas. Ele seguia pela rua, cada vez mais largo e grosso até ficar do tamanho de uma mangueira de bombeiro, pulsando e estremecendo com o fluxo constante da sopa orgânica em seu interior.

A lanterna de Chan acompanhou o trajeto sinuoso do rastro principal até a traseira de um caminhão de entrega parado a uns cinquenta metros de distância, do outro lado de uma pracinha com dezenas de barracas armadas. Aparentemente, Fort Casey estava se preparando para uma feira quando o Esporo resolveu chegar.

A artéria espessa fez uma curva na direção do baú do caminhão e pareceu subir a rampa de carregamento do veículo, dividindo-se em vários rastros menores e sumindo no interior do baú.

– Aquilo tem potencial – murmurou o Doutor. Ele recuou bem devagar e voltou para perto de Chan. – Sugiro que andemos, da forma mais sutil possível, na direção daquele caminhão.

Ela assentiu. Os dois se afastaram das criaturas e começaram a andar devagar rumo ao veículo.

Quando chegou mais perto, o Doutor distinguiu a logomarca impressa na lateral do baú do caminhão: *Granja Bernard and Sons*. Passou com cuidado por cima dos rastros mais largos da substância viscosa, todos seguindo para a traseira do veículo.

Todos os caminhos levam a Roma.

Quando os dois afinal chegaram à base da rampa, Chan levantou o feixe da lanterna. Dentro do baú havia dezenas de gaiolas de arame empilhadas. O piso estava coberto de penas, como flocos de neve. Ossos, bicos e patas escamosas eram só o que restava do que antes haviam sido centenas de aves, transformadas no líquido preto que escorria das gaiolas, uma camada de gosma pulsante que cobria as paredes internas do baú. Tentáculos curtos e espessos se projetavam da gosma, balançando como serpentes cegas farejando o ar.

No fundo do baú, o líquido convergira em uma massa úmida vertical que parecia um abajur e refletia a luz das lanternas – mexendo-se, inchando, gerando bolhas e, de vez em quando, formas maiores e mais firmes que por um instante lembravam o tronco e as pernas de um ser humano... a cabeça e o pescoço de um cavalo... o focinho de um cachorro.

– O que ele está fazendo? – perguntou Chan, engolindo em seco.

– Imagino que esteja testando que construtos podem ser feitos com o DNA adquirido até agora.

No chão corriam criaturas menores e menos ambiciosas, que pareciam um cruzamento impossível de crustáceos com roedores. O feixe da lanterna do Doutor iluminou dezenas delas, umas subindo nas outras; uma confusão fervilhante de patas e garras cascudas, espinhos afiados, carapaças e pelagem cinzenta. Ele desconfiava de que, se aquelas criaturas os atacassem, as garras afiadas arrancariam a carne de seus ossos em minutos. Era preciso se comunicar logo, antes que o Esporo decidisse que os dois eram uma ameaça e mandasse seu exército protetor avançar.

– Olá? – chamou o Doutor, usando um tom delicado.

A massa líquida no interior do baú pulsou em resposta. Estremeceu por um instante, e então um dos tentáculos logo começou a ficar mais grosso e comprido, extraindo substância da massa central à medida que se projetava na direção do Doutor.

– Doutor – sussurrou Chan. – Cuidado!

– Está tudo bem. Ele está dizendo "oi". – O Doutor olhou para Chan. – Espero.

Como eu me comunico com essa coisa?

O Doutor vasculhou os recantos de sua memória em busca de detalhes há muito esquecidos sobre a experiência de Gallifrey com aquela entidade. Algo se destacou: um cientista se deixara contaminar, permitira que as células daquilo invadissem seu corpo, e em algum nível microbiológico ocorrera uma conexão.

O Senhor do Tempo respirou fundo, subiu a rampa devagar e entrou no baú.

– Estou aqui para conversar com você.

O tentáculo negro flutuou na direção dele, ergueu-se e pairou diante de seu rosto, oscilando de um lado para o outro como uma naja preparando-se para dar o bote.

– Isso mesmo, não sou uma ameaça – disse o Doutor, com delicadeza. – Estou aqui para conversar.

O tentáculo ficou mais lento. A ponta começou a crescer, gerando uma forma bulbosa. A partir dela, brotou um filamento minúsculo, da largura de um fio de cabelo. Ele seguiu na direção do Doutor, fino e flexível como arame, sentindo o ar. O Doutor reprimiu o impulso de se retrair. Sabia que o Esporo não poderia contaminá-lo e assimilá-lo – a imunidade herdada o protegia –, mas nem assim a ideia de permitir que aquilo invadisse seu corpo parecia agradável.

O filamento tocou de leve a ponta de seu nariz. Avaliando. Uma carícia muito suave, cócegas. Depois passou a explorar as bochechas, a testa, rodeou a lateral de seu rosto e estudou as curvas da orelha.

O Doutor resistiu à vontade de recuar. O Esporo "sabia" como o estágio inquisidor funcionava. O Senhor do Tempo precisava deixar que aquilo conduzisse a negociação.

O tentáculo voltou ao rosto dele e apoiou-se num lado do nariz. O Doutor sentiu uma picada minúscula quando pequenos espinhos se firmaram na pele. E então ele sentiu algo roçar a borda de sua narina esquerda. Quis levantar a mão e coçar. Aquilo pinicava de um jeito asqueroso, invasivo e desagradável.

O Doutor sentiu o tentáculo entrar, um líquido frio esgueirando-se devagar pela cavidade nasal. E então uma sensação estranha de dormência entre os olhos, subindo ainda mais, passando pelo córtex visual, pelos lobos temporais, adentrando cada vez mais pelo crânio...

Ele está tentando encontrar uma conexão com meu cérebro.

A sensação fria desagradável no nariz começou a diminuir. O tentáculo estava ajustando a própria temperatura de acordo com o corpo do Doutor. Será que o objetivo era que a conexão fosse mais cômoda? Se era esse o caso, aquilo era reconfortante.

E então...

E então...

4

– O que está acontecendo? – perguntou Chan quando o corpo do Doutor de repente convulsionou. – Doutor, você está bem?

Chan olhou para trás. As criaturas-besouro começavam a chegar perigosamente perto. Mais algumas surgiam das barracas de feira na praça, onde cascas de melão e espigas vazias de milho se fundiam e viravam sopa escura, e de uma floricultura, onde uma gosma preta e oleosa escorria de cestos pendurados. As criaturas se deslocavam devagar na direção de Chan.

– Doutor! Elas estão chegando perto – gritou ela.

Sem resposta.

– Muuuuuito perto!

Sem resposta. Chan iluminou o interior do baú com a lanterna. Viu apenas a parte de trás da cabeça do Doutor. Ele estava completamente imóvel, quase como se estivesse em um transe.

– A situação aqui não parece boa! Doutor?

Chan voltou a apontar a lanterna para as criaturas no mesmo momento em que uma delas lançou de repente um tentáculo espinhoso, que se enrolou com firmeza em torno de sua perna. A capitã sentiu o tentáculo apertar com força, começando a esmagar seu tornozelo. E então uma picada dolorosa, quando aguilhões afiados rasgaram o traje de proteção e furaram a pele.

– Ah, não! Doutor! Ele penetrou no meu traje! – murmurou ela. – Cortou minha pele! Estou contaminada!

O Doutor permaneceu completamente imóvel. Sua mente estava muito, muito distante. Ele enxergava a imagem de outro mundo. Via um céu roxo, sóis duplos com uma tonalidade azul. Outra imagem: um mundo diferente, com nuvens pesadas revoltas e dezenas de colunas retorcidas feitas de alguma espécie de resina, alçando-se a centenas de metros de altura rumo ao céu agitado. Lembrava uma cidade de cupinzeiros. E então outro mundo de céu verde, gás metano e criaturas flutuantes que pareciam balões.

Memória residual de mundos que aquela cepa do Esporo decerto visitara antes; mundos que visitara, absorvera e abandonara. Mundos que ele visitava quantos milhões de anos antes?

E então... algo ressoou na cabeça do Doutor. Aquilo não podia ser descrito de fato como uma voz. No entanto, de alguma forma, era. Nas profundezas do cérebro, ele ouviu uma voz sem gênero nem idade definida. Um sussurro de consciência penetrando sua mente. Um pensamento que sem dúvida não era seu.

Você busca comunicação?

Sim.

Você representa entidade?

Sim.

Representa este mundo?

Sim.

Uma sucessão rápida de imagens preencheu a mente do Doutor: uma sequência de espécies da Terra. Espécies que o Esporo já havia tocado, absorvido e decodificado. Milhares de micróbios que ele devia ter encontrado ao encostar no solo árido do deserto de Nevada. Centenas de insetos: uma formiga, um besouro, uma libélula multicolorida. E depois formas mais complexas: um roedor marrom, uma cascavel, uma raposa pequena do deserto. E maiores: uma vaca, um cachorro e, finalmente... um ser humano. Um registro da jornada do Esporo pela cadeia alimentar.

A sucessão de imagens terminou. O Doutor recuperou a visão.

Não representa entidade deste mundo. De outro mundo.

Sim. Viajei, como você parece ter viajado.

Você tem código estrutural resistente.

O Esporo se referia à imunidade herdada. Algumas linhas de seu genoma que impediam o patógeno de absorvê-lo e transformá-lo em uma sopa orgânica amorfa.

Sim. Sua espécie já visitou meu planeta. Vocês fizeram a pergunta, e respondemos corretamente. Tivemos permissão para existir. Desenvolvemos uma vacina a partir da toxina que vocês usaram para se aniquilarem.

Processo correto. Demonstração de inteligência. Sua espécie considerada aceitável.

As entidades inteligentes deste planeta não saberão a resposta correta à sua pergunta.

Com isso, massa das entidades deste mundo é recurso viável.

Mas eles são uma espécie inteligente.

Inteligência é definida por resposta correta.

E eles saberão a resposta correta. Mas ainda não.

Irrelevante.

Não é irrelevante. Só inoportuno.

Explique.

Sua jornada aqui foi completamente acidental. Em quê? Uma rocha? Um bloco de gelo? Um milhão de variáveis conspirou para que você caísse neste planeta neste momento. Se tivesse acontecido algo diferente – se a rocha tivesse sido um pouco maior ou mais lenta, ou se tivesse sido minimamente afetada pela gravidade de qualquer massa, você teria chegado aqui algumas décadas mais tarde... em uma época em que estas entidades poderiam dar a resposta correta.

Irrelevante.

Eles só precisam de mais alguns anos. Só isso. Serão uma espécie impressionante, capaz de...

Pergunta deve ser feita a massa de entidade deste mundo.

O Doutor franziu a testa. O Esporo tinha uma inteligência simples demais para pensamentos *filosóficos*. Não era mais sofisticado que a maioria dos computadores pessoais que existiam na Terra na época – pouco mais que um sistema operacional solicitando uma senha. Não adiantava pedir que ele tomasse uma decisão intuitiva. Aquilo era um "cérebro" criado muito tempo antes para fazer uma pergunta e aguardar a resposta. E só. O Doutor precisaria pensar em outra maneira...

Evelyn Chan sentiu a perna ficar dormente, uma frieza invasiva que se espalhava pela coxa, à medida que a infecção se disseminava de artéria em artéria. As células do esporo logo derrotaram o sistema imunológico dela, massacrando milhões de leucócitos. Chan ficou mareada. Tonta. As pernas fraquejaram e cederam. Ela caiu no chão, lutando para respirar e soltando a lanterna.

– Doutor! – gritou ela, sem forças. – Doutor... estou morrendo.

O Doutor mal ouviu a voz de Evelyn. Parecia vir de alguém a mil quilômetros de distância. Ainda assim, ele entendeu o que ela disse. Chan estava contaminada. Ele tinha minutos para salvá-la, ou mesmo segundos. Era hora de jogar os dados.

Você cometeu um erro.

Explique erro.

Você voltou ao seu mundo de origem. Àqueles que o desenvolveram, milhões de anos atrás. Está correndo o risco de destruir seu criador.

Criador original teria imunidade.

Mas muito tempo se passou. Ocorreram mutações naturais no DNA de seu criador que comprometeram a imunidade. Eles evoluíram. Já não podem ser reconhecidos como a espécie original – seus criadores. Mas são descendentes deles. E você vai destruí-los.

O Doutor sentiu a confusão do Esporo – vozes que pareciam sussurros em debate, o equivalente orgânico ao esforço que um computador faria para executar linhas de códigos que não havia sido projetado para processar.

Eles são uma espécie descendente do criador?

Parecia que o Esporo estava solicitando confirmação.

Sim! São uma espécie descendente! São os "filhos" de seus criadores.

Pergunta ainda deve ser respondida. Descendentes do criador devem demonstrar inteligência dos criadores originais. Descendentes saberão a resposta.

O Doutor trincou os dentes. Talvez uma mentira simples e direta funcionasse. Ele se virou e olhou para fora do caminhão. Evelyn Chan estava caída ao pé da rampa, morrendo. Talvez fosse tarde demais para salvá-la. Uma mentira. Só lhe restava uma simples mentira. Talvez a inteligência dessa coisa fosse tão rudimentar que não questionaria a informação falsa que ele dera pouco antes; que não entenderia uma mentira simples.

A informação anterior era incorreta.

Explique informação incorreta.

Não sou de outro mundo.

Explique.

Sou uma entidade mensageira dos descendentes de seu criador. Sou um agente antipatogênico. Fui desenvolvido para me comunicar com você na ocasião de seu retorno. Sou um construto deles, assim como você. Estou vivo há milhões de anos, esperando pela possibilidade de você voltar. E fui desenvolvido para lhe dar a resposta.

Você é construto – um Parcial Remoto?

O Doutor supôs que aquele fosse o termo que o Esporo usava para se referir às criaturas pequenas que corriam pelo chão diante dele.

Sim. Um Parcial Remoto.

Você responde pelos descendentes do criador?

Sim, esse é meu propósito. Responderei à pergunta em nome deles.

O Doutor sentiu que o Esporo tentava trabalhar com os recursos limitados de sua inteligência artificial embutida geneticamente. Ele prendeu a respiração. Tudo dependia da decisão do Esporo. Não só Evelyn, mas todo ser vivo na Terra...

Aceitável. A pergunta – explique proporção 1:812.

* * *

A mente de Chan parecia à deriva. Estava perdendo a consciência, entrando em um estupor comatoso. A visão começava a enevoar-se, perdendo a nitidez na periferia.

É essa a sensação de morrer? Era quase sereno, quase agradável. Ela estava prestes a ser devorada de dentro para fora... e aquilo não parecia ter importância.

Então algo aconteceu. Chan sentiu uma fisgada aguda na cabeça, como se de repente tivesse começado uma enxaqueca forte. A visão começou a ficar mais nítida, a recuperar o foco. Ela vomitou ao sentir os músculos se contorcerem: a dor do sistema imunológico reagindo. Tentou se sentar; a cabeça latejava e o estômago revirava-se.

O tentáculo pulsante apertando seu tornozelo foi tomado por uma convulsão violenta e súbita. A pele dele se abriu e esguichou um pequeno jato de líquido cremoso nos pés de Chan.

Revoltada, ela tentou se livrar do tentáculo.

A pele macia da artéria se abriu em vários outros lugares, e o líquido escorreu para a rampa e o asfalto, borbulhando. A criatura-besouro mais próxima caiu no chão e começou a tremer, como se tivesse uma crise epiléptica. As outras logo também foram afetadas, uma após a outra, contorcendo e tremendo as patas longas e espinhosas.

Chan ouviu passos e, ao virar o rosto, viu o Doutor descer da rampa, limpando com a manga uma mancha escura ao lado do nariz.

– O que... o que está acontecendo? – perguntou ela, com a voz grogue. – Você conseguiu se comunicar com aquilo?

– Sim, de fato – respondeu o Doutor. – E agora ele está sendo educado e se matando. – O Doutor sorriu. – Incrivelmente digno aquele patógeno. Muito compreensivo.

Proporção 1:812?

O Doutor sorriu. Em Gallifrey, qualquer criança sabe responder a uma pergunta básica como aquela. É coisa de escola – currículo de jardim de infância sobre teoria das supercordas e onze dimensões.

Bom, dissera ele ao Esporo, *a resposta é...*

* * *

– Eu sequer entendo a pergunta – comentou Chan. – Que dirá saber como descobriríamos a resposta.

Ela fez uma careta enquanto mancava pela estrada, apoiada pelo Doutor, que segurava sua cintura. Os ossos do tornozelo dela estavam quebrados.

– Bom, você não é especialista em física quântica, é?

O Doutor se virou para olhar o sol nascendo atrás dela. Estreitou os olhos por causa da luz. O astro se erguera do deserto plano alguns minutos antes: uma bola alaranjada incandescente afastando-se do horizonte cintilante. As sombras alongadas dos troncos de iúcas formavam listras escuras no chão poeirento.

A meio quilômetro de distância, o bloqueio aguardava. Os dois viram os caminhões, os soldados agrupados com trajes de proteção brancos.

– Porém, um especialista em física quântica daqui a cinquenta anos *entenderá*, Evelyn Chan. E é isso o que importa, na verdade.

Ele ergueu a mão e mostrou um pequeno recipiente.

– A propósito, é bom vocês analisarem isto aqui e produzirem uma vacina, só para o caso de haver alguma rocha em órbita perto da Terra trazendo outro patógeno. Pela nossa experiência, acredito que o Esporo venha em grupos.

Ela olhou a amostra mais uma vez. Meia hora antes, era um punhado de gosma borbulhante; agora parecia uma passa ou a orelha mumificada de algum faraó ressecado e esquecido.

O Esporo estava morto.

– Por que você não me diz logo a resposta? Eu sei, provavelmente não vou entender, já que sou uma mera humana estúpida, mas pelo menos teremos a resposta certa se aparecer mais uma coisa dessas em um futuro próximo.

O Doutor comprimiu os lábios.

– Mas, Evelyn, esse é o tipo de conhecimento científico que vocês precisam *conquistar*, não receber antes do tempo natural. Seria como se eu entregasse uma célula energética de antimatéria para Isaac Newton e dissesse para ele se divertir com aquilo. Talvez desmontá-la e ver como funciona. – Ele riu ao imaginar a cena. – Seria uma baita confusão, acredito.

O Senhor do Tempo virou-se para ela.

– Só vou lhe dizer isto: de onde venho... – Ele se interrompeu e deu um breve sorriso nostálgico. – Digo, de onde *vim*, algumas pessoas usaram a resposta como prova definitiva da existência dos deuses antigos.

– Sério?

– E – continuou ele, com um sorriso – outras disseram que a resposta enfim comprovava a *não* existência dos deuses. – Ele riu. – O universo é engraçado. Nunca dá para chegar a uma resposta conclusiva sobre essa questão em particular, não é?

Os dois estavam mais perto do bloqueio. O Doutor identificou outros detalhes. O major Platt os observava, receoso, conforme se aproximavam devagar, mancando. Todos os soldados estavam mobilizados, guarnecendo a barricada, armas em punho e apontadas para o chão. Mas prontas. Por via das dúvidas. Mais caminhões haviam chegado durante a noite e vários helicópteros zumbiam no céu da manhã, lançando linhas brilhantes no deserto com seus refletores.

Evelyn Chan havia aberto e retirado o capuz assim que o Doutor garantira que o patógeno estava morto e era inofensivo. Naquele momento ela limpava o suor da testa.

– Então você veio para cá em uma nave espacial grande? – perguntou ela.

Ele franziu o cenho e fechou a cara.

– É mais ou menos como uma nave espacial. Mas não parece especialmente grandiosa por fora.

Ela olhou para o céu cada vez mais claro.

– E você esteve mesmo lá fora? Fora do nosso sistema solar?

O Doutor assentiu.

– Muitos lugares. Muitas épocas.

– Deve ter visto coisas incríveis.

Ele assentiu.

– Inúmeras. Mas, no fundo, é tudo um punhado de elementos arranjados em uma variedade infinita de formas interessantes.

Ele coçou o queixo, pensativo.

Chan ainda mantinha os olhos no céu. A alvorada ia apagando as estrelas uma a uma, e o roxo-escuro do céu se transformava em um tom intenso de azul.

– Eu adoraria ver o que há lá fora.

O Doutor se virou e olhou para ela.

– Bom, um dia vocês verão, Evelyn. – Ele mexeu a cabeça, pensativo. – Na verdade, vai ser pouco depois de aprenderem a responder àquela pergunta. Isso os ajudará a entender dimensões espaciais mais elevadas. Vai permitir que a humanidade atravesse as vastas distâncias que separam os sistemas estelares. Vai... – O Doutor se interrompeu. – Ah, mas veja só. Estou falando demais, não é?

Eles se aproximaram do bloqueio. O Doutor fez uma saudação casual ao major e lhe jogou o frasco da amostra por cima do arame farpado.

– Certo. Aqui está, major. Uma capitã Evelyn Chan, machucada e cansada, mas não contaminada. Ela está a salvo. Só precisa que alguém dê uma olhada em seu tornozelo.

O Doutor soltou Chan quando ela segurou a mão cuidadosa de um soldado. Depois, virou-se e começou a se afastar da barricada, na direção do deserto.

– Aonde você está indo? – gritou o major Platt. – Precisamos interrogá-lo! Precisamos saber o que exatamente aconteceu lá.

O Doutor fez um pequeno gesto para Chan.

– Vou deixar que você o informe.

– Aonde você *está* indo, Doutor? – gritou ela.

O Doutor ergueu os olhos para as estrelas que desapareciam depressa no céu cada vez mais claro. Um gesto apenas para ela.

Chan assentiu. *Entendido.*

– E... e você vai voltar? Vamos vê-lo de novo?

Ele sorriu.

– Eu devo visitá-la em algum momento no futuro, capitã Evelyn Chan.

O Nono Doutor: A Besta da Babilônia

Charlie Higson

Tradução de
Viviane Maurey

I

Ali estava em um piquenique com a família em um pequeno parque aquático, longe do centro da cidade, quando viu o Doutor pela primeira vez. Ele caminhava pela grama, olhando em volta com uma expressão atenta, como se procurasse algo. Parecia um homem comum. Dois braços, duas pernas. O de sempre. O cabelo era curto, tinha orelhas de abano e um nariz grande. Usava botas e jaqueta de couro preto. Os homens são assim, não são? Eles sentem prazer usando pele de animais mortos. Ali sempre se sentia esquisita só de pensar nisso.

Ele trazia no rosto uma espécie de sorriso. Não exatamente um sorriso contente. Era um pouco insano.

E parecia estar com pressa.

O homem avistou a família de Ali e se aproximou, os olhos tão abertos quanto o sorriso, tentando parecer simpático e educado, mas sem sucesso. Ele não parecia o tipo normal de turista que visitava aquelas bandas, nem um empresário em uma viagem de negócios, mas definitivamente dava a impressão de ser algum tipo de viajante. Ali sentiu aquela pontada amarga de inveja que geralmente experimentava em relação aos viajantes. Desejava poder escapar de sua vidinha monótona. Imaginou de onde aquele homem teria vindo. Quando ele falou, no entanto, não havia nenhum vestígio de sotaque estrangeiro em sua voz, e Ali ficou impressionada.

– Vocês não viram nada, viram?

– Não vimos o quê? – perguntou o pai de Ali. Ela sabia que o pai tinha se assustado com a aparição repentina do homem, que nem sequer tinha dito "oi" ou qualquer cumprimento do tipo. Chegou disparando a pergunta. Devia estar mesmo com pressa.

– Esquece. Você saberia se tivesse visto.

– Saberia o quê?

– Nada, não. Esquece.

Com dificuldade, o pai de Ali se levantou e parou entre o desconhecido e a família. Obviamente pensou que haveria confusão.

– Peço desculpas se incomodei vocês – disse o homem. Ele olhou para a família de Ali, viu a irmã mais nova dela, e sua expressão se modificou. Estava preocupado. – É só que...

– Só que o quê?

O pai de Ali tentou soar firme e valente. Duas coisas que não era. Na verdade, era bem covarde, não era capaz de ferir uma mosca, mas aquele homem estranho não precisava saber daquilo.

– Só que... talvez... – O homem lutava para dizer o que queria. – Acho que vocês deveriam terminar o piquenique e voltar para casa. Depressa, bem depressa... tipo, *agora*.

– E por que devemos...

– Pai, está tudo bem – afirmou Ali. Ela decifrava as pessoas melhor que o pai. Em seguida, virou-se para o homem. – Estamos correndo algum tipo de perigo?

– É, você poderia dizer que sim. Você também poderia dizer algo como: "Vamos fazer o que o homem sugeriu e ir para casa." – Ele olhou em volta ansioso, analisando as árvores nos limites do parque.

Quando ninguém da família de Ali sequer se moveu, ele suspirou e continuou falando, de um jeito rápido e impaciente:

– Estive seguindo alguém, *algo*, perseguindo, na verdade, desde o outro lado do universo, se quer saber.

– Quem?

– Um homem, dois homens. Bem, eles são a mesma pessoa, só que não são um homem de verdade. Isso provavelmente não faz sentido nenhum para você. Olha, preciso ir. Desculpa ter arruinado o piquenique de vocês. Parece adorável, mas... bem, muita coisa, além de um piquenique, poderia ter sido arruinada. – Enquanto ele cuspia as palavras, catava os petiscos e os jogava para dentro do cesto da mãe de Ali. – Vão embora logo! – gritou, quando ninguém da família se mexeu. – Para bem longe.

Em seguida, o sujeito parou e ergueu a cabeça como se tivesse escutado algo.

– Ah, Castor e Pólux – murmurou ele, deixando cair um prato de ovos cozidos. – Isso não é bom. Nada bom.

E logo depois foi embora. Saiu correndo pela grama.

– Bem, eu... – começou o pai de Ali. – O que foi isso?

A mãe de Ali resmungou e começou a arrumar tudo.

– Acho que a gente devia fazer o que ele falou – comentou Ali.

– Por quê? – perguntou o pai. – É óbvio que ele é maluco.

Naquele exato momento um grito pareceu dominar o céu.

– Bom, que tal isso, para começar? – sugeriu Ali, guardando as coisas da mesma forma como o homem havia feito.

Em seguida, outra exclamação, quase um grito. Bem próximo, acima da copa das árvores, havia uma criatura que Ali teve dificuldade de aceitar. Um homem, mas um homem mais alto que o prédio mais alto da cidade, e, ao lado dele, outro homem. *São a mesma pessoa*, o estranho havia dito, e ela entendeu o que ele quis dizer. Eles não estavam grudados fisicamente, mas, de algum modo, ambos eram a mesma criatura: idênticos, movendo-se ao mesmo tempo, as mesmas expressões vazias.

Ali permaneceu parada enquanto a ficha caía, assustada demais para se mover, dominada por uma fria e gigantesca garra invisível. Ela teve o pensamento avassalador de que não seria capaz de imaginar o que uma criatura daquelas estaria pensando, exceto que não se importaria nem um pouco com ela e sua família.

Em seguida, se perguntou se estava mesmo vendo aquilo tudo.

As criaturas gêmeas eram tão espectrais que pareciam nem estar lá, como se fossem feitas de nuvens, fumaça e espiral de folhas. E lá estava o estranho, carregando algo reluzente em uma das mãos. Um dos gigantes o levantou, e o estranho começou a gritar algo. Em seguida, as criaturas gêmeas urraram, houve um clarão e tudo começou a rodar. No lugar dos gigantes havia um tornado, um redemoinho, um enorme monstro de poeira rodopiante, e o estranho começou a girar e girar, dando voltas no céu. Logo depois, ouviu-se um último grito espantoso, e tudo desapareceu.

Aquilo aconteceu em menos de três batidas do coração de Ali: a visão da criatura, seus sentimentos em relação à natureza alienígena da coisa, *sua espessura fina*, o estranho sendo erguido, o tornado – e tudo acabou.

De repente, Ali sentiu um forte impacto no peito, o ar foi sugado para fora do corpo, os tubos espocaram e ela se sentiu enjoada. Gemeu e fechou os olhos. A cabeça latejava, e ela sentiu um gosto metálico na boca. Ali ouviu a irmã mais nova chorando.

E, em seguida, a voz do pai.

– Bons deuses... Bons deuses. O que foi isso?

Ali sentiu que algo a tocara. Abriu os olhos. Havia começado a chover, embora não fosse chuva. Caíam pequenas gotículas de prata do céu. E dissolviam assim que tocavam o solo. Todas, exceto uma. Um pedaço maior que ficou no chão. Uma esfera de prata. Talvez fosse o objeto que o estranho segurava. Ali pegou a esfera. Era bem mais pesada do que aparentava e estava gelada. Tratou de colocá-la dentro da bolsa antes que a mãe ou o pai visse.

– Acho que a gente devia ir – sugeriu ela. – Para bem longe daqui, como aquele *homem* falou...

O Doutor. Era assim que o chamavam. Embora ela ainda não soubesse disso.

E Ali também não sabia que ele estava longe de ser um *homem*.

2

Ali se perguntou o que tinha acontecido com aquele homem estranho, se sobrevivera à luta e se o encontraria outra vez, mas foi apenas alguns dias depois, quando o grande planeta errante de LM-RVN não tinha girado nem a metade do caminho pelos céus, que o homem surgiu outra vez em sua vida.

Ela estava a caminho de casa, depois de um dia longo e chato na faculdade, e havia parado à beira do lago para observar as profundezas turvas. O céu estava começando a escurecer, e a luz das luas projetava salpicos de prata na água. Era uma paisagem incrivelmente bonita. Ali jogou uma pedra no lago e desejou que fosse feriado, que a água estivesse morna e que fosse seguro nadar ali – nadar de verdade. Ali só se sentia mesmo viva dentro da água.

Foi então que viu o reflexo do homem. Apesar de distorcido pelas ondas que a pedra causara, sem sombra de dúvida era ele. *O Doutor.* Ela sentiu uma pequena pontada de felicidade. Até que ele era legal.

– Eu quero de volta – pediu ele.

– O quê? – perguntou ela sem nem se virar.

– Você sabe o quê.

– Como pode ter tanta certeza de que está comigo? – indagou Ali, sentindo a esfera pesar na bolsa.

– Sabe – comentou o Doutor –, quando vi você pela primeira vez pensei "aqui está alguém especial".

Só então Ali virou. Havia pensado exatamente o mesmo sobre ele. Naquele momento, ela percebeu uma enorme caixa, seja lá o que fosse, pousada no mato alto, meio escondida pelas árvores. Era azul, parecia feita de madeira e tinha uns escritos estrangeiros. Sua mente começou a fervilhar.

– Essa coisa que você está procurando – começou ela. – O que é? E por que eu deveria devolvê-la?

– Isso eu não posso dizer. Vamos apenas pressupor que o destino de um pequeno e insignificante planeta, que estimo muito, está em suas mãos. Além do mais, ela não pertence a você. Eu a perdi em uma luta.

– É, eu vi – respondeu Ali. – Não me pareceu muito uma luta, estava mais para um massacre, na verdade. Você não estava indo muito bem.

– Eu tinha um plano... e meio que funcionou.

– E o plano envolvia aquilo que você está procurando? O que não vou te devolver até você me dizer exatamente o que é?

– Então terei que obrigá-la, não acha? – O Doutor olhou fixamente para Ali.

Ela riu.

– A quem você acha que engana?

O Doutor deu de ombros e emitiu uma de suas risadas loucas que mais parecia um rosnado.

– Posso não saber tanto sobre os homens – disse Ali –, mas sei que você não é, tipo, um daqueles violentos.

O sorriso se transformou em um rosto grotesco.

– Você está certa. Não sou. Sou o Doutor, aliás.

– Me chamo Ali.

– Prazer em conhecê-la, Ali.

– Você é um trapaceiro, Doutor, não um guerreiro.

– Acertou outra vez. E algo me diz que não vou conseguir trapacear você.

– Não, não vai.

– Estamos num impasse.

– Vamos fazer uma troca – sugeriu Ali, e o Doutor se sentou em uma pedra, retirando em seguida os sapatos e as meias.

– Está bem – respondeu ele.

– Eu tenho a... como você a chama? Essa pequena bola de prata que pesa quase tanto quanto esse pedregulho em que você está sentado.

– Vamos chamá-la de orbe.

– Tá. *Eu* tenho o orbe – disse Ali. – O que *você* tem para me oferecer?

– O que você quer?

– Informação.

– Vá em frente. Eu respondo qualquer pergunta.

O Doutor estava arregaçando as calças. Era evidente que pretendia cair no lago, mas, se a água chegasse só até a altura dos joelhos, estaria a salvo.

– O que era aquilo? – perguntou ela. – Aquela coisa gigante? Os gêmeos gigantes?

O Doutor considerou a pergunta por uns minutos.

– Ele... a coisa... é um Starman – conseguiu dizer afinal. – Um devorador de estrelas. Ele pode viajar através do tempo e do espaço usando a energia que absorve das estrelas. Ele é, em si, praticamente uma estrela... em todos os sentidos da palavra.

O Doutor se levantou e afundou os pés no lago. Em seguida, soltou um pequeno gemido teatral para mostrar o quanto a água estava gelada.

– E o orbe é algum tipo de arma – falou Ali.

– Bem... – O Doutor estava intrigado. – Por que diz isso?

– Você estava com ele nas mãos. Vi um clarão no céu. E por qual outro motivo você ia querer isso de volta tão desesperadamente? Por que não poderia me contar o que é? Deve ser porque você não pode tê-lo. Não é seu... Acho que o roubou.

O Doutor tinha avançado, e a água batia nos joelhos. A parte inferior da calça estava debaixo da água. Ele nem parecia perceber. Encarava Ali, a cabeça inclinada para um lado.

– Você é bem esperta, não é, Ali?

– É o que dizem.

– Onde está o orbe? – Havia um lado mais severo na voz do Doutor. A brincadeira tinha acabado.

Ali olhou para o céu escuro, viu as duas luas recuarem, menores e mais enfraquecidas, e pensou no que haveria lá fora, nos confins infinitos do espaço. Depois, olhou para a caixa de madeira azul sob as árvores e tudo fez sentido.

– É uma espaçonave, não é? – perguntou ela.

– Não sei do que você está falando.

– Bom, você é um viajante, certo?

– Algo assim.

– Eu seria capaz de *matar* para viajar – comentou Ali. – Neste planeta recebemos viajantes de todos os lugares.

– Estamos numa galáxia terminal – contou o Doutor, saindo do lago. – É um ponto de partida para vários lugares.

– Exatamente. Foi por isso que o Starman veio para cá, não foi? – perguntou Ali. – Ele estava a caminho de outro lugar, e você o seguiu. Você mesmo disse... desde o outro lado do universo. E de alguma forma chegou aqui. Duvido que tenha vindo num Virgo, um ônibus espacial instável e lento, não estava mesmo perseguindo alguma coisa. Então, você deve ter sua própria nave.

– Você gosta de dar uma de Sherlock Holmes, não é?

– Uma de Sherlock o quê?

– Esquece – desconversou o Doutor, aproximando-se de Ali. – É só uma pessoa desse outro planeta de que falei há pouco. Agora, se você tiver acabado de se exibir, pode me devolver o orbe que eu saio da sua vida.

– Você está sempre com pressa, não é? – perguntou Ali, dando passos para trás. – E deve estar com muita pressa para ir embora agora, então jamais se arriscaria a ficar longe de sua nave. Essa caixa não estava aqui antes, não se parece com nada daqui, assim como *você*. O que deixa claro que a nave é sua. Embora não pareça nem um pouco espaçosa para viajar pelo espaço, o que me leva a crer que deve ser algum tipo de ilusão, deve ser maior do que aparenta. Ou talvez exista, em parte, fora do espaço e do tempo. Isso a torna maior por dentro... – Ali hesitou, boquiaberta. – Ah, minha nossa – disse ela. – É uma TARDIS. Você tem uma TARDIS.

– Eu realmente, *realmente* não sei do que você está falando.

– Claro que sabe. – Ali caminhou em direção à caixa. – Nós aprendemos sobre elas na escola, nas aulas de ciências, você sabe... teoricamente... que *podem* existir. Mas nunca acreditei que poderiam ser reais. Eu queria. Queria *muito* acreditar. Mas nunca consegui... até agora. Isso é *tão* legal.

– Por outro lado – disse o Doutor, cruzando os braços sobre o peito e encostando-se na TARDIS –, pode ser apenas uma grande caixa azul.

– E você só pode ser um Senhor do Tempo – concluiu Ali. – Quero dizer, você se encaixa perfeitamente no perfil. Parece com um ser humano, mas não é; é bem presunçoso e pensa que é o último biscoito do pacote...

– Há alguma coisa que você *não* saiba, Ali?

– Na verdade, não. Nós também aprendemos sobre os Senhores do Tempo na escola. Nas aulas de história. História *Antiga*. Disseram que os Senhores do Tempo estavam extintos há muito tempo, mas aí está você.

– Ali. Por favor. – O Doutor se agachou e entrelaçou as mãos. – O tempo está passando.

– Me leva com você – pediu Ali.

– Não posso. – O Doutor balançou a cabeça negativamente.

– Eu lhe darei o orbe se me levar com você.

– Não, não, não. O lugar para onde estou indo é muito perigoso.

– Ah, vamos, Doutor, você vai salvar seu planeta favorito. Vai ajudar uma raça inteira. O que é uma única vida como a minha comparada à...?

– Ali, você não pode pedir isso de mim.

– Além do mais, talvez você precise de ajuda.

O Doutor olhou para Ali por muito tempo e, em seguida, sua expressão vacilante se desfez, transformando-se no mais louco, selvagem e esquisito sorriso que ela já vira.

– Não vou conseguir me livrar de você, não é mesmo? – perguntou o Doutor.

3

– O planeta se chama Terra. De onde os humanos vieram. Há muito tempo.

– Ouvi falar.

– Isso não me surpreende nada, srta. Sabe-Tudo.

O Doutor cuidava dos controles da TARDIS, o rosto iluminado pela coluna verde brilhante que subia e descia de modo ritmado, como o coração pulsante da nave. Ali se surpreendeu com a rapidez com que se acostumou com o lugar, após passar pela experiência alucinante de atravessar uma porta em direção a outro mundo. Tudo parecia estranhamente normal agora. Para falar a verdade, algumas coisas ali davam a impressão de serem bem primitivas e antiquadas comparadas ao que ela estava acostumada. Não que quisesse saber para que servia cada coisa, mas aquilo tudo era a relíquia de uma civilização que não existia mais havia muitos anos.

O Doutor correra loucamente de um lado para o outro enquanto partiam, arremessando interruptores, girando medidores, apertando botões, e, agora que estavam a caminho, acalmara-se o suficiente para contar a ela como havia chegado a Karkinos.

– Eu estava na Terra tentando salvar o velho planeta mais uma vez – contava ele –, e lá estava essa coisa, essa criatura, chame-a do que quiser... Na realidade ela é conhecida como Consciência Nestene. Apenas mais um opressor, outro semideus como o Starman, querendo se alimentar do planeta e sugar sua energia. Nada simpático. Eu estava tentando localizá-lo para resolver logo tudo e fui ajudado por uma garota... da sua idade, aliás. Muito parecida com você em muitos aspectos.

– Qual era o nome dela? – perguntou Ali, curiosa.

– Rose. Rose Tyler – respondeu o Doutor.

– Uma garota humana?

– Isso. É a única raça que eles têm no planeta. Veja bem, naquele canto do universo, viagens espaciais ainda não são comuns, então existem apenas criaturas nativas do planeta, e os humanos são os únicos seres mais ou menos sencientes por lá. Eles e os suricatos.

– Fale mais sobre Rose Tyler.

Ali observava o Doutor olhar para algum tipo de monitor e, satisfeito, se afastar dos controles. Ele se virou e sorriu para ela.

– Rose? Ela era divertida, corajosa, inteligente e habilidosa. Me salvou, salvou o namorado dela, Mickey, e salvou o maldito do planeta inteiro.

– Ah, você está *apaixonado* – acusou Ali, sendo mais do que sarcástica.

– Não – respondeu o Doutor. Ele não estava mais sorrindo. – Não cometa esse engano, Ali. Digamos que ela era uma boa companhia. E eu gosto de companhia.

– Deve ser difícil para você – comentou Ali. – Viver tanto tempo assim.

– Ah, tive tantos companheiros na minha vida – disse o Doutor. – Susan, Barbara e Ian, Prince Egon, Jamie, Polly, Ella McBrien, Sarah-Jane Smith, Leela... Eles vêm e, inevitavelmente, eles vão, mas sem eles...

– Você é o solitário último Senhor do Tempo.

– O que há com vocês, garotas adolescentes? – perguntou o Doutor. – Sempre investigando. Quando conheci Rose tinha acabado de regenerar. Tenho certeza de que você deve saber tudo sobre regeneração, sem dúvida tem até diploma nisso, não é? Eu me sentia como um siri de casca mole, esperando ela endurecer, se me perdoa a analogia. Ainda estava me adaptando. Pensei... novo corpo, novo começo, nova companheira.

– E o que aconteceu? Você perguntou se ela queria?

– Perguntei, claro. E ela recusou. Fui muito bruto, eu acho. Abri o jogo muito cedo. Como eu disse, ainda estava me ajustando à regeneração... não estava muito calibrado. Ela apenas olhou para mim. Rose tem um rosto engraçado, boca larga e olhos grandes... um coração enorme.

– Você *está* apaixonado.

O Doutor ignorou Ali e continuou:

– E é por isso que ela não pôde vir. Porque se importava mais com o que deixaria para trás do que com o que eu tinha a oferecer. A família, o namorado, a *vida* dela. Não podia competir com isso. Não podia esperar que ela largasse tudo e vagabundeasse com um perfeito estranho em busca de aventuras.

– Está dizendo que *eu* não tenho um coração enorme? – Ali deixou escapar antes que pudesse impedir.

– Não. É claro que não.

– Você pensa que eu não ligo, não é? – Ali tentava não ficar brava. Tinha certeza de que transpareceria. Sabia que ficaria corada num tom de vermelho horrível.

Os olhos do Doutor arregalaram-se, inocentes; um pouco desdenhoso.

– Eu disse isso? Não me lembro de ter dito. Como expliquei antes de decolarmos, posso devolvê-la a Karkinos apenas um segundo depois que saímos de lá. Ninguém jamais saberá. Não tive tempo de contar isso à Rose.

– Mas eu sei que você não tinha nenhuma intenção de me trazer com você. – Ali sentiu seu corpo tremer.

– Você está aqui, não está? Então pare de choramingar. Agora, segure-se em alguma coisa. Preciso me preparar para a aterrissagem.

O sorriso bobo do Doutor acalmou Ali um pouco.

– Mas se você já salvou o planeta Terra – disse ela, agarrando um corrimão –, por que precisa voltar?

– Vou explicar, Ali. – O Doutor começou a andar. – Eu me despedi de Rose, vim até aqui, liguei os motores e, quando dei por mim, luzes piscavam e alarmes disparavam. Era uma loucura de apitos e campainhas, bipes, buzinas e sons agudos; sabia que isso não era o micro-ondas me avisando que o jantar estava pronto. Você não sabe do que estou falando, mas não importa. O que *importa* é que a TARDIS é sintonizada especialmente para detectar quaisquer problemas no tecido do tempo e, assim como tinha me alertado sobre a presença da Consciência Nestene em um lugar chamado Londres, no tempo de Rose, agora me alertava para um problema muito semelhante em algum outro lugar do planeta, alguns milhares de anos depois.

– O Starman?

– Uma salva de palmas para essa garota. Sim, eles são entidades perigosas, que nascem quando estrelas explodem e se tornam buracos negros, anãs brancas e vermelhas e buracos de minhocas, ou seja lá como você chama isso no seu canto intergaláctico da vizinhança. Quando as estrelas explodem, alteram o formato do espaço, o formato do tempo e, às vezes, um Starman é criado, um ser cósmico com consciência primitiva. Se não tiver cuidado, eles podem escapar da própria linha do tempo e sair atropelando toda a existência, anulando e reescrevendo a história, reescrevendo as próprias leis da ciência. Suponho que você possa chamá-los de deuses, se quiser, e sempre foi o dever dos Senhores do Tempo policiar o universo e colocar as algemas neles quando surgem onde não deveriam estar. Criaturas nojentas esses *deuses*, sabe. Não ligam para ninguém além de si mesmos. Não gostam de competição. Então lá fui eu tentar tirar esse Starman do caminho.

– Por que parecia que havia dois deles? – perguntou Ali, lembrando-se dos gêmeos gigantes fantasmagóricos maiores que as árvores.

– É, parecia que eram gêmeos, e parecia que não estavam realmente lá – concordou o Doutor. – Isso porque, naquele momento, existiam em várias dimensões ao mesmo tempo. Agora, esse orbe – ele pegou a esfera de prata de uma armação no console de comando – foi criado de uma forma muito semelhante à do Starman. Tem o poder de uma supernova aqui dentro. Ele foi feito por um tipo muito inteligente, mas nada simpático, conhecido como Holgoroth, o Exaltado de Toda Tagkhanastria. E não era melhor que o maldito Starman. Só estava interessado em usar o orbe para construir um império espacial. Eu achava que tinha matado dois pterodátilos com uma pedrada só. Fiz uma visita a Holgoroth, pretendendo ser um emissário da Nebulosa do Caranguejo, e roubei o orbe bem debaixo do nariz dele... é uma história fascinante que vou lhe contar um dia se você se comportar bem... em seguida, fui atrás do Starman e o alcancei antes que ele chegasse à Terra. Ele quase me matou.

– Eu vi.

– Mas eu tinha mais poder de fogo! – O Doutor arremessou o orbe para cima; ele pareceu pairar por um segundo, depois caiu sobre a palma de sua mão soando como um tapa. – E eu o arremessei para a *sexta*! Bem, para a vigésima *sexta* dimensão, de qualquer forma. Ele ficará a salvo lá por um tempo. Não pode causar muito estrago... e o tempo e o espaço sempre foram uma bagunça por lá. Pode até ser que a presença dele resolva alguns problemas. Quem sabe?

– Então, se você o arremessou para outra dimensão, por que estamos voltando para a Terra? – Ali tentava acompanhar e assimilar tudo o que o Doutor dizia, mas era difícil.

– Parece que minha pequena aparição com os gêmeos em seu planeta espalhou ondulações pelo espaço. – O Doutor balançou os dedos para imitar o que acontecera. – É sempre a mesma coisa... você empurra um problema para baixo do tapete e outro surge do lado oposto. Causa e efeito, consequências imprevistas, efeito borboleta.

– O quê? – Agora Ali tinha perdido *de fato* o fio da meada.

– Resumindo – continuou o Doutor –, existe um outro Starman, um bem pior, ainda mais poderoso, indo em direção à Terra, e preciso impedi-lo. Na verdade, ele provavelmente já está lá.

– Você não pode simplesmente fazer o que fez com os gêmeos e agarrá-los antes que cheguem ao planeta? – perguntou Ali.

– Não. Esse que é o problema. Esse novo Starman e eu existimos no mesmo fluxo temporal. Um efeito colateral de ter usado o orbe. Consequências imprevistas. Acontece que o orbe mágico não é tão especial como dizia o Holgoroth. Ele deveria ter lido as letras miúdas. "*Este item pode não funcionar como anunciado!*" Até que eu mande esse novo Starman fazer as malas, nós dois estamos em uma trava temporal. Fomos atados.

O Doutor voltara ao console, estudando as telas e os medidores, as mãos eram um borrão que se movia pelos controles.

– Então estamos pousando na Terra – gritou ele –, dois mil anos antes do nascimento de Cristo...

– Quem?

– Ele era um pouco como Sherlock Holmes. Sabia responder a todas as perguntas. Era genial para resolver mistérios. Alguns humanos o usam para se situar no tempo.

– E onde estamos na Terra?

– Num lugar chamado Babilônia. Lugar formidável... mas muito quente no verão.

– Doutor? – chamou Ali. – Última pergunta.

– Seja rápida.

– Esse novo Starman, como ele é?

– Boa pergunta.

– Digo, ele se parece com os gêmeos?

– Provavelmente não. Depende de qual planeta ele absorveu. Pode se parecer com qualquer coisa... um lagarto, um peixe, uma cabra, um ouriço-do-mar, uma luminária de mesa, uma bolha amorfa gigante. Mas uma coisa eu *posso* lhe dizer. Provavelmente não será nada bonito.

4

Enquanto isso, Zabaia, sumo sacerdote de Marduk, estava ajoelhado, o rosto pressionado contra o chão de pedra fria do templo, as pernas ossudas trêmulas. Um vento vindo do nada arremessava areia e cascalho no ar, jogando-os para dentro de suas vestes, e o rugido de um terrível dragão gritava nos ouvidos. Ele não ousava olhar para cima, mas podia sentir que havia uma presença com ele. A forma do espaço mudara. *Alguma coisa* tinha aparecido. Será que o deus deles havia chegado? Talvez o próprio Marduk.

Ele reuniu toda a coragem que tinha e abriu um olho a fim de inspecionar o que os guardas faziam naquele momento. Sentiu-se melhor quando viu que, além dele, os outros também se prostraram perante a aparição repentina. Ninguém riria dele e o chamaria de covarde.

– É um ovo de dragão – escutou um deles dizer.

– Está nascendo – afirmou uma voz rouca, e uma terceira ofereceu uma prece para que Marduk protegesse a todos.

Zabaia esperou, o coração acelerado, a respiração presa na garganta. Esperou que a ira de Marduk recaísse sobre eles.

– Olá.

Lentamente, Zabaia ergueu a cabeça. Um homem estava parado à sua frente. Suas roupas eram estranhas e pretas. Atrás dele – que tolo pensaria que era um ovo? – havia uma enorme caixa azul. O homem encarava Zabaia com a mesma expressão intrigada que o próprio sacerdote, sem dúvida, demonstrava.

– Está tudo bem? – perguntou o homem. – Sabe, não é necessário de forma alguma se ajoelhar em minha presença. Um simples aperto de mão vai servir.

* * *

Gurgurum, capitão da guarda real, estava de pé ao lado do rei, Hammurabi, e olhava para o mundo da sacada dos aposentos do rei. Dali, do alto dos muros do palácio, podia-se ver toda a Babilônia. Mas o rei não estava contente. Ele puxava a barba de leve, brincando com as pérolas e os preciosos anéis atados a ela.

– Minha família governou a Babilônia quando não era nada além de um vilarejo no deserto poeirento, e a transformou na maior cidade do mundo – disse o rei.

Gurgurum sentia orgulho de servir o poderoso Hammurabi. Fora o rei que ampliara os templos, erguera as muralhas da cidade e fortalecera os diques que impediram o grande e lamacento rio Eufrates de inundar as ruas. Ele também tornara a Babilônia um lugar seguro. E uma cidade segura pode crescer, ficar mais rica e poderosa. Uma nova casa era construída a cada dia, sempre maior que a anterior; e, na cidade, Gurgurum observava as pessoas cuidando de seus afazeres e negócios, pechinchando nos mercados, correndo de um lado para o outro pelas ruas movimentadas e por sobre as incontáveis pontes.

Além das muralhas da cidade, espalhando-se pela planície verde e exuberante entre os rios Eufrates e Tigre, havia pomares, tamareiras e campos de trigo abarrotados de escravos trabalhando duro para cultivar a comida que alimentava o império. E, para além do campo fértil, estava o deserto; suas colinas e terras áridas do mesmo tom amarelo-avermelhado que as edificações da cidade.

– O senhor é o maior governante que o mundo já teve – afirmou Gurgurum. – Construiu o maior império que este mundo já viu. Em poucos anos, derrotou os reinos de Eshnunna, Elam, Larsa e Mari. Esmagou seus povos e fez deles escravos; o senhor massacrou os jovens dos reinos inimigos e trouxe glória à Babilônia.

– Mas você não consegue sentir, Gurgurum? – perguntou Hammurabi, esmurrando a balaustrada de pedra da sacada.

– Sentir o quê, meu rei?

– Como se uma sombra tivesse envolvido todo o nosso reino. Temo que tudo isto possa desmoronar. Que nossos inimigos possam tomar o reino das nossas mãos.

– Nós estamos preparados – respondeu Gurgurum. – Seu exército está pronto. As carruagens circundam as muralhas da cidade e assustam qualquer tribo inimiga que possa ousar ser tola o suficiente para iniciar um ataque.

– Mas os sacerdotes me contaram que nosso grande deus, Marduk dos Cinquenta Nomes, pode abandonar a cidade – revelou Hammurabi. – Fazemos sacrifícios em seu nome, mantemos limpos os lábios de sua estátua, mas os deuses não se importam com as míseras preocupações dos homens. Nossas cidades são apenas poeira sob os pés deles.

– Você não deveria escutar o que dizem os sacerdotes – afirmou Gurgurum, com amargura. – Eles agem como velhas amedrontadas. Sua força é seu exército. Você deve governar com a espada.

No entanto, Gurgurum sabia que havia alguma verdade nas palavras de Hammurabi. Recentemente, tremores haviam sido sentidos na terra, e a parede de um templo desabara, matando um sacerdote e três de seus criados.

– *Preciso* ouvir o que dizem os sacerdotes – insistiu Hammurabi. – Eles são os únicos que podem me dizer o que os deuses estão pensando. Não consigo dormir temendo que a Babilônia esteja sob o ataque de forças misteriosas, que meu inimigo planeje contra mim e que enviará espiões e feiticeiros para me subjugar.

– Então elimine os inimigos. Mate todos na Babilônia que não sejam babilônicos – incitou Gurgurum. – Deixe que o rio Eufrates corra vermelho com o sangue deles. Entulhe o Tigre com os cadáveres. Eles não conquistaram o direito de justiça. Confie na sua força e na ponta afiada das armas de seus soldados.

– Mas e se nossos inimigos forem os próprios deuses? – perguntou Hammurabi. – O que faremos, então?

– Então rezaremos, meu senhor – respondeu Gurgurum, e riu com amargura.

★ ★ ★

Escondendo-se atrás da porta, Ali estava ansiosa para ver o que havia do lado de fora da TARDIS e vislumbrar pela primeira vez um planeta alienígena. Mas cumpria ordens do Doutor. A última coisa que ele dissera antes da aterrissagem foi para ela ficar escondida e cuidar bem da TARDIS, até que ele tivesse certeza de que era seguro sair.

– Não quero você metida em nenhuma encrenca.

– Posso cuidar de mim mesma – protestara Ali.

– Tenho certeza que sim – concordara o Doutor. – Mas não quero saber de confusões aqui, nem de incógnitas desconhecidas, nem surpresas inesperadas.

– Se você sabe o que vai acontecer, então não é surpresa.

– O meu tipo favorito de surpresa, Ali, são as que não surpreendem. Precisamos ser discretos, está bem? Só preciso neutralizar o Starman e sair rápido daqui.

Será que aquilo contava como neutralizar a criatura? Ali não tinha certeza. No entanto, quando o Doutor tinha aberto a porta da TARDIS, ele emitira um som de desapontamento, como se tivesse se enganado nos cálculos e não esperasse encontrar exatamente o que estava lá fora.

Ali pôde ouvir o Doutor através da porta.

– Preciso falar com o responsável. É um assunto de urgência.

– Quem é você? Um mensageiro dos deuses?

– Bem... pode-se dizer que sim... Sim, digamos que eu seja um mensageiro dos deuses.

Ali desejou poder ver o que estava acontecendo. Ouviu o som de passos se arrastando, vozes em uma conversa apressada e, em seguida, um grito de pânico do Doutor.

– Não. Você não pode entrar aí!

Um homem surgiu à porta, mais baixo que os outros homens que Ali já vira, usando um capacete reluzente de bronze. Estava sem camisa e carregava uma lança e um escudo. Quando viu Ali, engasgou de surpresa e, antes que pudesse fazer qualquer coisa, Ali instintivamente atacou-o com uma de suas antenas. Elas chicotearam o ar e acertaram o homem num lado do pescoço. O corpo dele tremeu e caiu para trás, para fora da porta, morto para o mundo.

O Doutor havia lhe pedido para defender a TARDIS, não foi?

Ali duvidava que alguém tentaria entrar na nave logo em seguida, mas esperou atrás da porta mesmo assim.

Houve gritaria do lado de fora e o som de uma briga. Como ela desejava poder ver melhor! Em seguida, ouviu a voz do Doutor, ansiosa e abafada.

– Não saia daí, Ali! – gritou ele. – Feche a porta e espere por mim. Ficarei bem!

Ali estendeu a mão e empurrou a porta para fechá-la. Aquilo não era nada bom. O Doutor estava encrencado, ela tinha certeza. Se ao menos...

Bem, por que não? O Doutor não dissera para ela não mexer nos controles. Estava certa de que haveria algo ali. Algum tipo de equipamento que a ajudaria a ver o que estava acontecendo com o Doutor. Até mesmo uma velha e ranzinza relíquia como a TARDIS, com uma tecnologia tão antiga, teria scanners de algum tipo. Certamente...

Apressou-se na direção do console, localizou a tela de acesso principal, inclinou-se para a frente e começou a mexer nos controles, do mesmo jeito que costumava brincar na escola, na faculdade e em seu quarto onde morava em Karkinos. Entendia de tecnologia e, mesmo se tratando de algo tão ridiculamente ultrapassado, acreditava ser capaz de encontrar o que precisava.

Bem *ali*.

Alguns ajustes rápidos e Ali tinha uma visão clara do que acontecia do lado de fora. Mais uma mexida e a imagem ganhou som. Felizmente, o campo telepático do circuito de tradução da TARDIS lhe permitiu entender tudo o que era dito.

Infelizmente, não era *nada* bom.

Um homem vestindo roupas com bordados elaborados e carregando uma espécie de cajado gritava para o Doutor, que estava cercado por soldados armados com lanças.

– Mentiroso! Você não é um emissário dos deuses. É um mortal como eu. Você é um espião, e a lei de Hammurabi afirma claramente o que deve ser feito com espiões.

5

Da sacada dos aposentos reais, Gurgurum olhava, lá embaixo, para a Área de Execução. Havia um murmúrio de vozes enquanto os soldados formavam fileiras ordenadas na parte de terra vermelha do largo. Outros soldados se alinhavam nas ameias dos muros que os cercavam. E, para além das muralhas da cidade, na planície, o exército de Hammurabi aguardava.

Gurgurum observou o rei sair dos portões do palácio bem abaixo dele. Estava rodeado por escravos, conselheiros e sacerdotes. A guarda real marchava ao lado. Exceto por Gurgurum. Relâmpagos cintilaram no leste e Gurgurum estremeceu. Nuvens de tempestade se agrupavam sobre a colina, sugando areia do deserto e escurecendo o céu de meio-dia. O calor se fora.

Ele queria estar lá embaixo com seu rei. Era onde deveria estar, mas havia recebido ordens para proteger a família real.

Gurgurum observou o rei se ajeitar no estrado enquanto aguardava o Portão do Prisioneiro ser aberto. Três magistrados da cidade conduziram o espião, flanqueado por uma unidade de soldados fortemente armados. Gurgurum se sentiu inútil ali em cima, o que alimentava ainda mais sua raiva. Aquele homem era um estrangeiro, um forasteiro, não tinha o puro sangue babilônico correndo nas veias, portanto não tinha direito a um julgamento.

Gurgurum agarrou o punho da espada com força. Desejou poder saltar da sacada, correr através do largo da cidade e afundar sua espada na barriga do prisioneiro.

* * *

Ali andava de um lado para o outro, tamborilando as unhas nos dentes, como sempre fazia quando estava ansiosa e concentrada. Assistira, sem poder fazer nada, ao Doutor ser carregado para longe, enquanto gritava sobre o Starman, e sobre como todos estavam em perigo. Não queria nem imaginar o que eles estavam fazendo com ele. O tempo passava, marcado pela batida de seus pés no piso de metal da nave do Doutor. Ele pedira que ela ficasse lá, mas, se não fizesse nada, eles o matariam. E se ele morresse, não haveria esperanças contra o Starman.

Em seguida, Ali ouviu um baque.

Olhou de soslaio para o scanner. Vários guardas haviam se reunido em volta da TARDIS e um deles batia na porta com uma lança. Ali duvidava que ele pudesse causar algum dano à nave, mas isso a deixou irritada e, ainda que ela tenha tentado minimizar um pouco a raiva, o sentimento só piorou, até que ela encarou a tela.

Bum.

– Você está me deixando nervosa – chiou ela. – E você não gostaria nem um pouco de me ver irritada. Acredite.

Bum.

O idiota insignificante continuava batendo a lança estúpida contra a porta.

Bum.

Todo o corpo de Ali estava quente. A raiva era como um ser vivo dentro dela, explodindo para sair. A imagem da tela foi escurecendo como o vermelho de batalha que se estabelecia dentro dela.

Bum.

Um dos guardas riu e disse algo indecente sobre a TARDIS, e para Ali foi a gota d'água.

Ela não aceitaria aquilo.

Não ficaria calada.

Não podia ficar parada e permitir que o Doutor fosse assassinado.

Ali ouviu, cronometrando os baques, sintonizando-os com o tempo que o homem levava para agir, enquanto se aproximava devagar da porta. Esperou, contando, e em seguida escancarou a porta no momento em que o guarda investia novamente. Ele perdeu o equilíbrio e tropeçou no vazio. Ela já tinha se posicionado e deu-lhe um chute no peito. O guarda voou para trás, derrubando dois de seus companheiros atônitos, e correu para longe bem rápido. Os soldados não esperavam por isso e hesitaram, tentando dar sentido à nova ameaça. Quando dois deles se afastaram e correram gritando em direção à porta do templo, Ali atacou com suas antenas – uma, duas vezes – e eles caíram, atordoados. Um longo tempo se passaria antes que acordassem.

Ainda faltavam três guardas, além dos outros três que ainda estavam no chão, tentando escapar arrastando-se de costas, gritando de terror e pânico.

Não havia tempo para pensar. Ali precisava sair dali e encontrar o Doutor. E não podia deixar que ninguém soasse o alarme. Suas antenas eram armas precisas e eficazes, mas ela já usara as duas no ataque e levaria um tempo precioso até que as enrolasse de volta para que estivessem prontas para atacar novamente.

Enquanto ela processava o que acontecia, um dos guardas atirou uma lança. Rachou sem perigo sua armadura – mas isso passou dos limites. A raiva tomou conta dela. Não havia como voltar atrás. Nada mais de ser simpática e apenas atordoar os homens estúpidos. Ela usaria armas letais...

Ali avançou...

O guarda que havia atirado a lança gritou...

E morreu.

6

Hammurabi analisou o prisioneiro com curiosidade. Ele havia afirmado ser um doutor e não um espião, mas não explicara como surgira de um estranho armário que havia aparecido no meio do templo. Hammurabi temia a magia, e aquele homem era um feiticeiro, não havia dúvidas quanto a isso. Um feiticeiro e um espião. Ele era a larva que contaminaria a fruta inteira. Os sacerdotes não o tinham advertido sobre a vinda de um infiltrado? Ele estava temeroso. Era sua obrigação salvar a cidade e proteger o povo, portanto precisava se livrar do feiticeiro o mais rápido possível, antes que ele espalhasse seu veneno.

Hammurabi logo reuniu três magistrados que almoçavam juntos em uma das tavernas próxima ao rio e os instruiu sobre qual seria a punição do espião. Daquela maneira, a morte do feiticeiro poderia se tornar uma oferenda a Marduk.

O juiz supremo ergueu uma das mãos para proferir a sentença.

– Arranquem o coração do espião – gritou ele.

– Qual deles? – perguntou o feiticeiro, um sorriso insano estampado em seu rosto de pele clara.

– Você vai permanecer calado – chiou o sacerdote supremo.

– Na realidade, não vou, *não* – retrucou o feiticeiro. – Sempre ouvi que o grande e sábio Hammurabi era um rei *justo*. Um rei que sentia orgulho das leis que escrevera. Um rei que sempre permitiu que o acusado se defendesse num julgamento antes de acusá-lo.

– Nada do que disser me fará mudar de ideia – afirmou Hammurabi, temendo que o feiticeiro proferisse palavras ardilosas e usasse magia para confundir sua mente. Ele não daria atenção. Não *podia* ouvir. – Lei é lei. E arrancar o coração é a punição para espiões e feiticeiros.

– *Nada* do que eu disser? – gritou o feiticeiro. – E se eu disser que vocês correm um grave perigo? Que sua preciosa cidade, seu reino e império, seu *mundo inteiro* estão prestes a ser atacados por uma criatura tão poderosa que fará seu exército parecer soldadinhos de brinquedo; e que, quando ela acabar com vocês, não sobrará nada da gloriosa Babilônia além de poeira e cinzas?

– Meus sacerdotes já me alertaram sobre isso – retrucou Hammurabi, agitando a mão com desdém.

– Mesmo? – O feiticeiro ergueu uma sobrancelha. – São mais inteligentes do que aparentam.

– É evidente que *você* é a tal ameaça.

– Espere, me escute...

– Basta – proclamou o juiz supremo. – A sentença deve ser executada.

– Não. Vocês precisam me ouvir! – Pela primeira vez o feiticeiro demonstrou preocupação. Ele se debateu quando quatro guardas o agarraram e o arrastaram para a Área de Execução.

– O Starman está vindo! – gritou ele. – A grande Besta! E sou o único que pode detê-lo!

De sua posição privilegiada no alto da sacada real, Gurgurum observava o homem se debater ao ser arrastado para a pedra, onde seria executado. Escutara tudo o que ele dissera e as palavras o deixaram aflito. Gurgurum era um guerreiro totalmente destemido nas batalhas; no entanto, sentia uma pontada de dúvida.

A grande Besta da lenda está vindo... foi o que o prisioneiro disse. Que forma teria a Besta? De onde teria vindo? Como poderiam se defender de algo assim?

Os únicos históricos registrados eram as histórias dos antigos deuses. Todas as constelações eram divindades. As crianças aprendiam os nomes com o zodíaco babilônico e seus pais usavam as histórias para assustar e educar os filhos. Centenas de anos tinham se passado desde que os deuses caminharam na Terra. Será que a Besta desceria dos céus em forma de um assombroso touro? De um escorpião? Um leão enorme? Ou seria um monstro diferente e terrível?

Gurgurum riu de si mesmo. Ele se comportava como se fosse uma criança outra vez, com medo de sombras. Não havia monstro algum a caminho.

Ele ouviu um som e virou-se bruscamente, os sentidos em alerta para qualquer perigo, perscrutando a escuridão nos aposentos do rei.

E seu coração foi parar na garganta.

Estava ali.

A grande Besta.

Estava sobre eles.

E não se parecia com nada do que ele tinha visto antes.

A criatura era uma cabeça mais alta que qualquer homem e tinha um aspecto de besouro, caranguejo ou lagosta do rio. Tinha seis pernas, mas se apoiava em quatro. A frente do corpo segmentado era arqueada para trás, de modo que as duas patas dianteiras ficavam erguidas e estendidas como braços; na ponta de um deles havia uma garra proeminente. A cabeça era uma mistura de espécies; tinha quatro olhos negros de brilho perolado, mas o pior de tudo era a boca; uma fenda no meio do rosto apinhado de fileiras e fileiras de dentes serrilhados e afiados, e rodeada por tentáculos que balançavam no ar como garras.

Gurgurum rezou a Marduk e lançou-se para o aposento, puxando a espada da bainha do cinto.

Não esperava derrotar o monstro, mas morreria tentando.

Ele era, afinal, um puro-sangue babilônico.

7

– Vim a Babilônia para destruir a Besta – gritou o Doutor quando o sacerdote, Zabaia, ergueu uma brutal lâmina curva acima de sua cabeça e murmurou um encantamento. – Está aqui. Sei que está aqui.

Em seguida, houve um grito. Zabaia hesitou, e os dois guardas soltaram o Doutor ao olharem para cima a tempo de ver um soldado cair da sacada real, os braços se debatendo. O Doutor ouviu Hammurabi gritar "Gurgurum!" e desviou o olhar quando o pobre homem atingiu o solo e ficou em silêncio.

Havia algo lá em cima, saindo do palácio em direção à sacada. Fosse lá o que fosse, devia ter arremessado o homem. Alcançou a balaustrada e parou, erguendo-se nas longas pernas finas, parecendo espiar as pessoas no largo e abrindo e fechando a enorme garra.

– É a grande Besta! – gritou Zabaia. – Mande sua guarda esmagá-lo, sr. Hammurabi.

– Não é um Starman – disse o Doutor. – Muito pequeno.

– É a grande Besta – repetiu o sacerdote, a voz tornando-se estridente e histérica.

– Não, não é – insistiu o Doutor. – É uma amiga minha.

– Uma amiga?

– O nome dela é Ali. Ela é de Karkinos, mas você não precisa saber disso.

– Você é amigo de monstros – chiou Zabaia. – Você o trouxe até nós. Sua traição foi exposta. – Ele apontou os dedos trêmulos para os guardas. – Prendam-no à pedra! Precisamos matá-lo imediatamente!

Mas ninguém se moveu. Nenhum dos soldados estava olhando para Zabaia, para a criatura na sacada ou para o Doutor. Vislumbravam o que havia acima das muralhas, no lado oposto do largo, onde a escuridão se espalhava pelo céu. E algo grande se formava no crepúsculo.

Zabaia deixou cair a faca e se atirou ao chão, enterrando o rosto na terra.

– Aquilo *sim* é um Starman – disse o Doutor, quando os guardas o soltaram. – Você devia ter me escutado, Hammurabi. A grande Besta está aqui, finalmente.

Da sacada, Ali tinha uma visão melhor do Starman que as outras pessoas. Observou, paralisada, a criatura se materializar na planície além das muralhas da cidade. Era tão alto quanto os gigantes gêmeos, no entanto, mais esquisito e aterrorizante, exatamente como o Doutor havia dito que seria.

A criatura não tinha pernas, estava mais para uma cauda de peixe em decomposição, e era enorme e inchada; se arrastava com a ajuda de dois braços que pareciam de lagartos. Tentáculos roliços pendiam da cabeça do Starman e dois chifres projetavam-se do topo. Podia ver os mesmos olhos sem vida e distantes dos gêmeos, e a aparência também era espectral, como se ao mesmo tempo estivesse lá, mas não estivesse. O mais estranho de tudo era a água parecendo jorrar do ombro dele, como asas prateadas em repouso.

Ali precisava levar o orbe até o Doutor. Podia sentir o peso do objeto na bolsa. Era a única coisa que deteria a Besta.

Atrás dela, ouviu gritos. Soldados surgiram no corredor que levava aos aposentos do rei. De onde estavam, não tinham como saber o que acontecia ali fora. Ali sabia que devia ignorá-los, mas sentia a parte sensata de sua mente perder-se no calor da batalha.

Ela entrou e preparou as antenas, que repousara nas costas, sentindo o formigamento familiar de quando eram preenchidas com veneno. Ali flexionou a garra conforme a névoa vermelha da fúria de batalha a dominava.

Os guardas atravessaram a porta de madeira e, horrorizados e incrédulos, se viram num impasse ao olharem para Ali, que, por sua vez, fixava os olhos no Starman.

Dois soldados foram corajosos o suficiente para atirar suas lanças, mas não conseguiram penetrá-las na carapaça de Ali. As antenas chicotearam juntas, acertando um deles no tornozelo. Ele caiu duro no piso de pedra e, em seguida, Ali disparou atrás dos outros, que fugiram pela porta. Eles não tinham chance de vencê-la na corrida, afinal, seis pernas eram mais ágeis que duas. Em pouco tempo ela os alcançou e sua garra de batalha os dilacerou.

– Mas que peixe-cabra horroroso esse aí – comentou o Doutor, correndo para atravessar o largo em direção à escadaria que levava até as ameias.

– Espere! – chamou Hammurabi, seu rosto pálido com o choque. Ele se apressou e foi até o Doutor, agarrando seus ombros em seguida. – Você disse que podia derrotar a Besta. Como? Como podemos fazer isso? Meu exército está pronto, mas...

– Seu exército não tem chance – respondeu o Doutor, o sorriso estampado no rosto. – Não contra uma criatura dessas. É um Starman. Ele come planetas inteiros no café da manhã.

– Então como?

O Doutor fez uma pausa. Ele sabia como. Precisava voltar à TARDIS e buscar o orbe, mas não havia tempo. A cada segundo, o Starman ficava mais forte ao sugar a energia do solo. Uma vez que se materializasse por completo, nem mesmo o orbe os salvaria.

– É tarde demais... – admitiu ele, e então riu. Afinal, não era tarde demais. A cavalaria estava a caminho. Grande Ali. Corada de tanta fúria, ela descia a parede do palácio de Hammurabi até o pátio, como uma grande barata vermelha, e trazia, firme em sua garra, o orbe. – Boa garota!

Ali agia de acordo com sua natureza. As fêmeas eram as mais letais de sua espécie. Quando a segurança do grupo era ameaçada, as fêmeas entravam em batalha e não saíam até todos os inimigos serem completamente destruídos.

8

O exército de Hammurabi estava em formação na planície, além das muralhas altas da cidade: fileiras de lanceiros, arqueiros, arremessadores e bigas. Cavaleiros montados em camelos tentavam acalmar os nervos dos animais que bufavam. Oficiais gritavam para seus homens manterem-se firmes, enquanto o Starman avançava, expelindo água para os lados.

– Estou passando! Mexam-se! – As fileiras se separaram quando o Doutor, agarrado às costas de Ali e segurando o orbe com a mão livre, disparou entre eles.

Isso já era demais para os guardas. Eles largaram as armas, confiando às orações a responsabilidade de os livrarem daquela insanidade.

– Mais rápido, Ali, mais rápido – gritou o Doutor, e Ali acelerou. – Não temos mais tempo!

Adiante, a enorme Besta baixou a cabeça, abriu bem as mandíbulas, mostrando os dentes enegrecidos, e agarrou um punhado de soldados das duas primeiras fileiras do exército. Em seguida, levantou a cabeça, mastigando; homens caíam de sua boca direto para o chão.

Logo atrás, Ali avistou duas figuras saindo do céu negro.

Eram os gêmeos.

– Doutor?

– Ignore-os. O peixe-cabra deve ter rasgado o tecido dimensional e os outros Starman o seguiram até aqui. A qualquer momento, todo esse caos vai se materializar, a menos que eu consiga chegar lá em cima, até a boca...

Ali viu a barriga do peixe-cabra, que parecia uma lesma, deslizando ao se aproximar, esmagando árvores e homens abaixo de si. A qualquer momento, ela também podia ser achatada se não se protegesse.

Tentou seguir em frente em meio às tropas que fugiam, agora que o exército de Hammurabi decidira se manter longe da Besta.

– Está pronto? – gritou ela.

– Não. Mas seja lá o que for fazer, faça logo!

Ali flexionou as pernas e, com um grunhido, deu um salto de batalha karkiano, voando e aterrissando na metade da cauda do Starman, onde cravou as garras na superfície escamosa. O corpo da Besta estava quente, extremamente quente, mas sua carapaça a protegeu. Em seguida, começou a escalar.

– É isso! – encorajou o Doutor. – Isso aí, garota!

Ali alcançou as costas do Starman e tentou ignorar os jorros de água. A pele escamosa da criatura estava coberta de feridas enormes, das quais surgiam cabeças parecidas com vermes gigantes. Ali fez o que pôde para se desviar delas ao escalar o corpo da Besta, como um carrapato em uma ovelha, e alcançou o ombro direito. Neste momento, o Starman percebeu que havia alguma coisa em cima dele. Girou a cabeça de peixe-cabra e os olhos frios e sem vida baixaram até o Doutor e Ali. Em seguida, mostrou os dentes, abriu a mandíbula, a língua amarela pegajosa derramando saliva...

– Com licença, que agora eu vou dançar o Bugalú – gritou o Doutor, levando o braço para trás e atirando o orbe em seguida, que voou direto para a bocarra da Besta.

Ali sentiu uma onda gigante de ar quente bater contra o corpo. Os céus pareceram se abrir em um clarão de luz branca intensa e, em seguida, ela caiu... caiu em uma nuvem de flocos de neve prateados.

9

O Doutor deitou-se de costas e admirou uma palmeira. Estava em paz. Podia ouvir o canto dos pássaros. Sentia poder ficar desse jeito para sempre e se perder no adorável e profundo azul do céu.

– Doutor?

Sem chance. Havia sempre alguma coisa para fazer, alguém com quem lidar, um problema a resolver, um planeta que precisava ser salvo. Ele levantou a cabeça, que parecia mais pesada que um saco de batata – como se pudesse cair para fora do corpo e rolar colina abaixo. Sua visão ficou turva e desfocada, e, quando conseguiu recuperar o foco, Hammurabi inclinava-se sobre ele, acompanhado de Zabaia e três magistrados.

– Sinto muito ter duvidado de você – admitiu Hammurabi. – Você estava certo, Doutor.

– Geralmente estou – proferiu o Doutor e, em seguida, fechou os olhos. – Agora, vá embora. Estou dormindo.

– Precisamos escrever sobre você em nossas histórias – afirmou Zabaia. – Como se chama?

O Doutor suspirou e arrastou-se com os cotovelos, piscando. Era como se cada osso de seu corpo estivesse quebrado, embora pudesse mover todos os membros e os dedos dos pés. Tinha sido por pouco. Por muito pouco.

– Procure nos cinquenta nomes de Marduk – garantiu ele a Zabaia. – Você provavelmente vai encontrar o meu na lista.

– Marduk?

O Doutor sorriu para Zabaia – na verdade, tinha parecido mais com uma careta; doía horrores mover o rosto. Ele lutou contra uma onda de náusea e tontura. O juiz supremo estendeu uma das mãos para ajudá-lo a se levantar.

– Fique longe dele!

– Não, Ali...

Mas era tarde demais. Ali abriu caminho por uma fileira de soldados, em seguida golpeou com a garra em direção ao juiz, que nem teve tempo de gritar antes de as pinças se fecharem nele.

– Você o teria matado – rosnou Ali. – Você e todos os outros. Agora veja se gosta *disso.*

Ali soltou o juiz, estapeou Zabaia e avançou sobre Hammurabi, que por sua vez caiu de joelhos, a cabeça em reverência, as mãos juntas.

– Ali... não... – O Doutor tentou ficar de pé, mas cambaleou e sentiu a consciência se esvair. – Pare. Você já fez muito. Mas precisa parar. Acabou...

Finalmente, Ali hesitou. Ela agarrou o Doutor, e o que restava de sua raiva se dissipou. Olhou para a devastação, os cadáveres dos soldados e do magistrado, e para Hammurabi, trêmulo sobre os joelhos, no chão.

– Ali... – disse o Doutor. – Acho que é hora de ir para casa.

10

A TARDIS zumbia e pulsava como o interior da cabeça do Doutor. Ele ainda estava grogue. Ainda sentia dor. E ainda tentava não se sentir zangado com Ali e consigo mesmo por ter cedido e permitido que ela fosse junto.

– Sinto muito – dizia Ali –, mas eles mereceram o castigo. Eu devia ter matado todos eles.

– Você apenas fez o que achou correto – concordou o Doutor. – É por isso que normalmente meus companheiros são humanos. Eles têm... bem, eles têm humanidade. Não todos, devo admitir, mas os que escolho, sim.

Ali olhou para o Doutor, mas nada disse.

– Por isso relutei em levá-la comigo, em primeiro lugar – continuou o Doutor. – Não para a sua própria segurança, mas pela dos outros. Vocês, karkianos, têm uma reputação assustadora, em particular as fêmeas, e, agora que vi você em ação, entendi o motivo. Você se lembra do que eu disse quando nos encontramos pela primeira vez, Ali? Não sou um guerreiro a não ser que precise ser. Não ajo assim.

– Você matou o Starman.

– Não o matei. Simplesmente o mandei para um lugar onde ele não pode ferir ninguém.

– Mas se eu não o tivesse salvado... – Havia amargura na voz de Ali.

– De alguma forma, sobrevivi por muito tempo sem a sua ajuda.

– Seu ingrato...

– Desculpa. Desculpa. Desculpa. – O Doutor ergueu as mãos, rendendo-se. – Você tem razão. Obrigado. Você *de fato* me salvou. Sem você eu teria que... não sei... regenerar ou algo assim, acredito, e, sim, nosso amigo peixe-cabra teria provavelmente comido o planeta todo.

Então, é isso, serei eternamente grato a você. Mas do seu jeito, Ali, é muito perigoso. Eu jamais poderia ir a lugar algum se suspeitasse que você iria dar uma de karkiana e entrar num frenesi de guerra toda vez que alguém me olhar esquisito.

– Não posso evitar...

– Exato. É isso que estou dizendo. Você é do planeta Karkinos. Pensei que talvez pudesse ser diferente. Você *é* especial, posso dizer isso. E é quase tão inteligente quanto eu, mas também é uma guerreira, e jamais poderia pedir que mudasse isso, pois é o que você nasceu para ser. E o melhor lugar para você agora é de volta a Karkinos, ao lado de sua família.

– Mas dei um baita susto naqueles humanos, não dei? – comentou Ali, e soltou uma risada. – Eles não vão se esquecer de mim tão cedo.

– Eles *nunca* vão esquecer você, Ali. Você é uma estrela e sempre será. Você será a *estrela* deles. Vão dar o seu nome a uma constelação e adicionar você ao calendário zodíaco deles junto com os gêmeos e o peixe-cabra. Você é minha estrela Sabe-Tudo.

11

As luas de Karkinos se espalhavam pelo céu, a luz brilhando na superfície do lago. Era tão bonito quanto Ali se lembrava. Ela estava de pé na beira da água, os oito dedos alimentadores ao redor da boca, e sentia o gosto do ar noturno, absorvendo os aromas pelos filtros de essências.

O Doutor assegurou-lhe que havia se passado pouquíssimo tempo desde que tinham partido na TARDIS, embora para Ali parecesse uma eternidade. Não havia nada diferente. Em algum lugar sob a água estavam milhares de ovos. Sua mãe depositara um grupo de trinta na primavera, os quais nasceriam no verão; aqueles que sobrevivessem iriam rastejar para fora da água ao encontro de suas famílias. Só então seria seguro nadar sem correr o risco de perturbá-los. Normalmente, apenas três ou quatro de cada grupo sobreviviam por ano. Em sua maioria machos, embora uma fêmea conseguisse de vez em quando.

Ali pensou nos vinte e três irmãos e na única irmã esperando em casa por ela. Como podia ter pensado em ir embora com o Doutor e abandonar sua pequenina e preciosa irmã Gilia?

Era bom estar em casa.

Um lugeron anelado deu um rasante em sua cabeça, gritando, sacudindo as asas e torcendo-as em espirais e seguiu em direção às árvores.

– Bom...

O Doutor estava parado em frente à porta da TARDIS. Ali pôde perceber o quanto ele ansiava ir embora. Essa parte era difícil para ele. Dizer adeus.

– Aonde vai agora? – perguntou ela.

– Para onde precisam de mim, suponho.

– Você é *tão* convencido.

– É, eu sou, não sou? – E abriu aquele sorriso louco, que Ali aprendera a amar. – Um homem viajando para salvar o universo!

– Sozinho de novo ou...?

– Sozinho, por enquanto.

Ali se aproximou do Doutor, seus pés mergulhando na lama. Como era gostosa: fresca, úmida e cheia de vida.

– Você conhece aquela *garota* – provocou ela. – Você estava me falando dela... Rose Tyler?

– O que tem ela?

– Deveria tentar de novo. Agora está livre dessa ondulação do tempo.

– Fiz o melhor que pude, Ali. Essa vida não combina com ela.

– Não imaginava que você era um cara que desistisse fácil, Doutor.

– É tarde demais.

– Rá! Você é um Senhor do Tempo! – Ali riu dele. – Como alguma coisa pode ser tarde demais? Pensei que o tempo não tivesse importância nenhuma na sua infinita, imortal e imaterial caixa de truques. *Tarde demais*, de fato. Vai logo atrás dela.

– Ali...

– Não, escuta. Nós, garotas, podemos parecer diferentes, mas somos bastante semelhantes por dentro. Gostamos de parecer responsáveis, de fazer o que esperam de nós; não podemos simplesmente ser imprudentes e selvagens e correr atrás de vagabundos enganadores do espaço como você. Mas é só dar um empurrãozinho e...

– Ali...

– Não. Trate de voltar agora para lá e pergunte a ela de novo. Mas você precisa oferecer muito mais do que... bem... *você*. Quer dizer, você é um *Senhor do Tempo*, mas não é isso *tudo*. Tem que se vender melhor.

O Doutor gargalhou.

– Por isso preciso de companhia – disse ele. – Para me manter com os pés no chão e minha cabeça fora das nuvens. Para me proteger de mim mesmo. São pessoas como Rose e crustáceos como você, Ali, que me ajudam a continuar e lembrar que nem tudo está perdido, e não se trata apenas de mim. Meu povo pode não existir mais, mas você tem o seu ainda... e Hammurabi tem o dele, e todos têm um povo. E todos eles são preciosos.

– Então vai logo – disse Ali. – O que está esperando? Já fizemos o que tínhamos que fazer. Volte para lá depressa. E veja se não estraga tudo dessa vez. Ela me parece muito especial, sua Rose.

– Ah, mas ela é. Muito especial.

Ali ergueu uma garra e tocou a bochecha do Doutor. A pele dele era morna, seca... alienígena.

O Doutor olhou para a garra e flexionou o pulso.

– Há muito tempo, num corpo muito, muito distante, eu tive algo assim, bem parecido – disse ele. – Mas nada desse nível.

– Adeus – disse Ali.

– Nos veremos novamente – comentou ele.

– É mesmo?

– Tenho certeza. Quando precisar muito de você. Quando precisar de uma guerreira poderosa.

E o Doutor estava certo... Em fração de segundos a TARDIS desapareceu, o barulho cada vez mais alto desaparecendo no redemoinho de sua partida. Ali voltou para casa. Seu planeta girou em torno do sol, uma estrela entre inúmeras outras, e elas giraram enquanto o universo envelhecia, passo a passo no infinito, marchando em direção ao fim quando, afinal, o Doutor retornou; os cães do inferno atrás de seus calcanhares...

Mas essa é uma outra história.

12

O Doutor checou os medidores do tempo e do espaço pela segunda vez e o próprio rosto no espelho. Praticou um sorriso, uma expressão séria, uma triste... escolheu manter o sorriso, ou, pelo menos, o mais parecido com um sorriso humano que conseguiu. Deu uma última olhada na TARDIS, certificou-se de que sua garota esperta estivesse – como Rose diria? – *impressionante.*

Sim. Parecia *bem impressionante.*

Ele puxou a alavanca para finalizar a sequência de aterrissagem e saboreou o familiar barulho rascante que a TARDIS fazia. Depois, o silêncio. Ele desligou o motor, fechou os sistemas e ajeitou as luzes para um aconchegante e atraente brilho alaranjado. Em seguida, se deu conta de que ainda sorria e o rosto começava a doer. *Falta pouco.* Respirou fundo e foi até a porta. Abriu-a em seguida.

Tinha programado certo. Rose estava quase no mesmo lugar onde ele a havia deixado, parada logo ali, com Mickey, que parecia bem confuso.

O Doutor sorriu ainda mais para Rose, saboreando a surpresa. Era um mágico fajuto, às vezes, mas funcionava.

– A propósito – afirmou ele –, cheguei a comentar que ela também viaja no tempo?

Deu um passo para dentro da TARDIS e deixou a porta aberta. Tinha sido o suficiente? Rose não era do tipo que caía fácil em armadilhas, mas será que ele a faria mudar de ideia?

Das sombras por detrás da porta da TARDIS, ele espiou Rose. Observou-a se virar para Mickey, dizer algo e, em seguida, beijá-lo e correr em direção à TARDIS; seu cabelo balançava ao vento. Ele sabia que tudo ficaria bem.

Afinal, tinha uma nova companheira.

O Décimo Doutor: O Mistério da Cabana Assombrada

DEREK LANDY

Tradução de
Edmo Suassuna

I

– Ora, ora! – exclamou o Doutor, encarando o monitor com os olhos cada vez mais arregalados. – Isto é interessante.

Martha Jones correu para se juntar ao Doutor no console, enquanto a TARDIS ofegava e resfolegava ao redor deles.

– O que é interessante? – indagou ela, espiando a tela. – Neblina? Por que a neblina é interessante? Onde a gente está?

– É exatamente isso – respondeu o Doutor, quase num murmúrio. – Não estamos onde poderíamos estar.

– Você quer dizer que não estamos onde deveríamos estar?

– Não, eu quis dizer exatamente o que disse. Não poderíamos estar aqui. Não poderíamos ter pousado aqui. Da última vez que passei por esta área, só havia espaço vazio. – Ele tirou a chave de fenda sônica do paletó; naquele dia estava usando o marrom de risca de giz, com a gravata azul. O Doutor escaneou os instrumentos com a ferramenta e franziu a testa. – Não tem nada pifado – comentou. – As leituras estão corretas, então isto aqui é definitivamente um planeta. Até a atmosfera é respirável.

As informações dos instrumentos eram incompreensíveis para Martha, e o monitor ainda mostrava apenas névoa e nada mais.

– Quando você passou por aqui da última vez? – perguntou. – Talvez o planeta tenha sido destruído nesse meio-tempo, ou tenha mudado de órbita ou algo do tipo.

O Doutor estava perdido demais nos próprios pensamentos para responder, então Martha suspirou, vestiu a jaqueta e foi até a porta. Ela já o conhecia bem o suficiente para saber que ele iria acabar saindo, mesmo.

Martha girou o trinco, e o Doutor se virou para ela.

– Martha, espere...

Ela abriu a porta e saiu, ficando tonta por um momento. Depois que se recuperou, viu que o nevoeiro tinha desaparecido.

– Hum – fez ela.

O Doutor se juntou à companheira. Sol brilhante, grama verdinha, céu azul. Algumas poucas nuvens brancas e fofinhas. Passarinhos cantando. Era quase meio-dia, a julgar pela posição do único sol.

Martha olhou ao redor.

– A névoa sumiu bem rápido – comentou ela.

O Doutor não respondeu. Em vez disso, começou a subir a colina mais próxima, seguindo o som de vozes. Ambos chegaram ao topo e viram quatro crianças vindo na direção deles, dois meninos e duas meninas, todos com mais ou menos onze ou doze anos. O menino mais alto trazia uma cesta de piquenique, e todos estavam vestidos como se pertencessem à década de 1950, na Terra.

– Olá – saudou o Doutor, com um sorriso enorme.

As crianças pararam sem olhar para ele e franziram as testas, como se tivessem ouvido algo muito distante.

Martha parou diante delas, acenando.

– Olá? Oooi? Vocês podem nos ver?

O olhar do garoto mais alto parou na mão de Martha, que acenava, e ganhou foco. Então ele a viu e sorriu.

– Ah, oi!

– Oi – respondeu Martha.

Os outros também olhavam para ela e o Doutor, e sorriam também.

– Puxa vida, gente nova! – exclamou a menina de cabelos negros. – Não vemos gente nova faz séculos! Como vocês se chamam?

Havia algo no rosto dela que pareceu familiar a Martha. Nos rostos de todos eles, na verdade.

– Eu me chamo Martha, e esse é o Doutor.

– Olá, Martha – disseram em uníssono. – Olá, Doutor.

Martha sorriu e olhou para trás.

– Isto é meio esquisito, não é?

– Muito – concordou o Doutor. – Então, crianças, aonde vocês vão?

– Vamos fazer um piquenique! – anunciou orgulhosa a menina menor. – Papai e mamãe geralmente vêm com a gente, mas este ano eles falaram que somos grandes o bastante para irmos sozinhos! Só que nunca viemos tão longe por esta trilha. Espero que a gente consiga encontrar o caminho de volta.

– Espero que sim – afirmou o menino menor. – É uma linha reta.

– Vamos deixar que voltem ao piquenique, então – concluiu o Doutor, sendo logo soterrado por um coro de despedida tão animado que chegou a fazer Martha dar um passo atrás. E, no momento seguinte, as crianças estavam caminhando de novo, conversando e rindo entre si como se nunca tivessem sido interrompidas. A trilha que elas seguiam continuava colina abaixo, fazia uma leve curva ao redor de uma velha cabana e desaparecia no bosque atrás dela. A cena toda parecia uma pintura num cartão-postal barato, e as crianças no primeiro plano lembravam Martha...

– Os Encrenqueiros! – exclamou ela.

O Doutor a fitou.

– Perdão?

– Os livros. Os livros dos Encrenqueiros. Você nunca leu?

– Os Encrenqueiros – repetiu o Doutor. – Uma série de 32 livros infantis, escritos por Annette Billingsley ao longo de quinze anos, começando em 1951. Não, nunca li. Eram horríveis. Cópias malfeitas do Grupo dos Cinco e da Turma dos Sete. Ah, Enid Blyton. Eu a conheci, sabia? Mulher estranha, com orelhas esquisitas.

– Bem – interrompeu Martha antes que o Doutor pudesse embarcar em mais uma de suas digressões. – Eu lia Os Encrenqueiros. Devorava os livros. Desde o *Juramento dos Encrenqueiros*, impresso na primeira página, até a lista de outros livros da série na quarta capa; lia cada pedacinho. E isto... isto *aqui* é a capa de *O mistério da cabana assombrada*. Foi o primeiro que li. A casa, o ângulo, o horário... Tudo. E essas crianças, eu conheço todas elas. O mais alto, Humphrey, é o líder supersério. A garota com cabelo castanho é Joanne, mas ela insiste que todo mundo a chame de Jo, porque ela é uma moleca. Tem também Simon, que está sempre tentando demonstrar coragem, então sempre se mete em confusões. E a mais nova é Gertie. Ela faz bolinhos com geleia.

– Bolinhos com geleia. Sei.

– E eles em geral são seguidos por... Ah, lá está ele. – Martha indicou uma árvore próxima com a cabeça, onde uma criança se escondia, espiando ocasionalmente. – O gordinho.

O Doutor ergueu uma sobrancelha.

– O que foi? – indagou Martha, na defensiva, mantendo a voz baixa. – Era assim que o descreviam nos livros. Não é culpa minha. Em 1951, tudo era tacanho, machista e sempre no mínimo um pouquinho racista. Era um tempo retrógrado.

– Ah, sim – retrucou o Doutor. – Porque nenhuma dessas coisas existe mais em 2007.

Martha ignorou a alfinetada.

– O garotinho... *obeso* queria entrar para os Encrenqueiros, mas era chato demais, então os outros sempre o mandavam embora, ele saía correndo e os dedurava. Qual era o nome do menino mesmo? Está na ponta da língua. Era um apelido, e todo mundo o chamava assim, até os tios...

O Doutor suspirou.

– Seria Bolinha, por acaso?

– Isso mesmo – exclamou Martha, concordando com a cabeça. – Bolinha, em pessoa.

– As crianças podem ser tão cruéis – comentou o Doutor. – E os autores de livros para crianças podem ser ainda mais.

– Doutor – chamou Martha, já que não tinha escolha além de fazer a pergunta. – Nós... nós estamos num livro?

– Não estamos num livro. Não podemos estar num livro. – O Doutor olhou em volta. – Pode ser que estejamos num livro.

Ele começou a andar. Martha o seguiu.

– Como isso é possível?

– Já aconteceu antes – contou ele, encolhendo o ombro em seguida. – Bem, mais ou menos. Faz muito tempo. Quer dizer, nem tanto tempo assim, falando relativamente e, já que o tempo é relativo, então relativamente é como a gente em geral fala, não é? – O Doutor colheu uma margarida enquanto andava e a ergueu ao sol, examinando. – Era, em resumo, um universo-portátil onde personagens fictícios eram reais. Conheci todo tipo de gente. Gulliver, Cyrano de Bergerac, os Três Mosqueteiros, Medusa. Até a Rapunzel. Só que...

– Só quê?

– Viajar à Terra da Ficção significa deixar o nosso próprio universo, e não fizemos isso.

– Como você sabe?

O Doutor parou e deixou a margarida cair.

– O ar tem um gosto diferente nos outros universos, tipo repolho fervido e cachorro molhado. Portanto, não estamos na Terra da Ficção, mas parecemos de fato estar numa terra que replica uma *obra* de ficção. Você se lembra de como essa história em particular termina?

– Infelizmente, não – respondeu Martha. – Depois que você lê mais de três livros dos Encrenqueiros, a coisa toda se mistura numa confusão nostálgica.

– Excelente! – exclamou o Doutor, animado. – Então poderemos descobrir este aqui por conta própria. Vamos!

Os dois desceram a colina atrás dos Encrenqueiros, que nem olharam para trás ao ouvir os passos. Não eram lá os garotos mais atentos do mundo, na opinião de Martha. Talvez o Doutor tivesse razão. Talvez os livros *fossem* uma porcaria.

Mas não ligava. Ela *tinha* amado os livrinhos quando era criança. Depois dos Encrenqueiros e outras coisas do tipo, vieram *Harry Potter*, *A Bússola de Ouro*, e logo ela estava lendo livros adultos e experimentando os clássicos... Mas os Encrenqueiros foram o início de tudo.

Martha olhou para trás. Bolinha os seguia, correndo de árvore para arbusto e dele para árvore, fazendo o possível para se manter longe da vista e fracassando redondamente. Martha de repente sentiu pena dele, aquele pobre garotinho querendo desesperadamente fazer parte da turma dos Encrenqueiros.

– Vamos fazer nosso piquenique aqui! – anunciou Humphrey.

– Ah, sim, vamos! – guinchou Gertie.

– Estou morrendo de fome! – gritou Jo.

– Joia! – berrou Simon.

– Pelos sete infernos... – murmurou o Doutor.

– Simon, vamos estender a toalha – determinou Humphrey. – Garotas, vocês tiram as coisas das cestas, e nós enchemos a pança!

Martha parou ao lado do Doutor e os dois observaram as crianças servindo um banquete de tortinhas de geleia, refrigerantes, bolos, sanduíches de presunto, mais bolos, tortas, pastéis de forno e tortinhas de creme. Gertie e Jo tiraram tanta comida da cesta que Martha começou a desconfiar de que ela tinha alguma coisa de TARDIS.

– Estou com fome – comentou ela.

– Nós deveríamos ter trazido nosso próprio piquenique – respondeu o Doutor, concordando com um aceno de cabeça.

– Aqueles bolos parecem deliciosos.

– Não é? E eu nunca quis um refrigerante tanto assim na minha vida.

Algo chamou a atenção do Doutor, que saiu andando. Martha deixou o olhar se demorar sobre algumas tortinhas de geleia que pareciam ser as melhores tortinhas de geleia jamais assadas, e então virou as costas aos Encrenqueiros e a Bolinha e seguiu o Doutor com relutância. Uma senhora de idade numa bicicleta antiquada vinha pedalando na direção dos dois. Seus cabelos eram grisalhos, usava um vestido florido com um casaquinho leve e trazia um sorriso satisfeito no rosto.

O Doutor parou no meio da trilha, com as mãos nos quadris e as pernas bem abertas. A senhora continuou pedalando.

– Hum – fez Martha.

Uma borboleta passou na frente da senhora, que virou a cabeça e ficou observando o inseto esvoaçar.

– Oi – chamou Martha, bem alto. – Oi, estamos parados aqui. Oi!

– Ela vai precisar de um segundo para registrar nossa presença – apontou o Doutor. – Não pertencemos a esta história, afinal.

A mulher continuou em seu lento pedalar e chegou cada vez mais perto. Só no último instante seus olhos se focalizaram, e ela afinal viu o Doutor parado no caminho. Os freios guincharam e ela girou o guidão, saindo da trilha e despencando colina abaixo. Martha correu até o Doutor, e os dois observaram a idosa desabar da bicicleta com um grasnar de pânico e rolar até a base da colina, onde ela acabou se estatelando.

– Está tudo bem? – perguntou Martha.

– Estou ótimo – respondeu o Doutor. – Ela nem me acertou.

Martha olhou-o feio, então desceu correndo até a senhora, que se sentava.

– Cuidado, você pode estar ferida.

A idosa olhou em volta, franzindo a testa, e encarou Martha por alguns instantes antes de realmente vê-la. Um sorriso trêmulo surgiu.

– Ah, não se preocupe comigo, querida. Já tomei tombos maiores, e ouso dizer que tomarei outros maiores ainda. Porém, se você puder me ajudar a levantar, ficarei muito agradecida.

Martha posicionou-se atrás da senhora e a levantou na mesma hora que o Doutor chegava, trazendo a bicicleta ao lado.

– Olha só o que eu achei – anunciou ele, animado.

– Minha bicicleta! – exclamou a senhora. – Muitíssimo obrigada, meu jovem.

– Ah, é o mínimo que eu poderia fazer – respondeu o Doutor, todo charmoso e sorridente. – Eu sou o Doutor, e ela se chama Martha. E a senhora é...?

– Sra. O'Grady. Como vão vocês?

– Sra. O'Grady – repetiu o Doutor. – A senhora não teria por acaso um primeiro nome, teria?

– De fato, tenho. É Sra.

– Mas que personagem bem desenvolvido a senhora deve ser – comentou o Doutor, erguendo uma sobrancelha cética para Martha, que o ignorou e perguntou:

– A senhora mora aqui perto?

A Sra. O'Grady assentiu com a cabeça.

– Moro na próxima cabana.

– Então talvez a senhora possa nos ajudar – sugeriu o Doutor. – Temos um mistério a resolver por aqui em algum lugar, e não descobrimos exatamente onde. Tenho que admitir que acabamos de começar a procurar, mas a senhora parece ser o tipo de pessoa que saberia dizer onde encontrar esse mistério.

– Um mistério? – indagou a Sra. O'Grady. – Céus, não, temo não poder ajudá-los. Tento me manter o mais longe possível de mistérios, meu jovem. São coisas realmente terríveis. Levam a todo tipo de... respostas. – Um calafrio percorreu o seu corpo.

– De fato – concordou o Doutor. – Então a senhora não percebeu nada fora do comum?

– Fora do comum?

– Eventos estranhos – explicou Martha. – Acontecimentos inexplicáveis. Ruídos. Comportamento criminoso. Alguma coisa extraordinária?

– Não – respondeu a Sra. O'Grady. – Nada além das luzes estranhas no bosque.

– Luzes estranhas? – inquiriu o Doutor.

– No bosque? – indagou Martha.

– Ah, sim. Toda noite vejo luzes estranhas flutuando por entre as árvores. Dizem por aí que são fantasmas, mas não acredito neles. Então cheguei à conclusão de que são luzes estranhas.

– Essa foi a sua conclusão? – O Doutor franziu a testa.

– Sim.

– Isso a satisfez?

– É claro. Pois é isso que elas são. Luzes estranhas.

O Doutor a olhou de cima a baixo.

– Como é ser como a senhora? – murmurou. – Como é viver com uma curiosidade tão limitada?

– Eu me viro – respondeu a Sra. O'Grady, com uma risadinha.

– A senhora nunca pensou em investigá-las? – perguntou Martha.

– Não. – A Sra. O'Grady arregalou os olhos, como se a mera pergunta a horrorizasse. – Escute o que estou falando; é uma péssima ideia entrar naquele bosque à noite. Luzes estranhas significam coisas estranhas. E quem poderia querer coisas estranhas além de pessoas estranhas? Afinal, não somos pessoas estranhas, somos?

Martha hesitou e olhou para o Doutor, que sorriu.

– Não – respondeu ele. – Nós não somos pessoas estranhas de forma alguma.

Eles deixaram a Sra. O'Grady continuar seu passeio, e Martha seguiu o Doutor até a cabana assombrada. Vendo de perto, não parecia nem remotamente assombrada. Na verdade, até que era bem legal. Era bonita, pintada de branco e tinha um grosso telhado de sapé.

– A primeira regra do detetive é observar – começou o Doutor, batendo à porta. – Observe o óbvio e observe o não tão óbvio. Observar o não tão óbvio não é tão fácil quanto observar o óbvio, mas, se fosse fácil, todo mundo estaria observando.

A porta se abriu. Martha observou que havia um homem de uns quarenta anos parado ali. Ela também observou que o homem tinha um rosto comprido e um bigode bem-cuidado.

– Pois não? – perguntou o homem.

– Olá – saudou o Doutor, sorrindo e chacoalhando a mão do sujeito no aperto de mãos mais entusiástico que Martha jamais vira. – Esta é Martha Jones, e eu sou o Doutor. Muito prazer em conhecê-lo. Você deve ser importante, para trabalhar aqui. Uma pista falsa, talvez? Ou o vilão da obra? Não, não me conte, deixe-me desvendar o mistério. Seu nome é?

O homem fez o possível para recuperar a mão.

– Cotterill – respondeu ele, com um bocado de desdém. – Sou o zelador daqui.

– O zelador – repetiu o Doutor, com olhos arregalados. – Neste caso, é *duplamente* um prazer conhecê-lo. – Ele se virou para Martha. – Zeladores e mordomos. Fique esperta com eles.

Martha adotou um sorriso bem menos insano.

– Sr. Cotterill, poderíamos lhe fazer algumas perguntas sobre as luzes estranhas no bosque?

O rosto de Cotterill se contraiu imediatamente.

– Luzes estranhas? Que luzes estranhas? Não tem nada de estranho nas luzes. São luzes. O que há de tão estranho em luzes?

– O que elas estão fazendo no bosque?

– Eu nunca disse que vi luzes no bosque. Nunca disse que sabia do que você estava falando. Do que você está falando? Luzes? Estranhas? Bosque? O quê? Eu sou o zelador. Eu zelo pela cabana e pelo terreno. Não pelo bosque. Nem por luz estranha alguma. Não que exista alguma luz estranha, mas, se existisse, não saberia nada sobre ela. E não sei, porque não existe. – O rosto dele tremeu, como um tique. – Nenhuma.

O Doutor sorriu novamente e declarou:

– Eu não estou achando você nem um pouquinho suspeito. – Em seguida, se virou para Martha e sussurrou: – Estou achando esse cara incrivelmente suspeito.

– Eu ouvi isso – comentou Cotterill.

– Foi de propósito – retrucou o Doutor. – Eu estava fomentando uma falsa sensação de segurança em você. Agora que você está suficientemente fomentado, vou intensificar meu interrogatório. Sr. Cotterill, essas supostas luzes estranhas no bosque de que você tanto fala... O que são elas?

– Eu não sei do que você...

– Responda à pergunta, sr. Cotterill – exclamou o Doutor, de súbito furioso. – As luzes. No bosque. As estranhas. O que são elas?

– Eu não sei!

– Então você admite que elas existem!

– O quê? Não!

– Você é responsável pelas luzes, sr. Cotterill? Sabe quem é? Qual é o seu plano? O que você quer? O que busca? O que está *escondendo*, sr. Cotterill, se é que esse é mesmo o seu nome? Responda à pergunta, sr. Cotterill!

– É sim!

– É... – O Doutor parou e piscou. – Certo, já não sei mais a qual pergunta você respondeu.

– Sr. Cotterill – interveio Martha, sorrindo ao dar um passo a frente. – Posso lhe fazer uma pergunta? Como zelador, você viu algo... incomum? Atividade incomum, ocorrências incomuns, visitantes incomuns?

– Como vocês dois, você quer dizer?

– Como nós – concordou Martha. – Só que mais ainda.

– Não – respondeu Cotterill, enfático. – Além de vocês dois, não vi nada incomum, especialmente nada de fantasmas.

– Nós nunca mencionamos fantasmas.

– Ótimo! – retrucou Cotterill. – Porque eles não existem! Pura superstição, só isso! Agora, se me dão licença, tenho muito trabalho a fazer! – Ele deu um passo atrás e bateu a porta.

– Não sei direito – comentou Martha. – Essa conversa correu bem ou não?

– Correu fantasticamente! – exclamou o Doutor, com um sorriso largo. – Agora, que tal investigar o bosque?

2

O bosque não exigiu muita investigação. Era cheio de carvalhos, bétulas, freixos, salpicos de luz do sol, arbustos e musgo; cada detalhe necessário para compor um bosque estava presente e confirmado. Porém, havia algo mais que Martha supôs que poderia ser uma pista: uma rede de cordas entremeando as copas das árvores no alto. Mesmo que não se lembrasse de mais nada sobre *O mistério da cabana assombrada* além da capa, ela sabia que quase todas as pistas nos livros dos Encrenqueiros eram bem óbvias. O Doutor mal olhou para cima, porém. Estava ocupado demais olhando para baixo.

– Você viu as cordas? – indagou Martha. – São uma pista, não são? Estou observando-as, que nem você falou, e elas *têm* que ser uma pista, certo?

O doutor murmurou algo e começou a caminhar pelo mato alto. Martha suspirou e o seguiu.

A dupla andou até chegar a um declive agudo, e o Doutor foi direto até uma touceira de arbustos que separou com facilidade. Martha o alcançou e viu uma porta de ferro enferrujado instalada na terra. O Doutor pegou a alça e abriu a porta.

– Uma passagem secreta! – exclamou.

Martha franziu a testa.

– Parece escura. E assustadora. Cheia de teias de aranha.

O Doutor sorriu.

– Quer investigar?

– Não. Sem chance. As cordas são as nossas pistas. A gente deveria se concentrar nelas.

– Ah, fala sério! As cordas são pistas chatas! Quando foi a última vez que a gente investigou uma passagem secreta?

– A gente está sempre investigando passagens e corredores.

– Mas não passagens *secretas*! Vamos lá, Martha! Os Encrenqueiros investigariam. Acho que você deve isso à criança que foi um dia. Você não disse que tinha feito o Juramento dos Encrenqueiros?

– Eu não fiz o Juramento. Ele ficava escrito na primeira página de cada livro.

– Você o leu?

– Sim, eu li, mas isso não quer dizer que eu...

– Consegue lembrar? Consegue recitá-lo para mim? Gostaria de ouvir.

Martha franziu a testa.

– Hum, sim, acho que sim. Deixa eu ver... *Juro que vou procurar encrenca, onde houver mistérios e segredos em penca. Não contarei aos adultos até o crime ser desvendado, e chamarei meus amigos assim que o tiver encontrado.*

– Ele rima! – exclamou o Doutor, deliciado. – Bom, mal e porcamente. Não tem lá uma métrica muito boa, mas tem palavras que rimam, então é um contrato legal.

– Como assim é um contrato... – começou Martha, se calando em seguida. O sorriso do Doutor ficou maior.

– Você falou em voz alta, você fez o juramento! – explicou ele. – É assim que os juramentos funcionam. Esplêndido. Vamos explorar.

Os degraus de pedra eram escorregadios e úmidos, e desciam para as trevas. Martha mantinha uma das mãos estendida, aberta contra as costas do Doutor, e a outra corria pela parede fria.

– Essa sua chave de fenda faz tantas coisas diferentes – sussurrou Martha. – Então por que diabos ela não serve de lanterna?

– Porque é uma chave de fenda sônica – sussurrou o Doutor de volta. – E não uma chave de porca com laser. A próxima vez que eu criar uma chave de fenda, *juro* que vou incluir uma lanterna. De verdade.

Abaixo deles, as trevas se transformaram em penumbra, então em sombra, e, gradualmente, os olhos de Martha se ajustaram e começaram a captar os detalhes em volta. Ela ouviu vozes, baixas e abafadas, e um leve chapinhar de água. Eles chegaram ao fim da escadaria e espiaram o que havia além da esquina. Três homens estavam junto a um canal subterrâneo, carregando caixotes de madeira num barco amarrado a um pequeno cais.

– Parecem contrabandistas – murmurou Martha.

– Eu sei! – concordou o Doutor. – Brilhante, não é? – Ele pegou a companheira pelo braço e saiu do esconderijo antes que ela pudesse protestar. – Olá, pessoal!

Os três homens viraram-se. Com o susto, um deles deixou cair o caixote, que se espatifou, esparramando moedas de ouro. Algumas caíram no canal.

– Fazendo um contrabandozinho, né? – perguntou o Doutor, enfiando as mãos nos bolsos ao avançar casualmente. – Nada melhor a se fazer num dia ensolarado, não é mesmo? Tudo que quero num dia assim é ficar me esgueirando como um rato aqui embaixo nas sombras, me divertindo com o transporte ilegal de bens supostamente roubados.

O contrabandista maior e, de longe, o mais feio, foi o primeiro a focalizar o olhar. Ele fitou o Doutor, Martha e outra vez o Doutor.

– Vocês são polícia, então?

– Nós? – quis saber o Doutor. – Polícia? – Ele estufou o peito. – Sim, de fato somos. Bem, mais ou menos. Bem, de maneira alguma. Mas, se você quiser nos ver como a encarnação viva da justiça e das leis morais primordiais, então quem sou eu para discordar? Que sou eu, de fato? Quem são vocês, por falar nisso? E isso importa? Provavelmente não. Duvido que tenham passados interessantes, de qualquer maneira, e é provável que suas motivações sejam mal pensadas, afinal. Mas, novamente, quem sou eu para julgar?

– O que está acontecendo? – indagou o menor dos vilões. – O que vocês estão fazendo aqui? O que querem?

– Somos investigadores – anunciou o Doutor. – Detetives amadores, por assim dizer. Bem, eu digo amador... Ela é uma Encrenqueira. Fez o juramento e tudo. Mas eu? Sou só um homem. Um homem com lindos cabelos e uma bela chave de fenda. Com licença!

Sem esperar pela resposta, o Doutor sacou a chave de fenda sônica, escaneou os caixotes e conferiu os resultados, grunhindo por fim.

– O que foi? – perguntou Martha.

– São exatamente o que aparentam ser – declarou o Doutor. – Caixotes de moedas de ouro, com séculos de idade. Espanholas, imagino. São mesmo? Sim. Que interessante. Muito interessante.

– A gente achou – afirmou o menor contrabandista. – A gente achou quando estava fugindo, e escondemos em um monte de lugares no bosque. Mas tinha quatro de nós naquela época, e quando a gente foi preso de novo, o quarto... Bem, ele morreu. E ele era o único que sabia onde o resto dos caixotes estava enterrado. Então a gente estava procurando há...

– Não me interessa – interrompeu o Doutor, passando pelos três e parando à beira do cais. Ele escaneou a área com a chave de fenda.

Os contrabandistas pareciam confusos. O menor olhou para Martha outra vez.

– Vocês não querem saber o que a gente andou aprontando?

– Honestamente, não – admitiu ela. – Lamento. Sei que deve ser muito interessante. Para quem tem oito anos.

Os contrabandistas se entreolharam.

– Vocês... vocês vão tentar impedir a gente? – indagou o maior contrabandista.

– Não sei – respondeu Martha. – Vocês não estão machucando ninguém, estão? – Depois que todos balançaram as cabeças negativamente, ela deu de ombros. – Então sigam em frente. Não se incomodem com a gente.

Os contrabandistas hesitaram e em seguida cataram devagar as moedas caídas e voltaram a carregar os caixotes no barco. Martha foi até o Doutor.

– Algo interessante?

O Doutor fitava as trevas do túnel.

– Tem algo lá dentro. Algo que precisa ser investigado. – Ele baixou a voz. – Porém, vamos precisar de um barco.

Os dois se entreolharam e se viraram. Os contrabandistas os encaravam.

– Você precisa melhorar muito nesse negócio de sussurrar – murmurou Martha.

– Cavalheiros – começou o Doutor, sorrindo de novo. – Houve uma pequena mudança de planos; como vocês acabaram de ouvir, sim, teremos de confiscar o barco de vocês. Entendemos que esperaram um longo tempo para recuperar o ouro e lamentamos do fundo do coração qualquer inconveniente.

– Do fundo do coração – repetiu Martha.

– Porém, temo que nossa investigação seja mais urgente. Permita-me que lhes assegure, todavia, que, quando terminarmos, vamos devolver o barco em perfeitas condições, ou quaisquer que sejam as condições em que ele se encontre quando terminarmos. Para ser sincero, provavelmente terá afundado.

– Provavelmente – concordou Martha.

– Vocês não vão pegar nosso barco – afirmou o contrabandista maior. – Não sem passar pela gente.

O Doutor balançou a cabeça.

– Ah, não, violência não é o meu negócio. A não ser que seja com espadas. Vocês têm espadas? Não? Ah. Meu negócio mesmo é correr, para ser sincero. É só me darem um corredor para eu correr, e vou correr por esse corredor como se não houvesse amanhã. Que tal uma corrida? O vencedor fica com o barco.

O contrabandista menor estalou os punhos.

– Nada de corrida – disse ele. – Vamos de violência mesmo.

– Hum – respondeu o Doutor. – Então temos dois votos para a violência. E quanto ao senhor, cavalheiro? Não disse nada ainda. São três votos ou nada, vamos todos concordar com isso. Precisa ser unânime. Cavalheiro? Violência ou corrida?

O contrabandista ergueu o olhar.

– Nem um, nem outro. Se você me vencer num duelo de inteligência, pode pegar o barco. – Com um floreio elaborado, ele indicou uma mesa baixa, onde se encontrava um tabuleiro de xadrez.

– Que conveniente! – exclamou o Doutor com alegria. – Martha, imagino que um dos Encrenqueiros jogue xadrez, certo?

Martha fez que sim com a cabeça.

– Humphrey. Ele aprendeu com o avô.

– Puxa, eles quase nem forçaram a barra! Eu aceito o desafio, cavalheiro: será um duelo de inteligência! Você primeiro, eu insisto.

O contrabandista sentou-se ao tabuleiro de xadrez, esfregou o queixo, pensativo e, assim que pegou uma peça para movê-la, o Doutor disse:

– Xeque-mate.

O contrabandista ergueu o olhar.

– O quê?

– Xeque-mate – repetiu o Doutor, descendo para o barco. – Eu venci. Eu venci assim que você se sentou. Assim que você mencionou o jogo. Assim que o tatatataravô do marajá Sri Gupta me apresentou ao xadrez, na época em que ainda se chamava *chaturanga*. – O Doutor tomou a mão de Martha, ajudando-a a embarcar, e desamarrou a corda que atava o barco.

O contrabandista se levantou.

– Você não pode ganhar sem jogar.

– Mas é claro que posso – argumentou o Doutor, pegando a longa vara de madeira. – Minha vitória é inevitável, e, já que é inevitável, qual é a necessidade de jogarmos? Eu nunca perdi uma partida de xadrez. Bem, perdi uma vez, para um cachorro mecânico, mas isso não conta. Vocês fiquem bem aí onde estão, e voltaremos num instante. Esperamos que sim.

A dupla deixou os contrabandistas parados ali, boquiabertos, e Martha resistiu ao impulso de acenar. Ela se sentou e o Doutor ficou de pé na frente dela, usando a vara para empurrá-los.

– Nunca andei de gôndola antes – comentou ela, sorrindo. – É meio romântico.

– Não é gôndola – respondeu o Doutor, sem olhar para trás. – É uma balsa.

O sorriso desapareceu.

– Certo.

O canal era iluminado por tochas tremeluzentes em suportes enferrujados que tinham sido martelados dos dois lados nas paredes de tijolos. Martha fitava a água escura, observando folhas e gravetos flutuantes. Era frio lá embaixo.

– Então, qual é a participação dos contrabandistas no mistério? – indagou.

– Mistério?! – exclamou o Doutor. – Não há mistério algum. O mistério foi resolvido. Cotterill é o vilão.

– Ele é?

– Claro que é. Já apertei a mão de zeladores... eles trabalham duro e têm os calos para provar. As mãos do sr. Cotterill tinham calos nos lugares errados, e havia velhas cicatrizes nos pulsos. Algemas, apertadas demais por tempo demais. Ele é o quarto contrabandista, aquele que os outros acham que morreu. Já recolheu o ouro escondido, mas ainda procura pelo ouro que os velhos comparsas esconderam. Quer ficar com tudo para si, o safado. As luzes no bosque servem para assustar e afastar as pessoas enquanto ele procura, lanternas em roldanas para fazer o povo falar em fantasmas. Estou muito desapontado, que livro mal-escrito.

– Parecia muito bom quando eu tinha oito anos – retrucou Martha, um tanto exaltada.

– Se fosse bom – argumentou o Doutor –, você teria se lembrado da história. Ah, agora *isto* é interessante...

Martha esticou o pescoço. A água parava diante deles. O túnel parava. Os tijolos e a luz paravam. Não havia negrume adiante; havia o vazio. Era desprovido de cor. Desprovido de matéria.

Martha desmoronou.

– Estou enjoada.

– Não olhe para o vazio – instruiu o Doutor.

Um zumbido preencheu o cérebro de Martha, adormecendo-lhe os pensamentos.

– Minha cabeça está doendo...

Não havia perturbação na água, nenhum chacoalhar violento, nenhum sopro de ar. O vazio não os sugava. Estava simplesmente... ali. O Doutor moveu a vara para a frente e cravou-a no fundo, impedindo que chegassem perto demais.

– Interessante – murmurou ele. – Parece que meu cérebro está tentando vazar pelos meus olhos.

Martha virou a cabeça e seus pensamentos começaram a clarear imediatamente.

– O que é isso?

Ela ouviu o zumbido empolgado da chave de fenda sônica.

– Nada – anunciou o Doutor, depois de um momento. – Literalmente, nada. Um bolsão de vazio, abaixo da superfície. É como se alguém tivesse usado uma concha de servir sorvete e tivesse tirado um pedaço de realidade. Maravilhoso. Aterrorizante, mas maravilhoso. Meus pensamentos estão soando estranhos para você? Eles estão soando estranhos para mim, soam velhos e rachados.

– Não vamos entrar nesse troço, né?

– Não, nós não vamos – afirmou o Doutor, com a voz cada vez mais urgente conforme mudava de posição para empurrá-los de volta pelo canal. – Como somos criaturas de matéria, criaturas feitas de boa e sólida realidade, qualquer contato com aquele nada provavelmente nos causaria um caso extremo de inexistência. Não sei qual é a sua opinião, Martha Jones, mas pessoalmente odiaria inexistir. O universo sentiria minha falta. Eu sei que sentiria.

Martha se endireitou, sentindo que estava recuperando as forças.

– Estou me sentindo melhor.

– Eu também – disse o Doutor.

Martha fitou a água enquanto esperava o zumbido em sua mente terminar de vez. De volta ao normal, ela deixou os olhos se focalizarem na penumbra e imediatamente franziu a testa.

– Você viu aquilo?

– Aquilo o quê?

– Ali. – Ela apontou. – Na água. Viu?

– O que é aquilo?

Martha olhou mais de perto.

– Parece... parece uma pessoa? Ei, você aí, parado na água. A gente está vendo você.

– Tem certeza de que é uma pessoa?

– Aquilo é obviamente uma cabeça. Dá para ver o ombro. Ei, você, oi!

O barco reduziu a velocidade. Martha estreitou os olhos, tentando discernir os traços. *Parecia* uma cabeça. Tinha *forma* de cabeça. Martha tinha certeza de que era uma cabeça. Mesmo que não pudesse ver orelhas, ou cabelo... e que não se movesse.

– Pode ser que não seja uma cabeça... – admitiu ela, e então um vulto irrompeu da água ao lado dela, caindo com a parte de cima do corpo dentro do barco e agarrando o braço de Martha.

O barco adernou, e o Doutor levou um susto. Martha gritava enquanto o vulto tentava se alçar para cima ou puxá-la para baixo; ela não sabia bem o que ele queria. Ao redor mais vultos avançavam, agarrando o barco e quase virando-o. Martha libertou o braço das mãos do vulto, caiu para trás e meteu-lhe a bota na cara quando ele tentou subir a bordo. A coisa caiu para trás, se esparramando na água. O barco balançou violentamente e o Doutor caiu sobre Martha.

– Desculpa, desculpa – murmurou ele, enquanto os dois tentavam descobrir de quem eram todos aqueles braços e pernas. Quando Martha se recuperou, percebeu que o barco estava avançando depressa na direção errada.

O Doutor ergueu o olhar arregalado.

– Eles estão nos empurrando para o vazio.

O Doutor saltou para pegar a vara, mas ela desapareceu no canal. Martha olhou para cima e viu o nada sobre o ombro do Doutor. Ela começou a sentir o zumbido que enevoava os pensamentos, mas virou a cabeça para o lado e se levantou.

– O que você está fazendo? – perguntou o Doutor, mas Martha já estava com um pé na popa e, em seguida, saltou por sobre as cabeças dos vultos. A companheira mergulhou na água fria, submergiu por um instante e, então, colocou os pés no fundo e se levantou, emergindo e respirando. A água lhe batia no ombro. Ela se virou a tempo de ver o Doutor mergulhando ao lado.

– Bom plano – comentou ele, cuspindo água.

Os vultos carregaram o barco nada adentro e se viraram em silêncio. Tinham depressões fundas no lugar de olhos, outra onde deveria ser a boca e um leve calombo como nariz. Foram caminhando na direção de Martha e do Doutor, com braços estendidos.

Martha mergulhou, dando braçadas e batendo as pernas. De relance, viu que o Doutor nadava mais atrás.

Ela alcançou o cais e saiu do canal, e o Doutor fez o mesmo.

Os contrabandistas tinham sumido.

3

A dupla correu até a escadaria e subiu depressa, com Martha na dianteira. Ela irrompeu pela porta no topo, alcançando a luz do sol, filtrada pelas árvores. Estava encharcada e tremendo. O Doutor a seguiu, fechou a porta e usou a chave de fenda para trancá-la.

– O que eram aquelas coisas? – indagou Martha.

– Não faço a mínima ideia – respondeu o Doutor, com os cabelos molhados caindo sobre os olhos. Ele tomou o braço da companheira e a guiou por entre as árvores. – Imagino que não apareciam no livro?

– Acho que eu teria me lembrado *deles*.

– Era quase como se aquela fosse uma seção incompleta. Ninguém se deu o trabalho de ir até lá no livro, então qual seria o sentido de existir qualquer coisa lá embaixo? Tudo aqui é um artifício. Está aqui para completar a fantasia, mas não tem nada de real ou substancial.

– Como o cenário de uma peça, você quer dizer?

O Doutor olhou de súbito para Martha, sorridente.

– É exatamente o que quero dizer. Ah, você *é* inteligente. Não tanto quanto eu, mas... Bom, quem é? Um cenário. Para o público, parecem construções e árvores, mas, nos bastidores, é tudo sustentado por armações de madeira. Estamos num palco, Martha.

– Um palco criado para recriar um velho livro infantil da Terra? Meio aleatório, né?

O Doutor franziu a testa, sacou a chave de fenda sônica do paletó e começou a escanear tudo que havia ao redor.

– O que você está fazendo? – perguntou Martha.

O Doutor respondeu com sons incompreensíveis enquanto disparava de um lado para o outro, ficando cada vez mais empolgado conforme escaneava. Ele irrompeu do bosque para o gramado, sob a luz do sol quente e brilhante. Martha correu para segui-lo e percebeu que já estava começando a secar.

– Ei! – exclamou o Doutor, com olhos arregalados. – Ei!

– Doutor?

– Martha!

– Doutor, por favor, me diga que você sabe o que está acontecendo.

A chave de fenda desapareceu outra vez dentro do paletó.

– Pode ser que eu saiba – respondeu ele, afastando o cabelo molhado do rosto. – É possível que eu saiba. Tenho uma ideia. Mas não sei como... Bem, acho que se... A não ser que... Não. Sim. Mesmo? Sim!

– Doutor?

O Doutor girou, com o cabelo espetado em direções estranhas.

– Isto, Martha Jones, tudo isto à nossa volta. Não acho que seja real.

– Mas você disse que era real. Você disse que tudo foi registrado como real.

– Bem, sim, mas existe o real e existe o *real*, sabe?

– Não, não sei.

– O que somos além dos nossos sentidos, Martha? Nossos olhos nos dizem que estamos de pé numa superfície plana, sentimos o chão sob nossos pés, mas e se nossos sentidos estiverem mentindo? Tire nossa habilidade de tocar, saborear, ouvir, ver e cheirar, e nosso mundo não muda de forma correspondente?

– Sim – concordou Martha, devagar. – Só que não, né? Tire nossos sentidos, e estaremos exatamente onde estávamos um momento antes, só que agora sem os nossos sentidos.

O Doutor a fitou.

– Você tira toda a graça da filosofia, sabia?

– Sou estudante de medicina – argumentou Martha. – Lido com fatos. Quando vejo uma doença, eu a trato. Explique a situação para mim em termos práticos.

– Mas esse é o problema; não acho que consigo. Este planeta inteiro parece ser uma ideia, um conceito solidificado.

– Então todo este mundo em que estamos agora mesmo é... o quê? Uma história? Não um planeta, de forma alguma, mas uma história? Como pode uma história ter gravidade, luz, ar e um clima tão bonito?

O Doutor encolheu os ombros.

– Toda boa história tem um clima.

– Eu vou... vou lhe fazer um favor e fingir que você não disse isso.

– Feche os olhos.

– Por quê?

– Martha...

– Está bom – cedeu ela, e fechou os olhos.

– Imagine que você é uma partícula de poeira flutuando no espaço – instruiu o Doutor enquanto caminhava em círculos em volta de Martha. – Ao seu redor, estrelas nascem e morrem. Planetas orbitam. Meteoros passam, asteroides vagam e, de vez em quando, se você tiver muita, muita sorte, há um clarão de vida distante.

– Eu estou sozinha? – perguntou Martha.

– Você é uma partícula de poeira – respondeu o Doutor. – É claro que não está sozinha.

– Mas eu pareço estar sozinha.

– Bem, você não está; você se diverte muito. Então lá está você, no espaço, e chega alguém com um plano. Chega alguém com um objetivo. Vamos chamá-lo de... Bob. E, para uma partícula de poeira, um objetivo é uma coisa de fato maravilhosa a qual você não resiste. Então você é atraída pelo objetivo de Bob, e você gira num redemoinho com todas as outras partículas de poeira e minúsculos elementos do cosmos e, subitamente, torna-se parte de algo maior. Você faz parte de uma ideia. E você cresce e cresce e, quando termina de crescer, percebe que se *tornou* uma ideia.

– Posso abrir os olhos agora?

– Claro.

Martha fitou o Doutor, que estava sentado num tronco, olhando em volta. Enquanto Martha ouvia a história, o Doutor tinha arrumado o cabelo.

– Então você está me dizendo que Bob criou este mundo inteiro com força de vontade e poeira.

– Basicamente.

– Então, pelo *amor* de Deus, por que ele o fez à imagem de um livro dos Encrenqueiros?

– Não acho que ele o tenha feito – argumentou o Doutor. – Nossos sentidos estão nos dizendo que estamos num livro dos Encrenqueiros, meus sentidos me dizem que a minha *chave de fenda sônica* está me dizendo que estamos num livro dos Encrenqueiros, mas eu suponho que pessoas diferentes, de culturas diferentes, estariam sendo expostas a informações sensoriais diferentes.

– Então o mundo aparece assim para nós porque li aqueles livros? Mas li muitas outras coisas, e coisas muito melhores que os Encrenqueiros. Por que isso foi escolhido? E *você* não leu os livros, então como está vendo o que eu estou vendo?

O Doutor pulou do tronco.

– Este mundo provavelmente só pode assumir uma forma de cada vez. Escolheu a série de histórias que está na sua memória há mais tempo. Talvez tenha sido porque você foi a primeira a sair da TARDIS. Se eu tivesse saído primeiro, estaríamos num velho conto de fadas gallifreyano agora.

– Isso parece legal.

– Não se engane – comentou o Doutor. – Nossos contos de fadas tinham dentes afiados.

– Então quem é o Bob aqui? Como descobriremos quem está por trás de tudo?

– Elementar, minha cara Jones – declarou o Doutor, enfiando as mãos nos bolsos. – Usamos nossos poderes dedutivos. Já temos uma lista de suspeitos.

– Você acha que é um dos personagens?

– Um ser capaz de formar um mundo inteiro baseado em ficção. Acha mesmo que tal criatura resistiria à tentação de se inserir na história?

– Faz sentido... Mas qual deles? Se fosse eu, me tornaria o herói ou vilão. Considerando que os heróis são um grupo de crianças insuportáveis, eu diria que é o vilão. Então Bob é Cotterill.

– Você pode provar? Estamos num mistério. Você precisa de provas. O que você observou em Cotterill?

– Hum, bem, ele é... Ele tem um bigode e... é um contrabandista, disso nós sabemos. É igual aos outros. Só que...

– Só quê?

Martha franziu a testa.

– Só que ele nos viu. Ele nos viu de imediato. Todos os outros precisaram de um momento para nos focalizar. Mas ele não. Ele *não* é como os outros. Está só fingindo.

O Doutor sorriu.

– Sabia que você seria capaz, Martha Jones.

– Mas por que aquelas coisas tentaram nos matar? Não fizemos nada ainda.

– Talvez a gente tenha fugido demais à história. Fomos aonde não deveríamos ter ido, afinal. Então aquelas coisas...

– Podem ser o sistema imunológico deste planeta – completou Martha. – Uma infecção foi detectada numa área vulnerável, e aqueles soldadinhos horríveis foram mandados para nos deter.

– Precisamente. Alcançamos a borda e tentamos seguir adiante. Você ficaria surpresa se soubesse quanta gente acha que eu sou intrometido demais para continuar vivo.

Martha deu de ombros, sem querer se comprometer, e voltou ao assunto:

– Então o que vamos fazer? A opção mais inteligente seria voltar à TARDIS e dar o fora daqui, mas sei que você não vai fazer isso.

O Doutor ergueu uma sobrancelha.

– Você acha que me conhece tão bem, não é? Na realidade, achei uma ótima ideia. Não sabemos com o que estamos lidando aqui e, como eu sempre digo: o seguro morreu de velho.

Martha franziu a testa outra vez.

– Sei que só estou viajando com você há alguns meses, mas eu nunca, nunca mesmo, ouvi você dizer isso.

– Bobagem. Eu digo o tempo todo.

Martha balançou a cabeça.

– Nem uma vezinha.

– Você provavelmente estava em outra sala quando falei – insistiu o Doutor. – Mas eu já disse isso, e disse várias vezes.

– Quando foi a última vez que você disse isso?

– Semana passada. No... Ah, lembrei. Foi com aquela coisa. Bem, quatro coisas. Bem, quatro coisas e um lagarto. Eu disse naquela vez. Não é culpa minha se você... Ei!

Martha olhou para trás e viu Bolinha escondido nos arbustos. O garotinho obeso arregalou os olhos quando percebeu que tinha sido flagrado e, então, deu um gritinho e saiu correndo.

– Ele é chato *mesmo* – murmurou Martha.

– Na verdade – disse o Doutor –, ele é exatamente o que precisávamos.

Martha olhou para ele.

– Você sabia que ele estava ali.

– É claro. E agora ele foi nos dedurar, contar para o mestre que estamos prestes a partir. Isso deve provocá-lo a iniciar a grande revelação.

– Ah, você *é* inteligente.

– Eu disse que era. Vamos lá.

4

Os dois saíram do bosque e rumaram de volta à TARDIS. Cotterill os aguardava perto da cabana com uma das criaturas sem rosto.

– Lá vamos nós – murmurou o Doutor, avançando. Martha o seguiu.

– Partindo antes do fim da história? – indagou Cotterill, sorrindo. – Tenho que admitir, estou um pouco decepcionado.

O Doutor sorriu de volta, com as mãos outra vez no bolso.

– Você estava esperando que todo mundo se reunisse na sala de estar para o grande final, é? Lamento, mas quero guardar essa cena para um mistério digno. Gostei do seu amigo, aliás. Qual é o nome dele?

– Nomes são supervalorizados – retrucou Cotterill. Havia outros agora, vindo das árvores, se aproximando. – Estes são meus Inumanos. Têm lá suas serventias. Não prestam para uma conversa inteligente, porém, a não ser que eu lhes dê um personagem. Mesmo quando faço isso, eles continuam tão limitados... Ao contrário de vocês dois. Vocês são divertidos.

– E inteligentes também – disse o Doutor. – A única coisa que ainda não desvendamos é o que você ganha com isso.

O sorriso de Cotterill se alargou.

– Eu ganho a minha vida.

– Então você se alimenta do quê? Da ilusão? Ou das pessoas que prende aqui?

– Ambos. E nenhum. A ilusão permite que as pessoas me forneçam a força de que preciso. Diga-me, Doutor, o que toda história exige do leitor?

– A suspensão voluntária da descrença.

Cotterill sorriu.

– Exatamente. Você não imagina o poder gerado toda vez que alguém ouve uma história. Quando uma mente consciente e inteligente aceita ignorar o que é real, o que é fato, e decide se dedicar a pessoas e lugares que nunca existiram... – Ele estremeceu de prazer. – É magnífico. É nada menos que a rejeição da realidade. E, quando a realidade é afastada, não importa o quão brevemente, ela deixa um vazio, estalando de potencial, com o faz de conta. E o faz de conta me *fortalece*.

Martha olhou ao redor. Os Inumanos estavam perigosamente próximos. O Doutor, é claro, mal parecia notar.

– Então você pegou esse poder e criou um planeta – afirmou o Doutor.

Cotterill riu.

– Isto aqui? Isto é só o começo. Um mero degrau. Farei um sistema solar. Então, uma galáxia. Enfim, um universo. E, quando meu universo for grande o bastante, a realidade vai rachar, ruir e desabar, e eu estarei lá para ocupar o vazio.

– No papel de deus do novo universo.

– Precisamente.

– Será que eu deveria me dar o trabalho de perguntar o que vai acontecer com os habitantes anteriores?

– Eu cuidarei bem deles – afirmou Cotterill. – Não sou um bárbaro. Preciso de pessoas para me abastecer, afinal.

– Posso dizer uma coisa? – perguntou Martha, dando um passo à frente. – Posso? Obrigada. Você está maluco. Estou falando sério, é uma ideia insana. Não digo que é insana porque nunca funcionaria, nem porque vamos detê-lo. Quero dizer que é simplesmente insana. Não é normal. Ela viu o normal chegando e atravessou a rua para evitá-lo. Cotterill, você está doido. Doutor, você está doido só de ter conversado sobre isso com ele. Você não vai conquistar o universo com histórias, Cotterill. É ridículo demais. Não vou permitir. Por isso, e também pelo fato de ter tentado nos matar, vamos botar um fim nesse seu plano maluco e despachar você daqui. Doutor, a esta altura já deve ter um plano para detê-lo. Não tem?

– Naturalmente.

– E esse plano exige que a gente corra?

– Naturalmente.

– Então vamos nessa.

Os dois saíram correndo.

– Peguem-nos! – gritou Cotterill. – Cortem-lhes as cabeças!

Dois Inumanos se aproximaram, seus corpos se esticando e achatando, transformando-se em cartas de baralho com braços e pernas, assim como em *Alice no País das Maravilhas*, só que carregando espadas. Martha se esquivou dos golpes, e o Doutor pegou sua mão e a puxou. Os dois atravessaram correndo a porta da cabana, emergindo no refeitório de Hogwarts e, antes que alguma varinha pudesse ser usada contra eles, dispararam para porta dos fundos.

– O que está acontecendo? – perguntou Martha.

– Cotterill está vasculhando todos os livros na sua memória – explicou o Doutor. – Tentando encontrar alguma coisa para nos vencer. Por aqui!

A dupla chegou ao lado de fora e o chão se transformou em tijolos que giraram, expondo o verso dourado. Martha ouviu o bater de asas e o berro dos macacos voadores, e o Doutor a puxou no momento que algo grande, sombrio e peludo passou de raspão por seu rosto.

Martha se desequilibrou e os dois rolaram por uma encosta gramada, se esborrachando na neve. Martha se levantou primeiro e olhou para trás, para se assegurar de que os Inumanos não estavam prestes a atacar.

– *Crônicas de Nárnia*? – indagou o Doutor, ao se levantar.

– Nunca li esse – respondeu Martha. Eles correram até um prédio mais adiante. Um prédio grande, como um hotel. Martha viu o nome, Overlook, e mudou de direção. – Vamos para outro lugar.

O Doutor a seguiu, e eles deixaram a neve para trás, se enfiando num túnel. Os passos ecoaram nas trevas, e a dupla reduziu a velocidade, olhou para trás e tentou recuperar o fôlego.

– Esse seu plano – começou Martha, ofegante. – Você tem mesmo um, ou só falou isso para parecer inteligente para Cotterill?

– Eu tenho um plano de verdade – assegurou o Doutor. – E não preciso *parecer* inteligente. Eu *sou* inteligente. O fato de eu *parecer* inteligente é um mero bônus.

– Você poderia me dizer o que vamos fazer?

Ele a agarrou, e ela ficou paralisada. Adiante, faróis se acenderam como sóis gêmeos. O ronco de um motor poderoso reverberou ao redor deles.

– *Christine?!* – exclamou o Doutor.

– Pior – respondeu Martha, quase chorando. – É o *Calhambeque Mágico.*

O carro rugiu e arrancou. Martha e o Doutor deram meia-volta e correram.

– Eu gostei tanto do filme que acabei lendo o livro! – exclamou Martha, e a última palavra se transformou num grito quando o Doutor a empurrou para o lado. O carro passou a toda enquanto os dois tropeçavam por uma porta e caíam numa floresta.

O Doutor levou o dedo aos lábios e Martha concordou com a cabeça, seguindo-o o mais silenciosamente possível. Seus pés esmagavam folhas molhadas. Havia movimento adiante; dois adolescentes, um rapaz pálido e uma garota nervosa, entraram numa clareira. O sol irrompeu por entre as nuvens, e o rapaz começou a cintilar.

Martha sentiu o olhar do Doutor e corou.

– Não me julgue.

– Vou deixar os julgamentos para mais tarde – respondeu ele, e a dupla seguiu em frente, passando longe dos dois jovens apaixonados.

O Doutor e Martha emergiram das árvores, de volta ao sol. A TARDIS estava bem diante deles.

Martha disparou numa corrida, com o Doutor logo atrás. Tinham coberto quase metade da distância, e nenhum sinal dos Inumanos. Eles iam conseguir. Eles iam conse...

Uma coluna de pedra irrompeu do solo, levando a TARDIS junto. Martha saltou; ela não sabia por que, mas simplesmente saltou e se agarrou, percebendo a burrice do que fizera apenas quando a coluna começou a se torcer conforme se esticava. A coluna continuou crescendo, afastando-se mais e mais do chão, a pedra se tornando tijolo, a coluna virando uma torre. Finalmente, o crescimento ficou mais lento e então cessou, com Martha pendurada num parapeito estreito. Ela olhou para baixo. Ah, um longo caminho até o térreo.

– Pensando bem – gritou o Doutor lá de baixo –, provavelmente essa foi uma péssima ideia.

5

– Socorro! – berrou Martha. – Suba aqui e me ajude!

O Doutor deu uma volta ao redor da torre e retornou ao ponto de partida.

– Não encontrei uma porta! – gritou ele. – Que raio de construção é essa que não tem porta?

Algo se mexeu, e em seguida uma corda foi lançada da janela, batendo suavemente no ombro de Martha e se desenrolando até a base. Não, não era uma corda. Era uma grossa trança de cabelo dourado.

– Você só pode estar brincando – murmurou Martha.

O Doutor voltou a gritar:

– Eu a conheço! Eu já me encontrei com ela! Diga que eu mandei um beijo!

Martha agarrou a trança com uma das mãos. Um grito de dor soou dentro da torre.

– Desculpa! – exclamou ela, soltando o parapeito. Houve uma queda súbita, e o estômago de Martha saltou, mas ela logo parou com um tranco e ficou pendurada ali, balançando. Olhou para cima. Uma garota bonita olhava feio para ela, com o rosto vermelho enquanto ela tentava se segurar à moldura da janela para não ser puxada para fora.

– Você não é o príncipe – acusou Rapunzel. – É o príncipe quem virá me libertar desta prisão. Você não é ele.

– É verdade.

– O príncipe é mais leve.

– Ei, não precisa levar para o lado pessoal.

Rapunzel grunhiu quando Martha escalou. Ela só precisou subir uma curta distância, mas, mesmo assim, foi muito cansativo. Martha alcançou a janela e entrou desajeitadamente.

Martha saltou para o aposento, virando-se e sorrindo enquanto Rapunzel se encolhia.

– Ai! – exclamou Rapunzel. – Ai, cuidado! Você está pisando no meu cabelo.

– Desculpa – respondeu Martha. – É que tem tanto...

Martha deu um pulinho para o lado, e Rapunzel se endireitou e a encarou com braços cruzados.

– Oi – saudou Martha. – O Doutor mandou um beijo.

– Que doutor?

– O cara lá embaixo, que estava gritando. Meu... companheiro. Ele mandou um beijo. Bom, enfim. É um prazer conhecê-la. Li muito sobre você quando eu era pequena, e vi o filme da Disney também. Era engraçado. Eu gostei. Você não deve ter visto, no entanto. Tive que viajar alguns anos no futuro e você... bom, você é um conto de fadas, então...

– Quem é você? – perguntou Rapunzel.

– Ninguém importante. Só estou de passagem. Vem cá: se eu quisesse subir no telhado, como faria isso?

– Por que subiria no telhado?

– A gente deixou uma coisinha lá em cima. Tem um sótão ou escada, ou eu teria de sair de novo? Eu realmente não queria sair. Eu tenho que sair? Tenho, né?

Martha voltou à janela, botou a cabeça para fora e olhou para cima. Não havia nenhum apoio para as mãos. O sol estava se pondo rápido. Mais depressa do que seria normal. De repente, o crepúsculo chegou e, logo em seguida, era noite. Martha olhou para baixo, para o Doutor, e se espantou. Um velho estava agarrado à parede da torre abaixo, com o manto negro aberto ao seu redor, como grandes asas de morcego. Martha espiou os dentes afiados sob os longos bigodes brancos e recuou apressada, antes que os olhos vermelhos a localizassem.

Rapunzel fitou a visitante, confusa.

– Algum problema?

– Sim – respondeu Martha, se afastando da janela. – O Drácula está escalando a sua torre.

Rapunzel bateu palmas, animada.

– Esse Drácula é um príncipe?

– Não, é um conde.

– Ah. – Rapunzel desanimou na hora.

– Tem alguma outra saída daqui?

– Não seria uma prisão muito boa se tivesse outra saída.

– Por acaso você tem um crucifixo, água benta ou, sei lá, um sabre de luz ou algo do tipo?

– Desculpa – respondeu Rapunzel. – Não tenho nada disso. Mas tenho um monte de escovas de cabelo.

– Que ótimo – resmungou Martha, olhando em volta. Rapunzel não tinha mentido. Havia uma mesa grande só para escovas de tamanhos variados. Martha escolheu a mais pesada, com cabo de ouro, e, quando Drácula enfiou a cara pela janela, ela atirou a escova com toda a força. O vampiro foi atingido na testa, grunhiu e desapareceu.

Martha pegou o cabelo de Rapunzel e o pendurou na curva do cotovelo.

– Foi muito legal conhecer você – disse ela, e correu até a janela, deixando o braço escorregar pelo cabelo.

Martha pulou para o céu noturno e caiu, com o cabelo de Rapunzel deslizando. Viu de relance o Drácula agarrado à parede, tentando pegá-la à medida que ela caía. Martha segurou o cabelo com mais força e balançou de repente na direção da torre. Havia outra janela logo à frente, e Martha se jogou para dentro, levantou-se e saiu pela porta, chegando a um aposento iluminado por velas.

A primeira coisa que viu foi uma penteadeira cercada por todos os lados por grandes baús meio vazios. Na penteadeira havia um monte de joias, e o espelho estava recoberto por uma fina camada de poeira. Na poltrona ao lado sentava-se uma senhora idosa num vestido de casamento amarelado, com flores murchas no cabelo e um véu maltrapilho sobre o rosto.

– Quem está aí? – indagou a senhora.

– Hum – resmungou Martha, ofegando um pouco. – Posso voltar mais tarde.

– Chegue mais perto. Deixe-me ver você.

Martha hesitou antes de avançar.

A idosa piscou sob o véu.

– Você não é o menino do Pumblechook. Quem é você?

– Ah, inferno! – exclamou Martha. – Você é a sra. Havisham, não é? Ah, estamos em *Grandes Esperanças*... Você me fez sofrer tanto na escola, sabia? Eu gosto de ler Dickens tanto quanto qualquer garota, mas todas aquelas coincidências foram um pouco demais, sabe? O que você fez ao Pip foi horrível. E cadê a Estella, está por aqui? Sempre quis dar um bom tapa naquela garota.

Martha olhou em volta e não viu nem sinal de Estella, mas encontrou uma janela e foi até lá. Ela afastou o mar de cortinas de renda e espiou. Era dia de novo. A Inglaterra de Dickens estava logo ali. Martha olhou para trás. A sra. Havisham estava de pé, com a cabeça abaixada, o rosto escondido pelo véu e mechas soltas de cabelo branco.

– É melhor a senhora se sentar – sugeriu Martha. – A senhora é bem frágil, e, se eu fosse a senhora, me livraria de todas as velas e outras fontes de chamas. A senhora deveria tomar mais cuidado com...

A sra. Havisham levantou a cabeça de súbito e saltou, agarrando o pescoço de Martha com a mão fria e enrugada. A companheira foi erguida do chão e golpeada contra a parede, engasgando, lutando para respirar, tentando se soltar da garra da velha.

A porta se abriu com violência e o Doutor surgiu com olhos semicerrados, mas, antes que pudesse fazer qualquer declaração dramática, Drácula apareceu atrás dele, agarrando-o e puxando-o para fora.

Martha bateu com os punhos na parte interna do cotovelo da sra. Havisham. A velha enfraqueceu, e Martha se libertou. Ofegante, ela se lançou para a frente, empurrando a sra. Havisham dois passos atrás. O vestido de casamento amarelado começou a se contrair, e a idosa ficou mais alta e mais larga, enquanto o véu derretia para formar o rosto sem face de um dos Inumanos de Cotterill. Martha pegou um candelabro de latão e bateu na cabeça do Inumano, que cambaleou, permitindo-lhe correr até a porta. O Doutor esbarrou nela, pegou-a pelo braço, e os dois saíram em disparada por um corredor de pedra.

– Eu soquei o Drácula! – anunciou o Doutor, triunfante, logo em seguida fazendo cara de dor ao mexer os dedos. – Ele tem uma cara muito dura.

– Aposto que sim. Foi a primeira vez que encontrou com ele?

– Não, mas na primeira vez ele era um androide; na segunda vez era Vlad, o Empalador; e na terceira era Cyber-Drácula. Nenhum deles valeu de verdade, e isso me deixou meio mordido. Há! Mordido!

– Você é tão *engraçado* – resmungou Martha. Os dois viraram uma esquina, correram mais um pouco e chegaram a uma porta. O Doutor segurou a maçaneta, mas não a virou.

– O que você está fazendo? – perguntou Martha, recuperando o fôlego. – Eles estão nos perseguindo.

– Estou dando a este mundo a chance de se acalmar e se estabilizar.

– Certo. Tá, entendi. Doutor, e quanto àquele plano...

– Isso – concordou o Doutor. – Já está na hora de colocá-lo em prática, não acha?

– Provavelmente sim, se soubesse qual é o plano.

O Doutor sorriu.

– Ah, é genial, Martha. Puro gênio. Teria inveja de mim mesmo se já não fosse, você sabe... eu mesmo.

– Da outra vez, na Terra da Ficção, como foi que você os venceu?

– Bem, a gente meio que, tipo, parou de acreditar neles.

– Hein?

O Doutor parecia embaraçado.

– Você sabe, tipo... *Ei, você, minotauro, você não existe!* E, bem... foi assim.

– E funcionou?

– Funcionou lá. Não funciona aqui. Não há nenhum motivo para que funcione, mas tentei mesmo assim, no Drácula. Só que ele continuou me mordendo. Tem mania de morder. Cotterill pode até extrair seu poder da rejeição da realidade, mas não basta que a gente pare de acreditar no que quer que esteja diante de nós. Ele armazenou energia demais para que isso tenha efeito.

– Então como vamos detê-lo?

– Ele nos deu a dica. Disse que este mundo é só o começo. Ou seja, quanto mais forte ele ficar, mais será capaz de criar. Extrai o poder das pessoas e usa o poder para criar tudo isto. A matéria-prima e o produto. Assim, enquanto a entrada de matéria-prima for maior que a geração do produto, está tudo bem. Teremos de inverter essa relação. A imaginação alimenta este lugar, e aposto que a imaginação também pode drená-lo. Você foi a primeira a sair da TARDIS, então ele se atou a você. Precisamos cortar essa conexão de energia. Precisamos botar você de volta lá dentro.

– Dentro da TARDIS? Mas ela está presa no topo da torre de Rapunzel.

– Está mesmo? – indagou o Doutor, ficando todo enigmático ao virar a maçaneta. Eles saíram pela porta da frente da cabana assombrada, de volta ao dia ensolarado.

Teria sido um momento maravilhoso, não fosse pelos Encrenqueiros parados ali, esperando pelos dois, com rostos desprovidos de qualquer expressão. Por um momento, ninguém se mexeu.

– Ah, odeio silêncios constrangedores – comentou o Doutor, e os Encrenqueiros atacaram.

Martha gritou, tropeçando ao se esquivar das mãozinhas que a agarravam, mas saiu correndo, com o Doutor ao lado. Os dois se mantiveram na trilha até ver Sra. O'Grady adiante, e então desviaram para o gramado. Os Encrenqueiros vinham logo atrás. Sra. O'Grady saltou para a bicicleta e se juntou à perseguição, demonstrando uma agilidade admirável para uma senhora tão idosa.

O Doutor e Martha subiram a colina, pisoteando a toalha de piquenique e espalhando as tortinhas, os sanduíches e as garrafas de refrigerante. Alcançaram o cume, viram a cabine de polícia azul colina abaixo e aceleraram a corrida. Martha deu uma olhada para trás. Sra. O'Grady tinha ultrapassado os Encrenqueiros e descia a trilha no impulso, sem pedalar.

O Doutor apontou a chave de fenda sônica para a senhora durante a corrida. Os freios da bicicleta guincharam e travaram, e a mulher foi lançada por sobre o guidão pela segunda vez desde a chegada dos visitantes.

– Nunca perde a graça – observou o Doutor, um pouco ofegante. – Está com a chave?

– Chave? Sim. Por quê?

– Quando estiver dentro da TARDIS, Cotterill se conectará à próxima mente disponível.

– À sua?

O Doutor olhou para ela e sorriu.

– À minha.

Ele parou de repente e girou, e os Encrenqueiros esbarraram nele enquanto Martha continuava correndo. Ela chegou ao sopé da colina, enfiou a chave na fechadura e entrou na TARDIS, batendo a porta em seguida.

Martha deu um passo atrás. Tudo estava quieto. Ela percebeu que não tinha ideia do que fazer em seguida, então contou até dez, abriu a porta e espiou.

O Doutor estava de joelhos, cercado pelos Encrenqueiros. Sra. O'Grady estava lá também. Todos ficaram mais altos, perdendo os traços faciais, se tornando Inumanos conforme a paisagem mudava. O morro gramado se achatou, tornando-se areia. Havia um castelo ao longe. A paisagem se transformou de novo, areia virando neve, céu azul ficando vermelho. Três luas no horizonte. A neve derreteu, árvores brotaram e cresceram rápido, ficando mais altas que qualquer arranha-céu que Martha tivesse visto e formando uma imensa floresta.

Um homem caminhava por entre as árvores.

Cotterill.

6

– Adoro uma boa perseguição – afirmou Cotterill. – Todas as melhores histórias terminam com uma boa perseguição. – Ele olhou em volta enquanto a floresta desaparecia, tornando-se um pico montanhoso. – Você certamente leu um monte de livros.

– Sim, eu li – concordou o Doutor, erguendo a cabeça. – Li *um monte* de livros. Quando se viaja tanto quanto eu e passa tanto tempo sozinho, sem dormir... Bem, você acaba lendo, né? Tenho novecentos anos de livros na minha cabeça, Cotterill, e você está recebendo todos eles. Todos de uma vez.

O cenário começou a mudar mais rápido: mar aberto, cena campestre, um lobby vazio, um mundo alienígena, um prédio alienígena, silo nuclear... como slides passando rápido demais.

– Pare – ordenou Cotterill, arregalando os olhos.

– Acho que não – retrucou o Doutor. – Veja bem, agora você está aqui dentro. – Ele tocou a própria cabeça. – E não vou deixar você sair.

O mundo em volta deles era um borrão. Cotterill cambaleou, empalidecendo.

– Façam-no parar! – gritou. – Matem-no!

Martha correu até o Doutor enquanto os Inumanos se aproximavam.

– Doutor! Uma arma agora seria bem útil!

A realidade tremeluzente ao redor deles ficou um pouco mais lenta, e Martha achou um galho pesado aos pés. Ela o pegou, e o mundo voltou a se borrar.

– Um galho? – reclamou ela. – Só isso?

– Foi o melhor que pude arranjar – murmurou o Doutor. Seu rosto estava franzido de concentração e os olhos, fechados.

Martha golpeou o Inumano mais próximo, acertando a cabeça. A criatura deu um único passo atrás. Martha não sabia se os monstros registravam dor, mas aquele ser era bípede, logo quase tudo que ela sabia sobre a anatomia humana deveria ser aplicável. Ou pelo menos era o que ela esperava.

Ela atacou de novo, um golpe baixo desta vez, acertando um lado do joelho. O monstro caiu, e Martha girou, batendo com o galho no cotovelo de outro Inumano que avançava contra o Doutor. A companheira o atacou e foi repelida, mas fez a coisa recuar alguns passos.

– Vamos lá! – rugiu Martha, enquanto os outros Inumanos a cercavam. – Pode vir todo mundo junto!

Os seres não pareceram nem um pouco intimidados pelo desafio e avançaram.

– Não! – exclamou Cotterill, olhando para trás. Martha olhou também. A paisagem eternamente mutante a deixava tonta e enjoada, mas ao longe havia um bolsão de vazio, que crescia cada vez mais.

Um dos Inumanos agarrou Martha e ela girou, golpeando-o com o galho; mas, logo antes da madeira acertar o alvo, ela desapareceu.

– Desculpa – murmurou o Doutor.

O Inumano cerrou os dedos ao redor da garganta de Martha e começou a apertar, então, subitamente, o Inumano também não estava mais lá. Martha se virou, ofegante, e viu os Inumanos restantes sumirem.

O bolsão de vazio estava se aproximando. Juntou-se a outro. Martha viu mais vazio nos arredores, entre as árvores, prédios, muralhas e rochas que surgiam e sumiam.

– Pare! – rugiu Cotterill. – Por favor! Este é o meu lar!

A paisagem se tornou despida. Tornou-se algo pequeno e curvo, como se estivessem num planeta do tamanho de um campo de futebol, cercados por todos os lados pelo vazio cada vez mais próximo. E o próprio Cotterill estava mudando, encolhendo, perdendo a forma física, tornando-se uma coisa serpenteante de luzes e sombras.

O Doutor se levantou lentamente.

– Muito bem – disse ele. – Acho que alguém deve um pedido de desculpas.

– Desculpe – pediu o ser que tinha sido Cotterill. Sua voz ecoava nos ouvidos de Martha. – Por favor, deixe que eu saia da sua mente. Dói muito.

– Eu sei que dói – concordou o Doutor. A chave de fenda estava na mão dele outra vez, escaneando. O Doutor conferiu os resultados e grunhiu. – Quem é você?

– Meu povo não tem nomes – explicou. – Sou um dos Ch'otterai. As lendas do meu povo dizem que outrora fomos deuses; que podíamos moldar a realidade com nossas mentes. Mas os Ch'otterai nunca tiveram imaginações particularmente vibrantes. Ou seja, se algum dia tivemos tal potencial, há muito o desperdiçamos em atos menores e extravagantes.

– Como chegou aqui?

– Minha nave quebrou, explodiu, destruiu meu corpo físico e lançou minha consciência ao vazio.

Martha estreitou os olhos.

– Você é um fantasma?

– De certa forma – murmurou o Doutor. – Então, o que aconteceu? Alguns séculos se passaram, você ficou entediado, alguém teve o azar de se aproximar... e você se conectou?

– Achei que eles poderiam me levar para casa – explicou o Ch'otterai. – Eu só precisava de um pouco de força para assumir forma física... Mas não deixei este ponto no espaço. Estava preso aqui, neste lugar onde morri. Então lhes devolvi suas próprias histórias e me alimentei do poder resultante, e atraí outra nave para cá, e mais uma... E criei um planeta. Moldei a realidade. Virei um deus.

– Um deus enorme num planetinha – comentou o Doutor. – Usando a imaginação dos outros, porque a sua é atrofiada demais. E o que aconteceu a essas naves que atraiu, hein? O que aconteceu às pessoas?

O Ch'otterai hesitou.

– Eu lhes dei as próprias histórias.

– E depois, o que aconteceu com eles?

– Eles partiram.

– Não acredito nisso.

– Eles partiram. Juro. Deixei que fossem embora. Sou um deus com muita compaixão.

– Você tem um pavio curto, isso sim. Logo está gritando: *Cortem-lhes as cabeças!*

– Não, eu...

– O que você fez com os corpos? E com as naves? Você os empurrou num lago de vazio, deixou que fossem engolidos?

A forma rodopiante do Ch'otterai reduziu a velocidade um pouco.

– Vocês não entendem. Não sabem como tem sido essa existência. Eles iam me abandonar, Doutor. As histórias ficaram tediosas e eles ficaram aborrecidos. Precisava deles, e eles iam me abandonar, iam avisar a todos que evitassem este lugar. Eu... eu não podia permitir isso.

– Então você os matou.

– Eu lhes dei uma escolha. A cada um deles, eu dei uma escolha. Fique, e nada lhes faltará, ou tente partir, e eu os destruirei.

– Todos tentaram partir – disse Martha baixinho.

A voz do Ch'otterai se endureceu, e a raiva intensificou o rodopiar.

– Eles *mentiram*. Prometeram ficar e então tentaram alcançar as naves. Tentaram roubar minha energia de mim. Mereceram ser destruídos.

O rodopiar ficou tão violento que Martha recuou um passo, e como se tivesse percebido que tinha ido longe demais, o rodopiar se amainou, e a voz de Ch'otterai se suavizou.

– Mas Doutor... você é diferente. Se formos com calma, você poderia me deixar forte o bastante para criar uma galáxia e, a partir dela, um universo. Vocês poderiam governar esse universo, vocês dois, como rei e rainha.

– Sendo você o nosso deus – murmurou o Doutor.

– Sim – confirmou o Ch'otterai.

– Não – retrucou o Doutor. Ele estendeu a mão, segurou a de Martha, e os dois começaram a andar de costas. Estavam agora numa superfície pouco maior que uma piscina.

A forma do Ch'otterai se retorcia tão depressa que se tornara um borrão.

– Parem! – berrou ele. – Deem mais um passo, e eu os lançarei ao vazio. Vocês nem chegarão à nave!

Martha e o Doutor ficaram paralisados.

– Você vai sacrificar o que lhe resta de poder – retrucou o Doutor.

– Eu vou matar vocês! Prefiro matar a deixá-los partir! Depois recomeçarei! Encontrarei outra pessoa!

Martha olhou para trás. A TARDIS estava a três passos. Longe demais.

– Não vamos ficar – disse o Doutor. – Não podemos.

A voz do Ch'otterai ficou mais agressiva.

– Então encontrem algum jeito de me levar com vocês. Ou, melhor ainda, arranjem uma forma de me transportar a essa Terra da Ficção. Um dos meus Inumanos ouviu vocês falarem sobre ela. Leve-me até lá, Doutor, e eu permitirei que os dois vivam.

– A Terra da Ficção nem fica nesta realidade.

– Você é um ser inteligente – afirmou o Ch'otterai. O rodopiar estava mais calmo agora que ele estava mais confiante. – Sei que pode dar um jeito. Pense direito, ou morra.

Martha soltou a mão do Doutor e se preparou para saltar até a TARDIS. O Doutor colocou as mãos nos bolsos.

– Pode haver algo que eu possa fazer – admitiu ele. – Tenho uma unidade de emergência a bordo. Não vou entediá-lo com os detalhes, mas ela pode permitir que nós nos movamos lateralmente pelas dimensões. Tecnicamente, você nem deixaria este lugar assombrando. É bem perigoso, porém. Não há garantias de que Martha ou eu poderemos voltar depois de o deixarmos lá. Não acho que seria uma boa...

– Faça ou morra, Doutor – retrucou Ch'otterai. – Simples assim.

O Doutor pensou por um momento, e Martha percebeu que ele estava trincando os dentes.

– Muito bem – decidiu. O Doutor foi até a TARDIS e abriu a porta. O Ch'otterai entrou antes que o Doutor pudesse mudar de ideia...

E então o Doutor bateu a porta.

Martha o encarou.

– O que você fez? Trancou ele na TARDIS? E se ele decolar?

O Doutor se apoiou com um ombro na porta e cruzou os braços.

– O Ch'otterai é um ser de pura energia psíquica. Realmente, ele tem o potencial de se tornar onipotente, mas, neste momento, mal se mantém num todo coeso.

Pela primeira vez, o comportamento calmo do Doutor não tranquilizou Martha.

– Então me faça o favor de explicar por que é uma boa ideia trancá-lo na TARDIS.

– A TARDIS não é uma máquina, Martha. Bem, ela é uma máquina, mas também é muito mais que isso. Você viu como eu sobrecarreguei o Ch'otterai com os livros que eu li? Minha imaginação o reduziu de um fantasma com um planeta a um fantasma com um quintal. Agora, pense no que a TARDIS fará com ele.

Martha franziu a testa.

– A TARDIS tem imaginação?

O Doutor riu.

– De certo ponto de vista, a TARDIS *é* imaginação.

O Doutor colocou a chave na fechadura, girou e indicou a porta aberta.

Martha entrou. A sala do console estava silenciosa. Não havia sinal do Ch'otterai. O Doutor passou pela companheira, ativou alguns interruptores e conferiu os mostradores.

– Cadê ele? – perguntou Martha.

– Ele se foi – explicou o Doutor. – Ou quase, tanto faz. Pelo que estou vendo, foi reduzido a um único pensamento, provavelmente um pensamento bem desagradável.

Martha olhou em volta.

– Então, cadê ele?

O Doutor acenou com a mão no ar.

– Aqui. Ali. Eu não sei.

– Mas, quando partirmos, não vamos levá-lo conosco, vamos?

– Qual é o problema, srta. Jones? Você não gosta da ideia de uma TARDIS assombrada?

– Não muito.

– Não se preocupe – disse o Doutor, puxando alavancas. – Vamos voar para terras distantes, mas os restos do Ch'otterai ficarão aqui. Provavelmente.

Martha não gostou muito daquele "provavelmente", mas não disse nada quando a TARDIS começou a ofegar e zunir. Ela foi até um monitor e viu o vazio do lado de fora dobrar-se em si mesmo e piscar rumo à inexistência. Por um momento, não houve nada além de espaço vazio e estrelas, e então a tela se desligou.

O Décimo Primeiro Doutor: Hora Nenhuma

Neil Gaiman

Tradução de
Renata Pettengill

I

Os Senhores do Tempo construíram uma Prisão. Eles a ergueram em uma época e lugar além do alcance da imaginação de qualquer criatura que nunca tenha saído do sistema solar no qual foi gerada, ou que só tenha viajado no tempo de segundo em segundo, e sempre em direção ao futuro. Ela foi construída especialmente para o Kin. Era impenetrável: um complexo de pequenos cômodos (afinal, eles não eram seres desnaturados, os Senhores do Tempo – sabiam ser piedosos quando lhes convinha) fora de sincronismo com o restante do Universo.

Só havia esses cômodos naquele lugar: o intervalo entre microssegundos era de um gênero que não podia ser transposto. Na prática, os aposentos se tornaram um universo em si mesmos, do tipo que pegava emprestados luz, calor e gravidade do restante da Criação, sempre uma fração de instante além.

O Kin rondava pelos quartos, paciente e imortal, e sempre à espera.

Ele estava à espera de uma pergunta. E poderia esperar até o fim dos tempos. (Mas, quando chegasse o Final dos Tempos, o Kin não o presenciaria, aprisionado no micromomento afastado do tempo.)

Os Senhores do Tempo mantinham a Prisão com o auxílio de enormes motores construídos no coração de buracos negros, inalcançáveis: ninguém além dos próprios Senhores do Tempo conseguiria chegar até eles. Os vários motores eram à prova de falhas. Nada jamais poderia dar errado.

Enquanto os Senhores do Tempo existissem, o Kin permaneceria em sua Prisão e o universo estaria a salvo. Assim era, e assim sempre seria.

E, se algo desse errado, os Senhores do Tempo saberiam. Mesmo na inconcebível hipótese de um dos motores falhar, alarmes soariam em Gallifrey muito antes de a Prisão do Kin voltar ao nosso tempo e ao nosso universo. Os Senhores do Tempo haviam se preparado para tudo.

Eles haviam se preparado para tudo, menos para a possibilidade de um dia não haver mais Senhores do Tempo, nem Gallifrey. Nada de Senhores do Tempo no universo, exceto por um.

Então, quando um tremor abalou as estruturas da Prisão e ela desmoronou, como se atingida por um terremoto, lançando o Kin ao chão; e quando o Kin ergueu os olhos de sua Prisão e viu a luz das galáxias e dos sóis lá no alto, sem bloqueios nem filtros, e percebeu que havia retornado ao universo, soube que seria apenas uma questão de tempo até que a pergunta fosse feita novamente.

E, porque o Kin era meticuloso, fez um balanço do universo em que se encontrava. Não pensou em vingança: aquilo não era de sua natureza. Ele queria o que sempre desejou. E, além do mais...

Ainda restava um Senhor do Tempo no universo.

O Kin precisava dar um jeito naquilo.

2

Na quarta-feira, Polly Browning, de onze anos, botou a cabeça no vão da porta do escritório do pai.

– Papai, tem um homem lá fora com máscara de coelho dizendo que quer comprar a casa.

– Deixe de bobagem, Polly.

O sr. Browning estava sentado a um canto do cômodo que gostava de chamar de escritório, e que a corretora de imóveis havia otimisticamente classificado como um terceiro quarto, embora sua área mal desse para um armário-arquivo e uma mesa de jogos, sobre a qual havia um computador Amstrad novinho em folha. O sr. Browning registrava cuidadosamente os valores de uma pilha de recibos e torcia o nariz. A cada meia hora, salvava o trabalho realizado até o momento, e a máquina chiava por alguns minutos enquanto gravava tudo num disquete.

– Não é bobagem minha. Ele disse que vai pagar setecentos e cinquenta mil libras por ela.

– Isso, sim, é uma bobagem das boas. A casa está à venda por meras cinquenta mil libras.

E daríamos muita sorte de conseguir isso no mercado atual, ele pensou, mas não falou. Aquele era o verão de 1984, e o sr. Browning já perdia a esperança de achar um comprador para a modesta casa no fim da Claversham Row.

Polly moveu a cabeça para cima e para baixo pensativamente.

– Acho que o senhor devia ir lá falar com ele.

O sr. Browning deu de ombros. Ele precisava mesmo salvar o trabalho que havia feito até ali. Enquanto o computador chiava, o sr. Browning desceu as escadas. Polly, que havia planejado subir para o quarto a fim de escrever no diário, resolveu sentar na escada e ver o que aconteceria.

À frente da casa havia um homem alto com máscara de coelho. Não era uma máscara muito convincente. Cobria o rosto inteiro, e duas orelhas compridas se projetavam para o alto. Ele segurava uma maleta grande de couro marrom, o que remeteu o sr. Browning às maletas de médico da sua infância.

– Escute aqui – começou o sr. Browning, mas o mascarado encostou um dedo enluvado nos lábios de coelho pintados, e o sr. Browning calou a boca.

– Pergunte-me que horas são – disse a voz sussurrante por trás do focinho imóvel da máscara de coelho.

– Pelo que pude entender, o senhor está interessado na casa – retrucou o sr. Browning.

A placa de *À VENDA* no portão estava suja e manchada pela chuva.

– Talvez. Pode me chamar de sr. Coelho. Pergunte-me que horas são.

O sr. Browning sabia que deveria chamar a polícia. Que deveria fazer algo para o homem ir embora. Que tipo de pessoa doida anda por aí com uma máscara de coelho, para começo de conversa?

– Por que o senhor está usando uma máscara de coelho?

– Esta não é a pergunta certa. Mas estou com a máscara de coelho porque represento uma pessoa muito famosa e extremamente importante que preza sua privacidade. Pergunte-me que horas são.

O sr. Browning suspirou.

– Que horas são, sr. Coelho? – perguntou.

O homem com máscara de coelho empertigou-se. Sua expressão corporal transparecia prazer e satisfação.

– É hora de você se tornar o homem mais rico da Claversham Row – respondeu. – Vou comprar sua casa, pagando em dinheiro vivo, e por mais de dez vezes o que ela vale, porque é simplesmente perfeita para mim neste momento.

Ele abriu a maleta de couro marrom e tirou dela maços de notas, cada um contendo quinhentas ("Conte-as, vamos, conte-as") cédulas de cinquenta libras novinhas, e duas sacolas plásticas de supermercado, dentro das quais colocou os maços de dinheiro.

O sr. Browning inspecionou as notas. Não pareciam falsas.

– Eu... – Ele hesitou. O que tinha de fazer? – Vou precisar de alguns dias. Para depositar o dinheiro. Verificar se não é falso. E teremos de preparar contratos, obviamente.

– Os contratos já estão prontos – disse o homem com máscara de coelho. – Assine aqui. Se o banco disser que há algo errado com o dinheiro, o senhor pode ficar com ele e com a casa. Voltarei no sábado para tomar posse do imóvel já desocupado. O senhor consegue esvaziá-lo até lá, não consegue?

– Não sei – respondeu o sr. Browning. E logo em seguida: – Tenho certeza que sim. Quer dizer, *é claro que sim.*

– Voltarei no sábado – disse o homem com máscara de coelho.

– Esse é um jeito muito incomum de fechar negócio – comentou o sr. Browning, parado à porta da casa segurando duas sacolas plásticas contendo setecentas e cinquenta mil libras.

– É – concordou o homem com máscara de coelho. – É, sim. Vejo o senhor no sábado, então.

E retirou-se a pé. O sr. Browning ficou aliviado ao vê-lo ir embora. Ele fora tomado pela convicção irracional de que, se o homem tirasse a máscara de coelho, não haveria nada embaixo.

Polly subiu para o quarto a fim de contar tudo o que vira e ouvira ao diário.

Na quinta-feira, um jovem alto de paletó de *tweed* e gravata-borboleta bateu à porta. Como não havia ninguém lá, ninguém atendeu, e, depois de dar a volta ao redor da casa, foi embora.

No sábado, o sr. Browning parou no meio da cozinha vazia. Ele havia depositado o dinheiro sem maiores problemas, o que eliminara todas as suas dívidas. Os móveis de que a família não quis se desfazer foram colocados num caminhão de mudanças e enviados para o tio do sr. Browning, que tinha uma garagem enorme e sem uso.

– E se isso for só uma pegadinha? – perguntou a sra. Browning.

– Não consigo imaginar o que haveria de engraçado em dar setecentas e cinquenta mil libras para alguém – retrucou o sr. Browning. – O banco disse que o dinheiro não é falso. Que não há registros de ter sido roubado. É só uma pessoa rica e excêntrica querendo comprar nossa casa por um valor muito maior que o dela.

Eles haviam feito a reserva de dois quartos num hotel ali perto, embora tenha sido mais difícil achar quartos de hotel disponíveis do que o sr. Browning imaginara. Além disso, teve de convencer a sra. Browning, que era enfermeira, de que agora podiam arcar com as despesas da estadia.

– O que acontece se ele não voltar nunca mais? – perguntou Polly. Ela estava sentada na escada, lendo um livro.

– Não seja ridícula.

– Não chame sua filha de ridícula – interveio a sra. Browning. – Ela tem razão. Você não sabe o nome dele, não tem o número do telefone, nem nada.

Aquilo não era justo. Havia um contrato, e o nome do comprador constava dele com todas as letras: N. M. de Plume. Também havia o endereço de um escritório de advocacia em Londres, e o sr. Browning telefonara para lá e fora informado de que, apesar do nome esquisito, sim, o contrato era perfeitamente válido.

– Ele é excêntrico – respondeu o sr. Browning. – Um milionário excêntrico.

– Aposto que era ele por trás da máscara de coelho – disse Polly. – O milionário excêntrico.

A campainha tocou. O sr. Browning foi até a porta, a mulher e a filha ao lado, os três na expectativa de conhecer o novo dono da casa.

– Olá – disse a moça com máscara de gato no degrau da escada em frente à porta.

Não era uma máscara muito realista. Mas Polly viu os olhos da moça brilharem por trás do disfarce.

– A senhora é a nova proprietária? – perguntou a sra. Browning.

– Ou isso, ou sou a representante do proprietário.

– Onde está... seu amigo? O da máscara de coelho?

Apesar da máscara de gato, a jovem (será que era jovem? – pelo menos a voz soava assim) parecia a eficiência em pessoa, uma eficiência que beirava a indelicadeza.

– Os senhores retiraram todos os pertences da casa? Sinto informar que qualquer item deixado aqui passará a ser de propriedade do novo dono.

– Levamos tudo que era importante.

– Ótimo.

– Posso vir brincar no quintal? No hotel não tem área de lazer – disse Polly.

Havia um balanço pendurado no carvalho do quintal da casa, e Polly adorava ler sentada nele.

– Não seja bobinha, querida – comentou o sr. Browning. – Nós compraremos uma casa nova, e você terá um quintal com balanços. Vou pendurar vários balanços novos para você.

A moça com máscara de gato agachou-se.

– Sou a sra. Gato. Pergunte-me que horas são, Polly.

Polly assentiu com a cabeça.

– Que horas são, sra. Gato?

– Hora de você e sua família irem embora daqui sem olhar para trás – respondeu a sra. Gato, mas foi delicada ao falar.

Polly acenou um adeus para a moça com máscara de gato ao chegar ao fim da trilha de pedras do terreno.

3

Eles estavam na sala de controle da TARDIS, voltando para casa.

– Continuo sem entender – dizia Amy. – Por que o povo esqueleto ficou com tanta raiva de você, no fim das contas? Achei que eles *quisessem* se libertar do domínio do Rei-Sapo.

– Eles não ficaram com raiva de mim por causa *disso* – retrucou o jovem de paletó de tweed e gravata-borboleta. Ele passou os dedos pelo cabelo, demonstrando agitação. – Na verdade, acho que até ficaram bem felizes com a liberdade. – O Doutor percorreu o painel de controle da TARDIS com as mãos, puxando alavancas, tamborilando em mostradores. – Só ficaram um pouquinho chateados comigo porque saí de lá levando o treco enroscado deles.

– Treco enroscado?

– Está na... – ele apontou de um jeito impreciso, com braços que pareciam feitos só de cotovelos e articulações – ... naquela coisa mesalada ali. Eu o confisquei.

Amy aparentou irritação. Ela não estava irritada, mas às vezes gostava de dar a impressão de que estava, só para deixar claro quem mandava ali.

– Por que você nunca fala o nome das coisas direito? *Naquela coisa mesalada ali?* Aquilo se chama "mesa".

Ela andou até a mesa. O treco enroscado era cintilante e delicado: o tamanho e a forma condiziam com os de uma pulseira, mas era retorcido de um jeito que tornava difícil acompanhar com o olhar as voltas que ele dava.

– Sério? Ah, bom. – Ele pareceu ficar satisfeito. – Vou me lembrar disso.

Amy pegou o treco enroscado. Era frio e muito mais pesado do que aparentava.

– Por que você confiscou isso? E por que raios está usando o verbo "confiscar"? Isso é, tipo, o que professores fazem quando você leva para a escola uma coisa que não devia ter levado. Minha amiga Mels bateu o recorde de coisas confiscadas na escola. Uma noite, ela fez Rory e eu criarmos um tumulto enquanto ela arrombava o armário de material escolar da professora, onde as coisas dela estavam guardadas. A Mels teve que passar pelo telhado e entrar pela janela do banheiro dos professores...

Mas o Doutor não estava nem aí para as proezas da ex-colega de turma de Amy. Nunca estava.

– Confiscado – insistiu ele. – Para o bem deles. Uma tecnologia à qual não deveriam ter tido acesso. Provavelmente roubada. Um acelerador e repetidor do tempo. Poderia ter causado uma tremenda confusão. – Ele puxou uma alavanca. – Chegamos. O desembarque é obrigatório.

Um ruído ritmado que lembrava algo sendo serrado fez-se ouvir, como se os motores do próprio universo protestassem, seguido por um deslocamento de ar, e uma grande cabine de polícia azul se materializou no quintal da casa de Amy Pond. Aquele era o início da segunda década do século XXI.

O Doutor abriu a porta da TARDIS e disse:

– Que estranho.

Ele ficou parado no vão da porta, sem se aventurar a pisar do lado de fora. Amy se aproximou dele, que estendeu o braço, impedindo-a de sair da TARDIS. O dia estava ensolarado, quase sem nuvens.

– Qual é o problema?

– Tudo – respondeu ele. – Não dá para sentir?

Amy percorreu o quintal com os olhos. O mato alto tomava conta do jardim malcuidado, mas, no fundo, foi sempre assim, desde que ela se entendia por gente.

– Não – disse Amy. E completou: – Que silêncio. Nenhum carro. Nem passarinho. Nada.

– Nem ondas de rádio – disse o Doutor. – Nem da Rádio Quatro.

– Você consegue ouvir ondas de rádio?

– Claro que não. Ninguém consegue ouvir ondas de rádio – retrucou ele, soando pouco convincente.

E foi aí que uma voz aveludada falou:

– **Atenção, visitante. Você está entrando no espaço do Kin. Este planeta é propriedade do Kin. Você está invadindo esse espaço.**

Era uma voz estranha, sussurrante, e, basicamente, Amy desconfiou, estava dentro da sua cabeça.

– Aqui é a Terra – gritou Amy. – Ela não pertence a você. – E acrescentou: – O que você fez com as pessoas?

– Nós compramos a Terra, e, pouco depois, todas as pessoas morreram de causas naturais. Uma pena.

– Não acredito em você – gritou Amy.

– Nenhuma lei galáctica foi transgredida. A compra do planeta foi realizada dentro da lei e de forma legítima. Uma investigação minuciosa conduzida pela Proclamação das Sombras atestou nosso direito integral de posse.

– O planeta não é seu! Cadê o Rory?

– Amy? Com quem você está falando? – perguntou o Doutor.

– Com a voz. Na minha cabeça. Você não está ouvindo?

– **Você está falando com quem?** – perguntou a Voz.

Amy fechou a porta da TARDIS.

– Por que você fez isso? – perguntou o Doutor.

– Voz sussurrante e esquisita dentro da minha cabeça. Contou que compraram o planeta. E que a... a Proclamação das Sombras disse que estava tudo certo. Falou que os habitantes da Terra morreram de causas naturais. Você não conseguia ouvir a voz. Ela não sabia que você estava aqui. Elemento-surpresa. Fechei a porta.

Amy Pond conseguia ser extremamente eficiente sob estresse. Naquele momento, estava sob estresse, mas ninguém diria, não fosse pelo treco enroscado que ela segurava com as mãos e que se curvava e se retorcia, criando formas que desafiavam a imaginação e que pareciam estar sendo desviadas para dimensões singulares.

– A voz se identificou?

Amy parou um instante para pensar.

– "Você está entrando no espaço do Kin. Este planeta é propriedade do Kin."

– Poderia ser qualquer um – disse o Doutor. – O Kin. Quer dizer... é como se autodenominar de Povo. Significa basicamente a mesma coisa que todo nome de raça. Menos no caso de Dalek. Que em skaroniano quer dizer *Máquinas Odiosas de Morte Revestidas de Metal*. – E então correu para o painel de controle. – Algo assim. Não acontece de um dia para o outro. As pessoas simplesmente não morrem em massa. E estamos em 2010. O que significa...

– Significa que fizeram alguma coisa com Rory.

– Significa que fizeram alguma coisa com todo mundo.

Ele digitou várias letras num teclado de máquina de escrever antiga, e uma série de padrões percorreu a tela do monitor pendurado acima do console da TARDIS.

– Eu não ouvia o que a voz dizia... ela não me escutava. Você conseguia ouvir a nós dois. Transmissão telepática limitada, mas apenas em frequências humanas. Humm. *Arrá!* Verão de 1984! Esse é o ponto de divergência... – Suas mãos começaram a virar, torcer e mover alavancas, bombas de ar, interruptores e algo pequeno que fez *plim*.

– Cadê o Rory? Eu quero o Rory, e quero agora – exigiu Amy quando a TARDIS deu uma guinada pelo espaço-tempo.

O Doutor só tinha visto o noivo dela, Rory Williams, uma vez, e por breves instantes. Amy desconfiava que o Doutor não entendia o que ela vira em Rory. Às vezes, nem *ela* tinha muita certeza do que vira nele. Mas de uma coisa tinha certeza: ninguém lhe tiraria o noivo daquele jeito.

– Boa pergunta. Cadê o Rory? Além disso, onde estão os outros sete bilhões de pessoas? – perguntou ele.

– Eu quero o meu Rory.

– Bem, onde quer que o restante das pessoas esteja, ele também está. E você deveria estar com eles. Se eu fosse chutar, diria que nenhum de vocês sequer chegou a nascer.

Amy deu uma olhada em si mesma, conferindo pés, pernas, cotovelos, mãos (o treco enroscado brilhava como um pesadelo de Escher em seu pulso; ela o largou em cima do painel de controle). Amy levou a mão ao cabelo e pegou um de seus cachos ruivos.

– Se eu não nasci, o que estou fazendo aqui?

– Você é um nexo temporal independente, crono-sinclasticamente estabelecido como um inverso...

Ele viu a expressão no rosto dela e parou.

– O que você está tentando me dizer é que é temporalístico-esquisitístico, né?

– É – respondeu ele, sério. – Acho que estou. Certo. Chegamos.

Ele ajeitou a gravata-borboleta com movimentos precisos e depois inclinou-a para o lado de um jeito casual-despojado.

– Mas, Doutor. A raça humana não se extinguiu em 1984.

– Nova linha do tempo. Um paradoxo.

– E você é o paradoutor?

– Só o Doutor. – Ele alinhou a gravata-borboleta na posição original e endireitou a coluna. – Tem alguma coisa muito familiar nisso tudo.

– O quê?

– Não sei. Humm. Kin. Kin. *Kin*... Fico pensando em máscaras. Quem usa máscaras?

– Ladrões de banco?

– Não.

– Pessoas muito feias?

– Não.

– Halloween? As pessoas usam máscaras no Halloween.

– *Sim!* Elas *usam*!

Ele abriu os braços de satisfação.

– Então isso é importante?

– Nem um pouco. Mas é verdade. Certo. Grande divergência no fluxo temporal. E não é possível tomar posse de um planeta de Nível 5 de um jeito que satisfaça a Proclamação das Sombras a menos que...

– A menos que o quê?

O Doutor parou de se mexer. Mordeu o lábio inferior.

– Ah. Eles não ousariam – disse.

– Não ousariam o quê?

– Eles não poderiam. Quer dizer, isso seria totalmente...

Amy jogou o cabelo para trás e fez o melhor que pôde para manter a calma. Gritar com o Doutor nunca funcionava, a não ser que funcionasse.

– Totalmente o quê?

– Totalmente impossível. Não é possível tomar posse de um planeta de Nível 5. A menos que isso seja feito de forma legítima. – Alguma coisa no painel de controle da TARDIS rodopiou e outra fez *plim*. – Chegamos. É o nexo. Venha! Vamos explorar o ano de 1984.

– Você está adorando isso – disse Amy. – Meu planeta inteirinho foi tomado por uma voz misteriosa. As pessoas se extinguiram. Rory já era. E você está adorando tudo.

– Não, não estou – respondeu o Doutor, se esforçando muito para não deixar transparecer o quando amava aquilo.

A família Browning ficou no hotel enquanto o sr. Browning procurava uma casa nova para eles. O hotel estava lotado. Os Browning descobriram, ao conversar com outros hóspedes no café da manhã, que, por coincidência, eles também haviam vendido suas casas e apartamentos. Ninguém parecia especialmente inclinado a contar quem comprara os imóveis.

– Isso é ridículo – comentou ele, dez dias depois. – Não há nada à venda na cidade. Nem em nenhum outro lugar pelas redondezas. Foi tudo arrematado.

– Deve haver alguma coisa – disse a sra. Browning.

– Não nesta parte do país – retrucou o sr. Browning.

– O que a corretora tem a dizer sobre isso?

– Ela não atende ao telefone – respondeu o sr. Browning.

– Bem, então vamos até lá falar com ela – disse a sra. Browning. – Você vem, Polly?

Polly fez que não com a cabeça.

– Estou lendo meu livro – respondeu.

O sr. e a sra. Browning foram a pé até o centro comercial e encontraram a corretora fora da loja, pendurando na porta um aviso em que se lia "*Sob nova direção*". Não havia nenhum anúncio de propriedade à venda na vitrine, só um bando de casas e apartamentos com a palavra *Vendido* escrita neles.

– Fechando a loja? – perguntou o sr. Browning.

– Me fizeram uma oferta que não pude recusar – disse a corretora. Ela segurava uma sacola plástica que parecia pesada. Os Browning podiam imaginar o que havia ali dentro.

– Alguém com máscara de coelho? – perguntou a sra. Browning.

Quando voltaram ao hotel, a gerente esperava por eles no saguão, para lhes dizer que não ficariam hospedados lá por muito mais tempo.

– São os novos donos – explicou ela. – Eles vão fechar o hotel para reformas.

– Novos donos?

– Acabaram de comprá-lo. E pagaram caro, pelo que ouvi dizer.

Por algum motivo, aquilo não surpreendeu a família Browning. Não se surpreenderam até subirem para o quarto e não encontrarem o menor sinal de Polly.

4

– 1984 – divagou Amy Pond. – Por algum motivo, achei que teria uma aparência mais, sei lá... histórica. Não parece ter sido há tanto tempo assim. Mas meus pais nem tinham se conhecido ainda. – Ela hesitou, como se estivesse prestes a dizer algo sobre os pais, mas sua atenção se desviou. Os dois atravessaram a rua.

– Como eles eram? – perguntou o Doutor. – Seus pais?

Amy deu de ombros.

– Normais – respondeu sem pensar muito. – Uma mãe e um pai.

– Bem provável – concordou o Doutor, rápido demais. – Pois, então, preciso que você fique de olhos bem abertos.

– O que estamos procurando?

Eles estavam numa pitoresca cidadezinha inglesa, que a Amy pareceu como outra qualquer. Exatamente igual àquela da qual havia saído em 2010, com uma praça central, muitas árvores, uma igreja. A única diferença era a ausência de cafeterias e de lojas de operadoras de celular.

– Fácil. Estamos procurando algo que não deveria estar aqui. Ou alguma coisa que deveria estar aqui, mas não está.

– Que tipo de coisa?

– Não sei bem – hesitou o Doutor. Ele coçou o queixo. – Gaspacho, talvez.

– O que é gaspacho?

– Sopa fria. Mas é para ser fria mesmo. Então, se procurássemos em todo o ano de 1984 e não conseguíssemos achar nenhum gaspacho, isso seria uma pista.

– Você foi sempre assim?

– Assim como?

– Um louco. Com uma máquina do tempo.

– Ah, não. Demorou séculos até eu conseguir a máquina do tempo.

Eles andaram pelo centro da cidadezinha procurando algo fora do comum, mas não encontraram nada, nem mesmo gaspacho.

Polly parou em frente ao portão na Claversham Row e ficou olhando para a casa que havia sido seu lar desde que se mudaram para lá quando tinha sete anos. Ela caminhou até a porta, tocou a campainha e esperou. Ficou aliviada quando ninguém atendeu. Deu uma espiada na rua e depois rodeou a casa depressa, passando pelas latas de lixo e indo até o quintal.

A porta de madeira e vidro, que dava para o pequeno quintal nos fundos do terreno, tinha um trinco que não fechava direito. Polly achou extremamente improvável que os novos donos da casa o tivessem consertado. Se tivessem, ela voltaria quando os proprietários estivessem presentes, mas aí teria de pedir a permissão deles, o que seria uma situação estranha e constrangedora.

Aquele era o problema dos objetos escondidos. Podia acontecer de, em caso de pressa, eles serem deixados para trás. Até coisas muito importantes. E nada era mais importante na vida que seu diário.

Polly escrevera nele todos os dias desde que chegaram à cidade. Era seu melhor amigo: ela havia se confidenciado com ele, contado das garotas de quem sofrera bullying, das que se tornaram amigas dela, do primeiro garoto de quem gostou na vida. Polly recorria a ele em momentos difíceis, confusos ou tristes. Aquele era o lugar no qual podia despejar seus pensamentos.

E estava escondido sob uma tábua solta no chão, dentro do grande armário embutido em seu quarto.

Polly bateu com força com a palma da mão no lado esquerdo da porta de madeira e vidro, acertando próximo ao batente, o que fez a porta trepidar e depois abrir.

Ela entrou na casa. E ficou surpresa ao ver que eles não haviam substituído nenhum dos móveis que a família deixara lá. O cheiro ainda era o mesmo. Estava tudo quieto: não tinha ninguém em casa. Bom. Ela subiu depressa as escadas, querendo evitar ainda estar ali quando o sr. Coelho ou a sra. Gato voltassem.

Ao chegar ao patamar da escada, sentiu algo roçar em seu rosto – foi um toque leve, como o de uma linha ou teia de aranha. Ela olhou para cima. Aquilo era estranho. O teto parecia coberto de pelos: fios que pareciam de cabelo, ou cabelos que pareciam fios, pendiam dele. Naquele instante, Polly hesitou, pensou em sair correndo – mas já podia ver a porta do seu quarto. O pôster do Duran Duran ainda estava preso nela. Por que será que não o tiraram dali?

Tentando não olhar para o teto peludo, Polly abriu a porta.

O quarto estava diferente. Não havia móveis, e, no lugar em que costumava ficar sua cama, agora havia folhas de papel. Polly deu uma espiada nos papéis: fotos de jornal, rostos ampliados para tamanho real. Os buracos dos olhos haviam sido recortados. Ela reconheceu o príncipe Charles, Ronald Reagan, Margaret Thatcher, o papa João Paulo, a rainha...

Talvez estivessem planejando dar uma festa. As máscaras não tinham uma aparência muito convincente.

Polly foi até o armário embutido na outra extremidade do quarto. Seu diário da *Smash Hits* repousava na escuridão dentro dele, sob a tábua do piso. Ela abriu a porta.

– Olá, Polly – disse o homem no armário.

Ele estava de máscara, assim como os outros. Uma máscara de animal: alguma espécie de cachorro de grande porte e pelo escuro.

– Oi – cumprimentou Polly. Ela não sabia mais o que dizer. – Eu... eu esqueci meu diário aqui.

– Eu sei. Eu o estava lendo. – E ergueu o diário. Ele não era como o homem da máscara de coelho nem como a mulher da máscara de gato, mas tudo o que Polly havia sentido em relação a eles, de que havia *algo estranho* neles, ficou mais forte naquele momento. – Você o quer de volta?

– Sim, por favor – respondeu Polly para o homem com máscara de cachorro.

Ela se sentiu magoada e invadida: aquele homem estava lendo o seu diário. Mas ela o queria de volta.

– Você sabe o que precisa fazer para que eu o devolva?

Ela fez que não com a cabeça.

– Pergunte-me que horas são.

Ela abriu a boca. Estava seca. Polly umedeceu os lábios e balbuciou:

– Que horas são?

– E meu nome – retrucou ele. – Diga meu nome. Sou o sr. Lobo.

– Que horas são, sr. Lobo? – perguntou Polly.

Uma brincadeira de criança invadiu sua mente.

O sr. Lobo sorriu (mas como pode uma máscara sorrir?) e abriu uma boca tão grande que deu para ver cada uma das fileiras de dentes muito, muito afiados.

– É hora do almoço – respondeu ele.

Polly começou a gritar quando ele avançou sobre ela, mas não conseguiu gritar por muito tempo.

5

A TARDIS estava pousada num pequeno campo gramado, pequeno demais para ser um parque, irregular demais para ser uma praça, bem no centro da cidade, e o Doutor estava do lado de fora, sentado numa espreguiçadeira, viajando em suas lembranças.

O Doutor tinha uma memória invejável. O único problema é que havia muitas delas. Ele já vivera onze vidas (ou mais: havia outra vida, ou não havia, na qual tentava ao máximo não pensar) e possuía um jeito diferente de se lembrar das coisas em cada uma delas.

O pior de ter a sua idade, qualquer que fosse (e havia muito ele desistira de contar os anos de alguma forma que importasse a qualquer um menos ele), era que às vezes as coisas não vinham à sua mente quando deveriam.

Máscaras. Era uma das peças do quebra-cabeça. E Kin. Também era uma das peças.

E Tempo.

Tudo tinha a ver com o Tempo. Sim, era aquilo...

Uma história antiga. De antes de ele nascer, tinha certeza. Foi algo que ouviu na infância. Ele tentou se lembrar das histórias que lhe contaram quando era pequeno, em Gallifrey, antes de ter sido levado para a Academia dos Senhores do Tempo e de sua vida ter mudado para sempre.

Amy voltava de uma incursão pela cidade à procura de coisas que poderiam ter sido gaspacho.

– Maximelos e os três ogrons! – gritou o Doutor para Amy.

– O que têm eles?

– Um era mau demais, um era burro demais, um era simplesmente normal.

– E de que forma isso é relevante?

Ele deu um puxão no cabelo, distraído.

– Humm, talvez não seja nada relevante. Só estou tentando me lembrar de uma história de quando eu era criança.

– Por quê?

– Não faço a menor ideia. Não consigo me lembrar.

– Você – disse Amy Pond – é muito frustrante.

– É – assentiu o Doutor com alegria. – Devo ser mesmo.

Ele havia pendurado uma placa na porta da TARDIS em que se lia:

ALGO MISTERIOSAMENTE ESTRANHO ACONTECEU?
É SÓ BATER! NENHUM PROBLEMA É PEQUENO DEMAIS.

– Se ele não vier a nós, eu irei até ele. Não. Apague isso. É o contrário. Eu redecorei o interior da TARDIS para não espantar as pessoas. O que você encontrou?

– Duas coisas – respondeu ela. – A primeira foi o príncipe Charles. Eu o vi no jornaleiro.

– Tem certeza de que era ele?

Amy parou para pensar.

– Bem, ele se parecia com o príncipe Charles. Só que muito mais jovem. E o jornaleiro perguntou se ele havia escolhido um nome para o próximo bebê real. Eu sugeri Rory.

– O príncipe Charles no jornaleiro. Certo. A outra coisa?

– Descobri que não há nenhuma casa à venda. E olha que andei por todas as ruas. Não há nenhuma placa. Algumas pessoas estão acampadas em barracas nos limites da cidade. Várias outras estão indo embora à procura de um lugar para morar, porque não há nenhuma casa à venda por aqui. É muito estranho.

– É.

Ele estava quase se lembrando. Amy abriu a porta da TARDIS. Espiou o interior.

– Doutor... o lado de dentro está do mesmo tamanho que o de fora.

Ele abriu um sorriso radiante e levou-a numa visita guiada completa por seu novo escritório, o que consistiu em ficar parado no vão da porta e acenar com a mão direita. O espaço havia sido quase todo tomado por uma mesa com um telefone antigo e uma máquina de escrever em cima. Havia uma parede oposta à porta. Amy experimentou atravessar a parede com as mãos (foi difícil fazer aquilo com os olhos abertos, ficou mais fácil após fechá-los), e então fechou os olhos de novo e passou a cabeça através da parede. Conseguiu ver a sala de controle da TARDIS, toda de cobre e vidro. Amy deu um passo atrás, voltando para o minúsculo escritório.

– É um holograma?

– Mais ou menos.

Alguém bateu à porta da TARDIS, uma batida hesitante. O Doutor a abriu.

– Com licença. A placa na porta.

O homem parecia atormentado. O cabelo era escasso. Ele olhou para o pequeno espaço, quase todo tomado por uma mesa, e não fez nenhuma menção de entrar.

– Sim! Olá! Entre! – disse o Doutor. – Nenhum problema é pequeno demais!

– Humm. Meu nome é Reg Browning. É minha filha, Polly. Era para ela estar nos esperando no quarto do hotel. Mas ela não está lá.

– Eu sou o Doutor. Esta é Amy. Você procurou a polícia?

– Você não é policial? Achei que fosse.

– Por quê? – perguntou Amy.

– Esta é uma cabine telefônica de polícia. Nem sabia que elas tinham voltado.

– Para alguns de nós – disse o jovem alto de gravata-borboleta –, elas nunca saíram de uso. O que aconteceu quando você falou com a polícia?

– Eles disseram que ficariam de olho. Mas, sinceramente, pareciam pouco preocupados. O sargento de plantão disse que o contrato de aluguel da delegacia expirou, o que foi um tanto inesperado, e eles estão procurando outro lugar para ir. O sargento disse que essa coisa do aluguel pegou todo mundo de surpresa.

– Como é a Polly? – perguntou Amy. – Será que ela não poderia estar na casa de alguma amiga?

– Já falei com todas as amigas dela. Ninguém a viu. Atualmente estamos morando no Hotel Rose, na rua Wednesbury.

– Vocês estão de visita?

O sr. Browning contou sobre o homem com máscara de coelho que aparecera à sua porta duas semanas antes querendo comprar sua casa por muito mais do que ela valia e pagando em dinheiro. Contou também sobre a mulher com máscara de gato que havia tomado posse da casa...

– Ah. Certo. Bem, agora tudo faz sentido – disse o Doutor, como se realmente fizesse.

– Faz? – perguntou o sr. Browning. – Você sabe onde a Polly está?

O Doutor fez que não com a cabeça.

– Sr. Browning. Reg. Existe alguma chance de a Polly ter voltado à sua casa?

O homem deu de ombros.

– Pode ser. Você acha...?

Mas o jovem alto e a escocesa ruiva passaram por ele, fecharam a porta da cabine de polícia e saíram correndo pelo gramado.

6

Amy tentava acompanhar o ritmo do Doutor e fazia perguntas ofegantes enquanto corriam.

– Você acha que ela está na casa?

– Acho que está. Sim. Eu meio que tenho um palpite. Uma coisa que ouvi quando era pequeno. Um tipo de fábula moral. Preste atenção, Amy, não deixe que ninguém a induza a perguntar *a eles* que horas são. Se fizerem isso, não responda. É mais seguro assim.

– Sério?

– Receio que sim. E tome cuidado com as máscaras.

– Certo. Então esses alienígenas com quem estamos lidando são perigosos? Usam máscaras e querem que você pergunte as horas?

– Isso parece coisa deles. Sim. Mas meu povo deu um jeito neles muito tempo atrás. É quase inconcebível... – Ele parecia preocupado.

Os dois pararam de correr quando chegaram à Claversham Row.

– E se é quem eu penso que é, o que eu penso que é... eles... ele... são... só há uma coisa sensata a fazer.

A expressão preocupada em seu rosto desapareceu tão depressa quanto surgira, substituída por um sorriso.

– E o que é?

– Fugir – respondeu o Doutor ao tocar a campainha.

Um momento de silêncio, e então a porta foi aberta e uma menina os fitou. Ela não devia ter mais que onze anos e usava tranças.

– Oi – disse ela. – Meu nome é Polly Browning. Como vocês se chamam?

– Polly! – exclamou Amy. – Seus pais estão muito preocupados com você.

– Só vim aqui pegar meu diário – disse a menina. – Ele estava debaixo de um taco solto no meu antigo quarto.

– Seus pais passaram o dia todo procurando você! – contou Amy.

E ficou se perguntando por que o Doutor não dizia nada.

A menininha – Polly – olhou para o relógio em seu pulso.

– Estranho. Pelo relógio, só estou aqui há cinco minutos. Cheguei às dez da manhã.

Amy sabia que já devia ser algo em torno do fim da tarde. Sem pensar, perguntou:

– Que horas são agora?

Polly olhou para Amy com ar de satisfação. Dessa vez, Amy teve a impressão de que havia algo estranho com o rosto da menina. Algo achatado. Algo que quase parecia uma máscara...

– É hora de você entrar na minha casa – respondeu a menina.

Amy piscou. Teve a impressão de que o Doutor e ela foram parar no hall de entrada da casa sem nem terem se mexido. A menina estava de pé no degrau da escada de frente para os dois. Seu rosto estava nivelado com o deles.

– O que você é? – perguntou Amy.

– Nós somos o Kin – respondeu a menina, que não era uma menina.

Sua voz ficou mais grave, mais sombria e gutural. Para Amy, aquela criatura se parecia com algo agachado, algo enorme usando uma máscara de papel com o rosto de uma menina grosseiramente rabiscado nela. Amy não conseguia entender como podia ter sido levada a acreditar que aquele era um rosto de verdade.

– Ouvi falar de você – disse o Doutor. – Meu povo considerava você...

– Uma abominação – completou a coisa agachada com a máscara de papel. – E uma violação de todas as leis do tempo. Eles nos afastaram do restante da Criação. Mas eu escapei e, consequentemente, nós escapamos. E estamos prontos para recomeçar. Já começamos a comprar este mundo...

– Você está reciclando dinheiro através do tempo – retrucou o Doutor. – Comprando este mundo com ele, começando com esta casa, a cidade...

– Doutor? O que está acontecendo? – perguntou Amy. – Você poderia me explicar alguma coisa?

– Posso explicar tudo – respondeu o Doutor. – Meio que gostaria de não poder. Eles vieram para dominar a Terra. Vão se transformar na população do planeta.

– Ah, não, Doutor – disse a enorme criatura agachada com a máscara de papel. – Você não entende. Não é por isso que estamos dominando o planeta. Vamos tomar este mundo e deixar a humanidade se extinguir simplesmente para trazer você aqui, agora.

O Doutor pegou a mão de Amy e gritou:

– Corra!

Ele partiu em direção à porta da casa...

... e se viu no patamar da escada.

– Amy! – gritou.

Mas não houve resposta. Algo roçou em seu rosto: uma coisa que ao toque pareceu ser pelo de animal. Afastou-o bruscamente com a mão.

Havia uma porta aberta, e ele foi até ela.

– *Olá* – disse a pessoa no quarto com uma voz sussurrante de mulher. – Estou *tão* feliz que tenha vindo, Doutor.

Era Margaret Thatcher, a primeira-ministra do Reino Unido.

– Você *sabe* quem somos, querido? – perguntou ela. – Seria uma *pena* tão grande se não soubesse.

– O Kin – respondeu o Doutor. – Uma população composta por uma criatura apenas, mas que é capaz de se deslocar pelo tempo com tanta facilidade e tão instintivamente quanto um ser humano atravessa a rua. Só havia um de você. Mas você conseguiria povoar um lugar ao se deslocar para trás e para a frente no tempo até haver centenas, depois milhares e milhões, todos interagindo uns com os outros em momentos diferentes dentro da sua própria linha do tempo. E isso continuaria até que a estrutura local do tempo se partisse como madeira podre.

Você precisa de outras criaturas, pelo menos no início, para perguntar que horas são e criar a superposição quântica que lhe permita se ancorar a um ponto no espaço-tempo.

– Muito *bom* – elogiou a sra. Thatcher. – Você *sabe* o que os Senhores do Tempo disseram quando varreram nosso mundo? Disseram que, como *cada um* de nós era o Kin num ponto diferente do tempo, matar qualquer um de nós seria cometer um genocídio contra a nossa espécie. Você não pode *me* matar, porque me matar é matar a *todos* nós.

– Você sabe que sou o último Senhor do Tempo?

– Ah, *sim*, querido.

– Vejamos. Você pega o dinheiro da Casa da Moeda enquanto ainda está sendo impresso, compra coisas com ele no tempo, utilizando o mesmo dinheiro várias vezes e devolvendo tudo instantes depois. Você o recicla através do tempo. E as máscaras... Imagino que aumentem o poder de persuasão. As pessoas ficam muito mais inclinadas a vender propriedades grandes e importantes, lugares que pertencem à nação, e não a um simples indivíduo, quando acreditam que é o líder do seu país quem as está requisitando pessoalmente... e, por fim, você vende o lugar inteiro para si mesmo. Você vai matar os seres humanos?

– Isso *não é* necessário, querido. Nós até faremos reservas para eles: Groenlândia, Sibéria, Antártida... mas eles *vão* se extinguir mesmo assim. Vários bilhões de pessoas morando em lugares que mal conseguem acomodar uns poucos milhares. Bem, querido... *não vai* ser algo bonito de ver.

A sra. Thatcher se mexeu. O Doutor se concentrou em vê-la como era. Fechou os olhos. Ao abri-los, viu uma figura parruda com uma máscara tosca e uma foto da Margaret Thatcher presa a ela.

O Doutor esticou a mão à frente e arrancou a máscara do Kin.

Ele conseguia ver beleza onde os seres humanos não viam. Gostava de todas as criaturas, mas o rosto do Kin era difícil de apreciar.

– Você... você provoca repulsa em si mesmo – disse o Doutor. – Caramba. É por isso que usa máscaras. Você não gosta da sua cara, não é mesmo?

O Kin nada disse. Seu rosto, se é que aquilo era o rosto dele, se retorceu e contorceu.

– Cadê a Amy? – perguntou o Doutor.

– Estava sobrando – respondeu outra voz, parecida, atrás dele. Um homem magro com uma máscara de coelho que lhe cobria todo o rosto. – Nós a deixamos ir embora. Só precisávamos de você, Doutor. A prisão dos Senhores do Tempo foi uma tortura para nós porque ficamos confinados a ela e reduzidos a apenas um. Você também é o único da sua espécie. E vai ficar aqui nesta casa para sempre.

O Doutor andou de cômodo em cômodo, examinando tudo à sua volta com cuidado. As paredes da casa estavam maleáveis e cobertas por uma camada fina de pelo. Mexiam-se delicadamente, para dentro e para fora, como se estivessem...

– Respirando. O cômodo ganhou vida. Literalmente.

E completou:

– Devolva a Amy. Vá embora daqui. Vou achar um lugar para você. Além do mais, você não pode simplesmente continuar assim, indo e voltando no tempo, sem parar. Isso bagunça as coisas.

– E, quando bagunçar, nós recomeçaremos em algum outro lugar – disse a mulher com máscara de gato na escada acima dele. – Você ficará confinado até que sua vida chegue ao fim. Envelhecer aqui, regenerar aqui, morrer aqui, sem parar. Nossa prisão só vai deixar de existir quando o último Senhor do Tempo perecer.

– Você acha mesmo que é tão fácil assim me deter? – perguntou o Doutor.

Era sempre uma boa ideia parecer estar no controle, não importando o quanto estivesse com medo de ficar preso ali para sempre.

– Rápido! Doutor! Aqui em baixo!

Era a voz de Amy. Ele desceu a escada de três em três degraus, indo para o lugar de onde a voz dela tinha vindo: a porta da casa.

– Doutor!

– Estou aqui.

Ele tentou abrir a porta. Estava trancada. O Doutor sacou sua chave de fenda sônica e usou-a na maçaneta.

Ouviu-se um som metálico abafado e a porta se escancarou; a claridade repentina do dia teve um efeito cegante. O Doutor avistou, satisfeito, sua amiga e uma grande e familiar cabine de polícia. Ele não soube quem abraçar primeiro.

– Por que você não entrou? – perguntou a Amy ao abrir a porta da TARDIS.

– Não consigo achar a chave. Devo ter deixado cair enquanto eles me perseguiam. Para onde vamos agora?

– Para algum lugar seguro. Bom, mais seguro pelo menos. – Ele fechou a porta. – Você tem alguma sugestão?

Amy parou na base da escada da sala de controle e olhou em volta para aquele mundo reluzente de cobre, para a coluna de vidro que atravessava de cima a baixo o painel de controle da TARDIS, para as portas.

– Ela é impressionante, não é mesmo? – disse o Doutor. – Nunca me canso de olhar para essa boa e velha garota esperta.

– Sim, a boa e velha garota esperta – comentou Amy. – Acho que deveríamos ir para o verdadeiro início dos tempos, Doutor. O instante mais remoto de todos. Eles não conseguirão nos encontrar lá, e poderemos pensar no que fazer depois.

Ela olhava para o console por sobre o ombro do Doutor, vendo suas mãos se moverem, como se estivesse determinada a não esquecer nada do que ele fazia. A TARDIS não estava mais em 1984.

– O início dos tempos? Muito inteligente, Amy Pond. É um lugar que nunca visitamos. Um ponto ao qual normalmente não deveríamos ser capazes de ir. Que bom que tenho isto aqui.

Ele ergueu o treco enroscado e acoplou-o ao console da TARDIS, usando presilhas-jacaré e o que parecia ser um pedaço de corda.

– Pronto – disse ele, com orgulho. – Veja isso.

– Sim – disse Amy. – Nós escapamos da armadilha do Kin.

Os motores da TARDIS começaram a roncar e a sala inteira trepidou e vibrou.

– Que barulho é esse?

– Estamos a caminho de um lugar ao qual a TARDIS não foi feita para ir. Um local aonde eu não ousaria ir sem o treco enroscado nos proporcionando uma aceleração extra e nos dando uma bolha temporal. O barulho é o motor reclamando. É como subir uma ladeira bem íngreme com um carro velho. Ainda vamos demorar alguns minutos para chegar lá. Mesmo assim, você vai gostar quando chegarmos: o início dos tempos. Excelente sugestão.

– Tenho certeza de que vou gostar – respondeu Amy, com um sorriso. – Deve ter sido uma sensação tão boa escapar da prisão do Kin, Doutor.

– Essa é a parte estranha – disse o Doutor. – Você me pergunta sobre a fuga da prisão do Kin. E com prisão você se refere a casa. Quer dizer, eu escapei de fato, só de usar a chave de fenda sônica na maçaneta, o que foi um pouco conveniente demais. Mas e se a armadilha não fosse a casa? E se o que o Kin de fato queria não era um Senhor do Tempo para torturar e matar? E se queria algo muito mais importante? E se queria uma TARDIS?

– Por que o Kin quereria uma TARDIS? – perguntou Amy.

O Doutor olhou para Amy. Seu olhar era direto, sem qualquer sombra de raiva ou dúvida.

– O Kin não consegue viajar muito longe através do tempo. Não é tão fácil assim para ele. E fazer o que faz é demorado e demanda um grande esforço. O Kin teria que viajar para trás e para a frente no tempo quinze milhões de vezes só para povoar Londres.

"Mas e se o Kin tivesse todo o Tempo e o Espaço do mundo, pelos quais pudesse se deslocar? E se ele voltasse para o momento exato da criação do universo e começasse sua existência ali? Ele seria capaz de povoar *tudo*. Não haveria seres inteligentes em todo o continuum do espaço-tempo que não fossem o Kin. Uma só criatura preencheria o universo, não deixando espaço para mais nada. Dá para imaginar isso? Você consegue imaginar uma coisa dessas?"

Amy umedeceu os lábios.

– Sim – respondeu ela. – Consigo.

– Ele só precisaria entrar numa TARDIS e ter um Senhor do Tempo nos controles, e o universo seria sua área de lazer.

– Seria, sim – disse Amy, o sorriso cada vez mais largo. – E será.

– Estamos quase chegando – disse o Doutor. – O início dos tempos. Por favor. Diga-me que a Amy está bem, onde quer que ela esteja.

– Por que eu diria uma coisa dessas? – perguntou o Kin com a máscara de Amy Pond. – Não é verdade.

7

Amy ouviu o Doutor descer as escadas. Ela escutou uma voz que lhe soou estranhamente familiar chamando por ele e em seguida um ruído que encheu de desespero seu coração: o *vuorp vuorp* cada vez mais distante de uma TARDIS se desmaterializando.

A porta se abriu naquele exato instante e ela botou o pé no hall de entrada da casa.

– Ele deixou você para trás – disse uma voz grave. – Como é a sensação de ser abandonada?

– O Doutor não abandona os amigos – respondeu Amy para a coisa nas sombras.

– Abandona, sim. Nesse caso, está claro que foi o que acabou de fazer. Você pode esperar o quanto quiser, ele nunca mais vai voltar – retrucou a coisa, saindo da escuridão para a penumbra.

Ela era enorme. Sua forma era humanoide, mas também animal. (*Lupino*, pensou Amy Pond ao dar um passo atrás, afastando-se da coisa.) Ela estava disfarçada, com uma máscara de madeira pouco convincente, que parecia querer representar um cão raivoso ou talvez um lobo.

– Ele está levando alguém que acredita ser você para uma volta na TARDIS. E em poucos instantes a realidade será reescrita. Os Senhores do Tempo reduziram o Kin a uma criatura solitária e afastada do restante da Criação. Por isso, é justo que um Senhor do Tempo nos devolva a nosso devido lugar na ordem das coisas: todos os outros seres me servirão; ou serão eu, ou comida para mim. Pergunte-me que horas são, Amy Pond.

– Por quê?

Havia mais deles agora: figuras sombrias. Uma mulher com rosto de gato na escada. Uma garotinha no canto. O homem com cabeça de coelho parado atrás dela disse:

– Porque será um jeito limpo de morrer. Uma forma fácil de ir. Em poucos instantes, você nem terá existido de qualquer maneira.

– Pergunte-me – pediu a figura com máscara de lobo à sua frente. – Diga: "Que horas são, sr. Lobo?"

A reação de Amy Pond foi estender a mão à frente e puxar a máscara de lobo do rosto daquela coisa enorme, e, com isso, ela viu o Kin.

Olhos humanos não foram feitos para olhar para o Kin. A confusão arrepiante, contorcida e retorcida que era o rosto do Kin tinha uma aparência assustadora; as máscaras eram usadas tanto para o bem dele quanto para o dos outros.

Amy Pond olhou fixamente para o rosto do Kin. E disse:

– Pode me matar, se é isso que vai fazer. Mas não acredito que o Doutor tenha me abandonado. E não vou perguntar a você que horas são.

– Pena – disse o Kin, com seu rosto de pesadelo.

E partiu para cima dela.

Os motores da TARDIS roncaram uma vez, bem alto, e então silenciaram.

– Chegamos – anunciou o Kin.

Sua máscara de Amy Pond estava reduzida a rabiscos planos do rosto de uma garota.

– Chegamos ao começo de tudo – disse o Doutor –, porque é onde você quer estar. Mas estou preparado para fazer isso de outro jeito. Eu poderia encontrar uma solução para você. Para todos vocês.

– Abra a porta – rosnou o Kin.

O Doutor abriu a porta. O vento que soprava ao redor da TARDIS empurrou o Doutor para trás.

O Kin parou no vão da porta.

– É tão escuro.

– Estamos bem no começo de tudo. Antes da luz.

– Eu vou entrar no Vazio – disse o Kin. – Você vai me perguntar: "Que horas são?" E eu responderei para mim mesmo, para você, para toda a Criação: *É hora de o Kin governar, ocupar, invadir. É hora de o universo virar apenas eu e meu, e o que quer que eu conserve para devorar. É hora do primeiro e do último reinado do Kin, um mundo sem fim, por todos os tempos.*

– Eu não faria isso se fosse você – avisou o Doutor. – Ainda dá tempo de mudar de ideia.

O Kin jogou a máscara de Amy Pond no chão.

E empurrou o batente da porta da TARDIS, lançando-se no Vazio.

– Doutor – gritou ele. Seu rosto era uma massa retorcida de larvas. – Pergunte-me que horas são.

– Posso fazer melhor que isso – disse o Doutor. – Posso lhe *dizer* que horas são. Nenhuma. É exatamente Hora Nenhuma. É um microssegundo antes do Big Bang. Nós não estamos no início dos tempos.

"Os Senhores do Tempo não gostavam de genocídios. Eu mesmo não sou muito fã deles. Você destrói um potencial. E se, um dia, surgisse um Dalek bom? E se..." Ele fez uma pausa. "O espaço é grande. O tempo é maior ainda. Eu teria ajudado você a achar um lugar no qual poderia viver. Mas havia uma garota chamada Polly, e ela esqueceu o diário em casa. E você a matou. Isso foi um erro."

– Você não sabia nada sobre ela – gritou o Kin do Vazio.

– Ela era uma criança – disse o Doutor. – Puro potencial, como todas as crianças em todos os lugares. Eu sabia o suficiente.

O treco enroscado acoplado ao console da TARDIS começou a soltar fumaça e faíscas.

– Seu tempo acabou, literalmente. Porque o Tempo só começa depois do Big Bang. E se qualquer parte de uma criatura que habita o tempo for retirada do tempo... bem, você está sendo retirado do cenário como um todo.

O Kin entendeu. Ele entendeu que, naquele instante, o Tempo e o Espaço eram uma minúscula partícula, menor que um átomo, e, enquanto não se passasse um microssegundo e a partícula não explodisse, nada aconteceria. Nada *poderia* acontecer. E o Kin estava do lado errado do microssegundo.

Afastadas do Tempo, todas as outras partes do Kin foram deixando de existir. O Ele que eram Eles sentiu o jorro da inexistência cair sobre si.

No princípio – antes do princípio – havia uma palavra. E a palavra era "Doutor!".

Mas a porta fora fechada e a TARDIS desaparecera implacavelmente. O Kin foi deixado para trás, sozinho, no Vazio antes da Criação.

Sozinho, para sempre naquele instante, esperando pelo início do Tempo.

8

O jovem de paletó de tweed deu a volta ao redor da casa no fim da Claversham Row. Bateu à porta, mas ninguém atendeu. Ele voltou para dentro da cabine azul e mexeu no menor dos controles: era sempre mais fácil viajar mil anos do que vinte e quatro horas.

Fez uma nova tentativa.

Ele conseguia sentir as linhas do tempo se emaranhando e reemaranhando. O tempo é algo complexo: nem tudo que aconteceu, de fato aconteceu. Só os Senhores do Tempo entendiam isso e, mesmo assim, consideravam esse conceito impossível de descrever.

À frente da casa na Claversham Row havia uma placa suja de *À Venda*.

Ele bateu à porta.

– Olá – disse. – Você deve ser Polly. Estou procurando Amy Pond.

A menina usava tranças. Ela olhou desconfiada para o Doutor.

– Como você sabe meu nome? – perguntou.

– Eu sou muito esperto – respondeu o Doutor, sério.

Polly deu de ombros. Voltou para dentro de casa e o Doutor a seguiu. Não havia, ele reparou com alívio, pelo nas paredes.

Amy estava na cozinha, tomando chá com a sra. Browning. A Rádio Quatro tocava ao fundo. A sra. Browning falava de seu trabalho como enfermeira e da quantidade de horas que precisava trabalhar, e Amy dizia que seu noivo era enfermeiro e que ela sabia muito bem como era.

Quando o Doutor entrou, ela olhou fundo nos olhos dele. Um olhar que parecia dizer: *Você me deve muitas explicações.*

– Achei que estaria aqui – disse o Doutor. – Se eu continuasse procurando.

* * *

Eles deixaram a casa na Claversham Row. A cabine de polícia azul estava estacionada no fim da rua, debaixo de algumas castanheiras.

– Num instante – disse Amy – eu estava prestes a ser comida por aquela criatura. No seguinte, estava sentada na cozinha, falando com a sra. Browning e ouvindo rádio. Como você fez isso?

– Eu sou muito esperto – respondeu o Doutor.

Aquela era uma boa frase, e ele estava decidido a dizê-la sempre que possível.

– Vamos para casa – avisou Amy. – Será que Rory vai estar lá desta vez?

– Todo mundo estará lá – retrucou o Doutor. – Até o Rory.

Eles entraram na TARDIS. O Doutor já havia retirado os restos empretecidos do treco enroscado do console: a TARDIS não conseguiria mais chegar ao instante antes do início do tempo, mas, levando tudo em consideração, isso tinha de ser uma coisa boa.

Ele planejava levar Amy direto para casa, fazendo apenas uma escala rápida na Andaluzia durante a era da cavalaria medieval, onde, numa pequena estalagem no caminho de Sevilha, haviam lhe servido, em certa ocasião, o melhor gaspacho que já comera na vida.

O Doutor tinha quase certeza absoluta de poder encontrá-la de novo...

– Vamos direto para casa – disse ele. – Depois do almoço. E, durante o almoço, eu contarei para você a história de Maximelos e os três ogrons.

O Décimo Segundo Doutor: Luzes Apagadas

HOLLY BLACK

Tradução de
Viviane Diniz

I

O espaço é tão escuro que olhar lá para fora confunde o cérebro. Quanto mais se olha para sua vastidão, para as estrelas suspensas e as galáxias torvelinhantes, mais se percebe quão imprecisas são as palavras como "escuro", "preto" e "infinito". Há tantos gradientes de sombra, todos eles apavorantes para mim.

É por isso que mantenho as luzes acesas.

Sei que é bobagem. Já se passaram muitos anos desde os espaços restritos da minha infância na creche da Colônia de Pesquisa Collabria. Mas no escuro é sempre possível haver *coisas* por perto: seres de máscara à espreita, com mãos frias e agulhas afiadas. Coisas terríveis que eu não consigo ver. Ultimamente, até mesmo os meus sonhos estão repletos de monstros.

É por isso que gosto de viajar sozinho. Aqui, em minha nave, acompanho assinaturas de calor para me certificar de que sou o único a bordo. Posso manter tudo bem claro do jeito que eu gosto. Posso ver meu compartimento de carga – atualmente vazio e à espera de uma nova remessa de grãos de café recém-torrados da Estação Intergaláctica da Torra de Café (ou EITC) – bem daqui do console da sala de controle. Mas, independentemente de todas essas precauções, continuo olhando toda hora para trás. Meu coração martela no peito, minha pele fica úmida e toda arrepiada. Que bom que raramente tenho de deixar minha nave.

Depois de sair de Collabria, morei em vários lugares, vivendo com dificuldade. Até mesmo assinei um contrato com a Empresa Mineradora Galatron. Sempre fui grande para a minha idade, então eles não questionaram nada, mesmo eu não tendo certeza de que era estritamente legal. Trabalhei três anos para eles, peneirando areia vermelha e respirando veneno, mas no fim economizei o suficiente para comprar uma nave de segunda mão.

Foi perto do fim do período em que trabalhei nas minas que o medo começou. Houve um desmoronamento e fiquei preso bem no fundo da terra. Sem ar. Um calor terrível. O pavor cresceu dentro de mim na escuridão.

No início, temi que estar a bordo de uma nave fosse me dar a mesma sensação de ficar preso embaixo da terra ou em um daqueles berços da creche que mais pareciam gaiolas, mas, em vez disso, me senti muito mais perto da liberdade. Eu mesmo restaurei a nave, aprendendo sozinho com a ajuda de um grande livro antigo. Agora ela funciona bem o suficiente para eu ter um trabalho fixo – meu primeiro – transportando café.

Minha rota entre a EITC e o Planeta dos Cafés é longa e difícil. Passo meu tempo assistindo a *holovids*, me pulverizando névoa de mentira, trocando mensagens com 78342 e 78346 da creche (ultimamente, 78342 passa horas reclamando porque as antenas secundárias dela finalmente nasceram e, desde então, os garotos vêm lhe dando mais atenção) e evitando dormir. Deveria ser maçante navegar pelo mesmo velho mar de estrelas na mesma velha nave, mas não me sinto assim mesmo. Sinto-me caçado, como se eu não quisesse diminuir o ritmo por medo de algo desconhecido e sufocante que está sempre bem nos meus calcanhares.

É difícil deixar o passado para trás. É preciso ir mais rápido do que minha nave decadente é capaz.

Mexendo nos controles, vejo o reflexo do meu rosto na superfície de vidro polido – minha pele cinza manchada e a língua bifurcada que sente o ar à minha volta sem que eu sequer perceba que estou fazendo isso a metade do tempo. Meus olhos estão cheios de veias vermelhas, e minha cara é a de quem deveria dormir mais.

Mas o que realmente preciso é de mais café.

A Estação Intergaláctica da Torra de Café orbita o planeta Chloris, que tem o clima ideal para o cultivo dos grãos supercafeinados que o tornaram famoso. As pessoas dizem que a EITC é o lugar com mais cafeína do universo. Dizem que o ar de lá até acorda os que acabaram de morrer, faz crescer cabelo em seus olhos e recarrega baterias gastas.

Eu gosto de lá. Por estranho que pareça, me sinto menos nervoso quando estou na estação, embora eu possa ser o único. A cafeína me acalma. Me preocupo de estar ficando viciado, mas talvez seja o risco de um trabalho como o meu.

Quando aporto, meu cronômetro me diz que estou um pouco adiantado. Vou lá fora e deixo minhas impressões digitais em um monte de formulários oficiais para um vinvocci espinhento, enquanto robôs carregam meu compartimento de carga com sacos de café que brilham como mogno, pegajosos de óleo. Vou sentir o cheiro deles na viagem de volta mesmo dentro da câmara de vácuo. Isso é sempre um bônus.

O vinvocci me diz algo e, quando viro para responder, ele dá um passo para trás. Acho que sou um pouco intimidador quando não se sabe como sou jovem: grande, um pouco curvado e tímido demais para sorrir quando eu deveria. Em razão da infância que tive, não sei como falar com as pessoas ou deixá-las à vontade. Assino seu *datapad*, volto para a nave, abro um pacote com o jantar, como e me preparo para dormir. Enquanto olho para o teto por cima da cama, me lembro com alegria que amanhã, antes de eu sair, vou tomar uma xícara de café – café de verdade, escaldante e preparado na estação por baristas que sabem o que estão fazendo, e não feito no bule velho e manchado de ferrugem da minha nave.

Minha boca se enche de água só de pensar.

Não gosto de dormir porque, por mais claro que o quarto esteja, quando fecho os olhos, fico no escuro.

Também não gosto dos meus sonhos. Deitado ali, me pego pensando em dar uma fugida para tomar um café rápido, mas a loja está fechada. Será que consigo encontrar alguns grãos soltos? *Não*, digo para mim mesmo, procurando me concentrar em como 78342 vai ficar impressionada quando eu tiver economizado o suficiente para conseguir um lugar só nosso em um dos sistemas estelares mais bonitos. E

78346 também. Vamos viver todos juntos e não vou precisar ficar mais nervoso por nada, porque eles vão estar sempre olhando por cima do meu ombro para mim.

Quando acordo, as luzes estão apagadas e meu coração, disparado. Por um longo instante, penso que ainda estou no mesmo velho pesadelo, mergulhado na escuridão, a pele coçando. Procuro a tela do computador na parede. Aos poucos, o quarto se ilumina. Pisco rapidamente. Devo ter batido no interruptor de luz no meio da noite.

Ainda grogue, vou cambaleando até o chuveiro, coloco no mais quente possível e deixo o calor limpar a sujeira e o suor de nervoso da minha pele.

Existe uma lenda que diz que se você beber bastante café na Estação Intergaláctica pode ficar acordado por pelos menos uma semana. Naquele instante, isso me parece uma boa ideia.

Então me visto e caminho pelos corredores até a cafeteria. É pequena, suja e só fica aberta por algumas horas porque não querem que o pessoal do transporte – como eu – consuma muito do que têm de bom. Também está cheia de trabalhadores da estação, além de alguns viajantes que pararam porque sentiram falta de um café forte o suficiente para levantar um sistema estelar. Atrás do bar, junto às máquinas borbulhantes e fumegantes, vejo uma barista de pele roxa e seis braços. Ela prepara expressos e leite com espuma mais rápido do que consigo acompanhar.

Olhando ao redor da sala, vejo um pequeno graske pedindo dinheiro a um terileptil de capa. Acho que já os vi na estação antes. Um blowfish com um tapa-olho se senta em um canto escuro nos fundos, examinando a loja com um olhar sinistro no rosto. Em uma das mesas, um grupo de trabalhadores de macacão relaxa, rindo juntos. Em outra, uma soldada olha melancolicamente para o fundo da xícara.

A fila é curta e estou no final; no balcão, vejo uma mulher usando uniforme militar. Entre nós está um homem magro como um *whippet* com um casaco azul-marinho de forro vermelho. Ele se vira para olhar para mim com olhos cinzentos fundos e penetrantes, e franze as impressionantes sobrancelhas prateadas.

– Estou comprando um café – diz ele. – Para uma garota.

– Ah – digo, me perguntando se as antenas secundárias dela apareceram. É o que parece. – Que ótimo.

– Ela acha que estou comprando um café terráqueo do século XXI – continua ele, balançando-se nos calcanhares. – Ela não vai ficar surpresa? Acho que sou mesmo do tipo encantador. Quer dizer, o café daqui não é tão bom quanto aquele incrível feito por Elisabeth Pepsis, é claro, ou aquela coisa impressionante que Benton costumava fazer... qual era mesmo o primeiro nome dele? Ah, sim, Sargento. Sargento Benton. Tinha algo a ver com a temperatura da água, ele disse. Mas esse é bom mesmo assim. Clara está um pouco irritada comigo, mas, quando provar isso, seu humor vai melhorar muito. Ou talvez não, mas pelo menos ela vai tomar café.

– Clara? – repito. Ele disse um monte de nomes, mas esse parece ser o mais importante.

Ele faz que sim.

– Ela é *impossível.*

– Você parece tão familiar – digo, antes de pensar melhor a respeito.

O homem que ele me lembra era muito diferente, mas falava com a mesma pressa alegre e vertiginosa. Eu entendia menos da metade do que aquele homem dizia, mas ele salvou minha vida, então eu estava determinado a dar atenção a qualquer um que fosse mesmo que ligeiramente parecido com ele.

O homem franze ainda mais a testa. Suas sobrancelhas fazem coisas que eu nem desconfiava de que fossem capazes.

– Não ouço muito isso.

– Ele se chamava Doutor e me salvou...

– Ahhhhh, certo – diz ele, interrompendo-me. – Fiz você se lembrar de *mim.* Ah, bem, isso faz muito mais sentido.

– O quê?

Naquele momento, um humano sem nenhuma característica marcante e vestido de cinza entra na fila atrás de mim. Ele usa uma máscara hospitalar sobre a metade inferior do rosto – do tipo branco, de papel, que os cientistas sempre usavam na creche. Mesmo que eu só possa ver seus olhos, ele parece terrível e desconfortavelmente familiar. Poderia ser realmente um dos cientistas?

– Eu *sou* o Doutor – diz o homem das sobrancelhas peculiares, parecendo bastante orgulhoso disso. – Aposto que vivemos bons momentos, não é?

Não sei como responder a isso porque não faz nenhum sentido. Se ele realmente *é* o Doutor, então deve se lembrar de ter ido a Collabria e notar a semelhança da figura mascarada atrás de mim com os cientistas de lá. Abro a boca para perguntar quando os moedores de café estremecem até parar, as lâminas triturando-se metalicamente umas contra as outras na ausência repentina dos grãos.

Palavras atônitas escapam da boca da barista. Ela até parece surpresa por dizê-las:

– Não tem mais café!

Os grãos tinham parado automaticamente de alimentar as máquinas, vindos de uma calha no teto. Na Estação Intergaláctica da Torra de Café, essa era a pior coisa que poderia acontecer.

Em seguida, as luzes se apagam.

Para mim, isso é ainda pior.

Todos ao meu redor gritam. Sinto aquele terror familiar, tão intenso que não consigo pensar em mais nada. Quero correr, mas sinto frio e calor ao mesmo tempo e não consigo controlar os pés. Quando penso que eu seria capaz de me mover novamente, as luzes voltam a se acender. Eu busco o ar.

O homem com a máscara hospitalar desapareceu, mas caído no chão de metal vejo o corpo da soldada que estava à frente do Doutor na fila. Ela ainda está com uma xícara na mão, derramando seu precioso conteúdo no piso acinzentado. A fumaça do café que acabou de sair não parece trazê-la de volta à vida, como diz a lenda.

Ela está morta.

Não é o primeiro corpo que vejo, mas é o primeiro desde as minas. E eu esperava nunca mais ver outro.

2

Fico lá parado, sem saber o que fazer. Estou assustado – todos estão –, mas pelo menos, pela primeira vez em meses, não sou o único com medo.

A barista roxa está com três das seis mãos sobre a boca, olhando chocada para o corpo.

– A última xícara de café! – grita o graske, jogando-se ao chão para sorver a poça que se espalhava.

O café provoca coisas diferentes nas diferentes criaturas. Para a maioria de nós, serve para despertar, nos deixa mais alertas, ajuda a nos concentrarmos. Para alguns, porém, é um sedativo, fazendo com que adormeçam suavemente. Para outros, é um alucinógeno. E, para alguns, como o pequeno graske que agora cambaleia para fora dali com um sorriso idiota no rosto, o café parece realmente induzir uma onda de pura felicidade.

O Doutor olha para baixo e parece surpreso de encontrar o corpo ainda lá.

– Olá? Alguém precisa fazer alguma coisa.

– Chamem um doutor! – diz a barista.

Ele suspira.

– Ah, bem, então sou eu. O Doutor, a seu serviço. Suponho que ela não tenha morrido de causas naturais. – De repente, parece-lhe ocorrer uma coisa. – A menos que *você* a tenha envenenado. Você a envenenou?

A barista parece tão desconcertada quanto eu.

Acima, um alto-falante ganha vida:

"ATENÇÃO. UMA FORMA DE VIDA NÃO ESTÁ SENDO LOCALIZADA. ERRO NO CENTRO DE CONTROLE

DETECTADO. A ESTAÇÃO ESPACIAL ESTÁ FECHADA ATÉ MAIS INFORMAÇÕES SEREM COLETADAS. NENHUMA NAVE DEVE PARTIR OU ATERRISSAR SEM PERMISSÃO. O ACESSO À ÁREA DE PROCESSAMENTO DE CAFÉ ESTÁ RESTRITO."

Os outros clientes do café parecem sair subitamente do estado de choque e entrar em pânico. Alguns estão tentando entrar em contato com suas naves. Vários saem depressa, mas acabam voltando alguns instantes depois para informar que os corredores foram bloqueados. As pessoas sacam vários dispositivos de comunicação. O terileptil tira uma concha debaixo da capa e grita nela, parecendo irritado.

– Ninguém vem investigar? – pergunta um homem com nariz de porco.

A barista está falando em um comunicador. Ela se vira para ele, claramente frustrada.

– Não há muitas pessoas na estação. A maioria é robô. Estão mandando alguém do planeta, mas vai levar horas.

– Isso é ridículo – diz uma mulher siluriana de macacão de operária.

– Envenenamento não é uma *causa natural* – ressalto ao doutor, porque alguém deveria fazer isso.

O Doutor olha surpreso.

– Gosto de alguma coisa em você. Além disso, você me conheceu antes, o que com certeza diz muito a respeito das companhias com quem anda. Então tem que ser meu companheiro até resolvermos este mistério.

– Serei seu o quê?

– Sim, é bem simples. Só me ajude, me lembre como sou brilhante, note coisas que eu já percebi, me faça perguntas cujas respostas sejam tão incrivelmente óbvias que nunca me ocorreria explicar. Está interessado?

– Hã – digo. No alto, as luzes piscam. – Você é mesmo o Doutor? O mesmo que esteve na Colônia de Pesquisa em Collabria? Na creche? Porque parece um pouco diferente...

Ele me olha com seus olhos claros e brilhantes emoldurados por aquelas sobrancelhas perturbadoramente rebeldes.

– Tenho certeza absoluta de que sou o Doutor. Você tem certeza de que é... qualquer que seja o seu nome?

– Então você se lembra de mim? – pergunto esperançoso. – 78351?

Ele me olha com ar examinador.

– Receio que não. Você mudou o cabelo?

Toco minha cabeça careca com uma das mãos e fecho a cara.

– Não importa. – Ele gira em direção ao corpo, tirando um dispositivo do bolso interno do casaco.

Cambaleio para trás, mas então percebo que não é uma arma. O Doutor move o aparelho sobre o corpo até emitir um som estranho.

– Humm – diz ele, resmungando para si mesmo. – A maioria dos humanos, mesmo os que acabaram de morrer, emite uma luz fraca. Algo a ver com os radicais livres. Mas este corpo não. – Ele passa o treco brilhante sobre o corpo. – Nenhuma luz. Nenhum calor. Você sabia que, mesmo no ano cem trilhões, as pessoas ainda tomam café?

Ele pensa um pouco e depois continua:

– Foram as sombras que fizeram isso? Não, não os vashta nerada; eles acabariam com *tudo*. Pode ser um plasmavore; há muitos canudinhos por aqui. Mas o corpo não perdeu sangue, só adrenalina... cortisol. Suas glândulas suprarrenais foram completamente esvaziadas. Não, não, isso deve ser alguma outra coisa, algo novo.

– O que isso tudo significa? – pergunto.

– Certo – diz ele. – Está assumindo seu novo papel. Ótimo. Alguma coisa tirou toda a deliciosa e recém-cafeinada energia dela.

– Era você que estava mais perto dela – diz o blowfish com o tapa-olho. – Talvez tenha sido você que a matou.

As pessoas se aproximam, algumas delas tremendo um pouco, segurando xícaras com apenas borra de café. Todos querem um bode expiatório, e o Doutor – até eu noto – está se comportando de maneira um pouco estranha.

Ele não ajuda em nada sua situação andando por ali com aquele treco na mão, escaneando todo mundo.

– Uma chave de fenda sônica – diz ele, quando as pessoas tentam se afastar. – Só checando.

– Checando o quê? – pergunta um tivoliano com minúsculos óculos de bronze. Ele parece irritado com o assassinato e preparado para ficar ainda mais irritado com a investigação.

– Havia um cientista aqui... – começo, mas não sei como explicar o homem com a máscara hospitalar.

Além disso, não tenho nenhuma evidência de que ele teve algo a ver com o assassinato. Eu não poderia nem provar que ele estava no café. Deve até ser melhor ninguém me dar atenção.

As luzes no alto piscam novamente e um coro de gritos abafados escapa de uma dezena de bocas.

– Precisamos manter as luzes acesas – digo baixinho, mas o Doutor continua me ignorando. Ele está escaneando o tivoliano com os óculos de bronze.

– Eu posso ser um *suspeito* – o Doutor finalmente informa à multidão. – Mas somos todos suspeitos. A questão é: *qual de nós tinha um motivo?*

– Bem, ela estava segurando a última xícara de café – diz um dos espectadores.

As sobrancelhas do Doutor se contraem. Não acho que ele considere isso um motivo, embora pareça bem convincente para mim.

– Quais de vocês a conheciam? – pergunta o blowfish com o tapa-olho. – Ela não estava aqui sozinha.

Vários dos seres na cafeteria se entreolham. Depois de alguns instantes, fica claro que a maioria está olhando para uma soldada com uniforme militar parecido com o que a falecida está vestindo.

– Eu a conhecia – diz a soldada, limpando a garganta. Ela está nervosa, o que a faz parecer culpada. Lembro-me de vê-la olhar melancolicamente para sua bebida. – Estávamos na mesma nave. Ela tinha vindo buscar uma segunda rodada de mocas.

– Ouvi as duas discutindo – diz uma mulher-gato, a garra apontando acusadoramente.

– Não era nada importante. Estávamos falando sobre as mudanças de turno. Ela sempre pegava as melhores horas... é só isso. Ela ia me pagar uma dose extra de expresso para compensar.

Agora todo mundo está prestando atenção à soldada. Todo aquele aglomerado de seres inquietos e com excesso de cafeína. Todos... menos o Doutor. Ele agita sua coisa que parece uma chave de fenda no ar e, em seguida, olha para um tipo de visor. Continua falando para si mesmo, em voz baixa.

– O que o café *faz*? Aumenta a frequência cardíaca. Alarga os vasos sanguíneos. Aumenta a atividade cerebral. *Excitação neural*... sim, isso resultaria em uma grande quantidade de energia. – Então, depois de alguns instantes, ele se vira para a barista e levanta a voz. – Quando as luzes voltaram, o que exatamente você viu? Seja precisa.

– Eu não sei – diz ela. – Acho que parecia que ela estava segurando o peito... na altura do coração. Ou talvez mais para cima, perto do pescoço.

Quero perguntar à barista se ela viu o cientista com a máscara hospitalar, mas acho que não devo interromper.

– Interessante – diz o Doutor, puxando um pouco o colarinho da vítima para dar uma olhada na pele. – Sim, estou vendo. Ou alguém a esfaqueou com duas minúsculas espadas ou algo a mordeu. O que muda um pouco a pergunta. OK, quem tem um motivo e também duas minúsculas espadas? Todos virem seus bolsos para fora.

– Doutor – digo.

Ele me olha serenamente.

– Sim?

Nesse momento, as luzes se apagam novamente.

3

Na escuridão, tudo é diferente. O ar parece pesado. Minha pele coça. Fecho os olhos, mas isso só me faz mergulhar ainda mais fundo no nada. É como estar no espaço, à deriva, sem sequer o conforto das estrelas. É como ser enterrado na terra, enterrado em meu passado, enterrado e procurando cavar uma saída.

Quando as luzes voltam, o blowfish está deitado no chão não muito longe de onde me encontro. Seu tapa-olho caiu, revelando uma pedra preciosa na órbita vazia onde o olho deveria estar. Todos estão gritando. Acho que posso estar gritando junto.

– Cinquenta e um – diz o Doutor, apoiando a mão com tanta força em meu ombro que me calo e viro em direção a ele. Meu corpo todo treme.

Então percebo que o Doutor está *me* chamando de "Cinquenta e um". Ele me deu um apelido. Nunca tive um apelido antes.

– M-Me desculpe – gaguejo. – A escuridão. Ela me i-incomoda.

– Será que é porque, sempre que as luzes se apagam, alguém morre? – pergunta o Doutor, contraindo as sobrancelhas impetuosas. Seus olhos parecem um pouco fundos, sinistros. – Porque isso também me incomoda. Mas boa ideia!

– Que ideia?

– Eu tive uma e foi excelente, e ela me ocorreu por sua causa. – Ele olha para mim como se esperasse que eu parecesse satisfeito. Então caminha rapidamente para a saída.

Eu o sigo. Olho para trás e vejo que muitos dos clientes estão chorando. Alguém está comendo pó de café direto da máquina e duas pessoas estão gritando uma com a outra.

– Aonde vamos? – pergunto.

– Fazer o que você disse. Vamos manter as luzes acesas – diz o Doutor, apontando a chave de fenda para a porta, que se abre. Ele continua a seguir pelo corredor. – Tudo o que precisamos fazer é encontrar o centro de controle principal, descobrir o que está quebrado e consertar.

Sou tomado pelo alívio.

– Sim, as luzes. Eu posso ajudar. Sou bom em descobrir como as coisas funcionam.

Enquanto caminhamos, as lâmpadas no alto piscam e eu estremeço, mesmo estando só nós dois no corredor.

– Quando estávamos na fila, Doutor, você viu um cientista?

– Um cientista? – repete o Doutor, claramente distraído. Ele segura a chave de fenda sônica, monitorando o ar.

– Usando uma máscara hospitalar – digo, pensando nas marcas que o Doutor falou que poderiam ter vindo de duas minúsculas espadas. Marcas de agulha podem ser assim também. – Ele tinha desaparecido quando as luzes voltaram, mas estava lá na fila com a gente antes. Logo atrás de mim.

– Interessante – diz ele, franzindo a testa, concentrado.

Não tenho certeza se ele está realmente prestando atenção no que eu digo.

Depois que o laboratório em Collabria foi destruído, não sei para onde todos os cientistas foram. Eu me pergunto se começaram de novo em algum lugar, em algum outro planeta.

Quando eu era criança, vivia em um berço que parecia uma gaiola. Todos nós vivíamos assim na creche... bem, todos os que eram como eu, pelo menos. Não os cientistas. Não sei onde eles moravam, mas imagino que fosse em algum lugar grande, aberto e limpo. Mas nós, que vivíamos nos berços-gaiola, contávamos o tempo pelas flutuações da fraca luz âmbar, pelos bipes dos monitores e pelo gotejamento de fluidos. 78346 ficava na gaiola ao lado e passava um tentáculo para dentro da minha quando eu estava muito assustado, e eu lhe passava comida quando não lhe davam o suficiente. Nós sussurrávamos um para o outro até os cientistas nos fazerem parar. 78342 ficava em uma gaiola acima da minha. Ela deitava de bruços e nos espiava com seus olhos amarelo-brilhantes. 78342 não podia falar até que lhe enxertaram uma boca e, quando fizeram isso, lhe deram duas, ambas um pouco grande demais para seu rosto. Ela diz que é por isso que não para de falar agora.

Havia outros, todos diferentes uns dos outros, mas nós três éramos os únicos ainda vivos quando o Doutor chegou. Ele nos levou dali na caixa azul. Falou com a gente como se fôssemos crianças normais. Nós gostamos dele.

Quero dizer isso a ele, dizer como ficamos gratos; como seremos sempre gratos. Quero lhe agradecer por me escolher para ser seu assistente, por me dar a oportunidade de observar sua grande mente trabalhando de perto, mas alguma coisa no seu jeito de ser me diz que ele não gostaria de ouvir isso.

– Parece ser aqui – diz o Doutor, apontando para uma porta com uma representação gráfica de interruptores. – O centro de controle da estação.

Nessa hora, as luzes piscantes se apagam completamente. Mergulhamos na escuridão.

Fico apavorado.

Sinto como se houvesse algo conosco, algo enorme e terrível, algo quase em cima de mim, respirando em meu pescoço. De alguma forma, sei que deve ser o cientista. Ele veio me procurar. E agora vai me pegar. Eu me preparo para a picada de uma agulha.

Mas as luzes voltam e está tudo bem – eu ainda estou vivo, assim como o Doutor. Ele olha para mim, estreitando os olhos impetuosos, e eu olho de volta para ele, meu alívio se esvaindo. Nesse momento, ele me assusta quase tanto quanto o escuro.

4

A porta da sala de controle abre quando eu a empurro, o que não parece certo. Uma sala como aquela deveria estar trancada. Quando olho para baixo, vejo que provavelmente já esteve trancada, mas há marcas de queimado em volta do mecanismo da fechadura, como se alguém o tivesse destruído. No entanto, quando toco, vejo que já está fria.

Dentro da sala, mal consigo enxergar. A luz que vem do corredor reflete no painel de controle central e, por um momento, acho que estou vendo um rosto mascarado refletido no metal brilhante. Eu me viro, mas não há ninguém atrás de mim, ninguém mais na sala.

Exceto os dois corpos caídos no chão.

Estão esparramados como se estivessem dormindo. Mas sei que não estão. Sei que estão mortos.

Dou um passo mais para perto e tateio o painel de luz. No alto, as lâmpadas piscam e acendem, iluminando os rostos pálidos dos técnicos. Todo o sangue dos dois coagulou embaixo deles, arroxeando a parte de trás de seus pescoços. Os olhos estão turvos e pálidos, os corpos, rígidos.

O Doutor me seguiu. Ele infla uma única narina do modo como outra pessoa poderia arquear uma sobrancelha.

– Acho que podemos concordar que esta sala foi violada.

Por trás dos corpos, um painel de controle do tamanho da parede pisca com luzes vermelhas e amarelas. Há um buraco no meio, entre as etiquetas que indicam DISPENSER DE CAFÉ e SISTEMA DE ILUMINAÇÃO. Vários fios saem dali em espirais desordenadas e fragmentos de metal retorcido se projetam do buraco como dentes afiados. A coisa toda está tão quente que o ar ondula à sua volta. Acima daquela bagunça há um temporizador, e os números indicam 00:00. Uma bomba, preparada para explodir quando estávamos no café.

O cientista, penso. *O cientista fez isso.*

Estendo a mão e puxo um pedaço de estilhaço de metal. Posso senti-lo quente nas mãos. Minha pele foi projetada para ser resistente ao calor, mas, quando eu o solto, o metal deixa uma marca de queimado no chão.

O Doutor passa a chave de fenda sônica sobre os corpos.

– Eles estão mortos há cerca de 14 horas. O que significa que isso teve início antes de começar.

– O quê?

– Quero dizer que tudo teve início antes do começo. Quando aquela garota caiu na fila, ela não foi a primeira vítima. Então, a nova pergunta é: *quem foi o primeiro?* – E ele bate um único longo dedo na pequena depressão sobre o lábio.

– Você sabe? – pergunto. Estou honrado por ele ter me escolhido como companheiro. Acredito que ele pode resolver isso. Acredito que vai virar e me dizer o que fazer sobre o cientista.

– Você tem uma nave aqui, certo? – diz ele, apontando para uma placa que indica a direção do hangar. – Leve-me até lá.

Ele começa a caminhar pelo corredor. Corro para alcançá-lo, intrigado.

– Não podemos ir lá embaixo.

– Claro que podemos – afirma ele. – Não temos *permissão*, mas isso só torna as coisas um pouco mais emocionantes, não é?

– Não tenho certeza se consigo lidar com mais nenhuma emoção – digo, tentando acompanhá-lo. O casaco ondula à sua volta como se ele fosse um morcego alto, anguloso e sinistro.

Estamos nos aproximando do hangar agora e ele vai até as grandes portas duplas e passa a chave de fenda sônica sobre o painel de entrada. O equipamento chia um pouco e as luzes diminuem.

– Doutor! – grito.

– Só um segundo. Estou quase conseguindo.

E, com isso, as portas começam a se abrir. Na sala seguinte, vemos robôs e alguns técnicos. Eles olham para nós.

– Identifiquem-se – exige um com a voz metálica.

– Estamos só de passagem – diz o Doutor para todos na sala, depois vira para mim. – Qual dessas é a sua?

– Humm, aquela. – Aponto para a porta do hangar onde está minha pequena nave.

Ele me empurra em direção a ela.

– Vai! Vai!

Um dos técnicos se coloca na minha frente.

– Vocês não deviam estar aqui. Houve um assassinato na cafeteria e vai haver uma investiga...

– Já foi feita. O assassino foi encontrado! – grita o Doutor, me agarrando e saindo correndo. – Temos que ir!

O técnico começa a gritar para os robôs nos deterem. Eles se movem ruidosamente em nossa direção, mas é tarde demais. Já estou digitando meu código na nave.

Entramos aos tropeços e eu fecho a porta. Os robôs batem do outro lado.

– Abram! – grita o técnico. – Vocês estão quebrando o bloqueio.

– E agora? – pergunto, meio sem fôlego.

– Nós decolamos – diz o Doutor, como se fosse óbvio.

Ele está no meu console de controle, apertando teclas e movendo interruptores. Não gosto disso. Ele está me assustando, além de estar tomando todas as decisões e mexendo nas minhas coisas. Mas estou com muito medo para lhe dizer para parar.

– E deixar todas essas pessoas? Mas você é o Doutor. Você ajuda as pessoas! Não as abandona.

– Não desta vez – diz ele, parecendo definitivamente feliz. – Não podemos fazer nada. Temos que ir. Agora!

– Espere! – digo, surpreendendo-me, porque não há nada que eu queira mais do que fugir.

Estou sempre fugindo. Até mesmo este trabalho – o transporte de café – tem sido uma espécie de fuga.

– Se você sabe quem é o assassino, então devemos pelo menos...

– AGORA! – grita ele, e há uma força em sua voz que faz com que eu me mova sem sequer pensar melhor a respeito.

Seus olhos claros estão em chamas. Sinto como se estivesse olhando para uma criatura saída do tempo. Um deus olha fixamente para mim por trás da fenda em sua máscara.

Desbloqueio o sistema de ancoragem e ligo os motores. Os técnicos se afastam assim que ouvem a nave ganhar vida. Eles provavelmente vão me denunciar, o que significa que entrarei para a lista negra da Estação Intergaláctica da Torra de Café e terei de encontrar outra maneira de pagar a manutenção da minha nave. Sinto-me culpado até mesmo só de me preocupar com isso quando abandonamos todas aquelas pessoas na cafeteria e me sinto ainda pior por termos deixado todos eles para trás. Penso em tudo isso enquanto decolamos em direção ao mar infinito do espaço.

Então me deixo desabar na área de estar acolchoada – aquela que pode se desdobrar em cama quando eu quero dormir. Está remendada com fita de fibra e meio coberta pelos manuais que venho estudando. De um lado, há uma colagem de fotos, dispostas ao redor do computador embutido na parede – imagens de lugares claros e quentes em que acho que 78342 e 78346 gostariam de morar.

– Eu me lembro de você agora – diz o Doutor, virando para olhar para mim. – O tempo às vezes é meio difícil para mim. Na maioria das vezes é ridiculamente fácil, mas pode me fazer perder as coisas. Coisas importantes. Você está bem crescido, não é, mas não tem toda a idade que parece?

– Acho que sim – respondo, porque não sei direito quantos anos eu tenho.

Uma infância infeliz devia fazer você crescer rápido, mas ainda me sinto como uma criança muitas vezes. Mas ultimamente tem sido estranho. Estávamos todos sempre crescendo, mas não em tantas direções ao mesmo tempo.

– Bem, você já é adulto o bastante para ouvir isso. Foi você que matou aquelas pessoas, Cinquenta e um. Foi você que drenou a energia deles.

Fico olhando para ele. É impossível. Eu estava lá quando aconteceu. Eu estava no escuro, com medo. Queria fugir. Não queria machucar ninguém. Começo a tremer dos pés à cabeça.

– E o cientista? – pergunto. – Aquele da máscara? Eu o vi antes do primeiro ataque no café. E então pensei tê-lo visto de novo refletido no painel do centro de controle.

– Como é que você chama aquilo mesmo? O lugar onde eu o encontrei? A creche. Mas não era exatamente isso, você sabia? Era um laboratório, onde faziam experiências com vocês, crianças, desde que nasciam. Não sei se você já entendeu, se algum dia eles explicaram, mas vocês foram montados, juntando pedaços de uma coisa e de outra... para serem monstros. Eles queriam criar monstros a partir de crianças. Queriam usá-los contra os inimigos e colonizar todas as galáxias. Você acha que está vendo um dos cientistas, mas essa é a forma de sua mente explicar aquilo que não quer aceitar... que uma parte diferente de você, uma parte faminta, está emergindo na escuridão para se alimentar. Às vezes, precisamos nos contar algo importante, tão importante que não dizemos de uma forma direta. Às vezes, só conseguimos fazer isso com um novo rosto. Às vezes, até mesmo um rosto de que não gostamos. Os cientistas fizeram coisas terríveis, mas não fizeram isso.

Eu me encolho. Penso em meu reflexo pálido, nos meus sonhos e em como minha pele parece retesada enquanto ele fala. Penso que sou quase tão alto quanto o Doutor e que tenho certeza de que ainda vou crescer.

Penso se poderia ou não machucá-lo.

Balanço a cabeça para afastar a imagem em que me vejo agarrando-o com minhas mãos enormes e esticando-o até fazê-lo em pedaços como caramelo.

– Entendo como você se sente mais do que possa imaginar – continua ele, acenando seus longos dedos em um gesto que parece indicar muitas coisas. – A monstruosidade pode pegar você de surpresa. Um dia você está andando à toa pelo universo e no outro percebe que é responsável pelo assassinato de sete pessoas. Eu deixei você sair. Sou responsável pela morte de sete pessoas também.

– Sete? – Fico sem ar e me sinto mal.

– Três pessoas morreram na EITC, com vários meses de intervalo. Aposto que, se eu checasse seu diário de bordo, descobriria que esteve na estação em cada uma dessas vezes. Ouvi falar sobre as mortes; foi isso que me deixou interessado. Afinal, quem vai atrás do *terceiro* melhor café do universo?

Isso mesmo. Ele me dissera que tinha ido à EITC para comprar um café para uma garota. Clara. Mas acho que o motivo principal de ter ido até lá foi para procurar o assassino. Eu me lembrava das outras mortes na estação. A EITC estava alvoroçada com as conversas a respeito disso quando saí com meu último carregamento. Não dei muita atenção na época. As pessoas morrem. Já vi muitas pessoas – crianças – morrerem sem razão nenhuma. Experiências fracassadas.

– Humanos e alguns humanoides – diz o Doutor – produzem cortisol e adrenalina. Você precisa dos dois, não é? Pessoas com café em seus sistemas produzem mais adrenalina. A estação deve ser uma fonte de energia irresistível. Os cientistas fizeram você da melhor forma possível para o propósito deles, mas lhe deram um enorme apetite.

Nem balanço a cabeça. Estou muito assustado agora.

– Concluí isso a partir de seus níveis de adrenalina. – O olhar do Doutor é impiedoso. – No café, as leituras na minha chave de fenda foram extraordinariamente altas. No começo, achei que você era uma pessoa muito nervosa. Você é um pouco inquieto, tem de admitir isso. E, como uma fonte de energia tão rica, você seria a próxima vítima. Quando puxei você para o corredor para encontrar o centro de controle, achei que o assassino viria atrás de nós. Mas, quando a escuridão foi embora, nenhum de nós estava morto e seus níveis de adrenalina estavam *mais baixos* em vez de nas alturas como deveriam estar em um momento de tamanho perigo. Então, percebi que você estava usando a adrenalina na escuridão. Para se transformar. E você está armazenando energia para mais algum outro tipo de transformação, não é?

– Não! Isso não é possível. Se eu fosse o assassino, por que não ataquei você? – Procuro qualquer coisa que possa contestar o que ele está dizendo. Preciso que ele esteja errado. Meu coração bate no peito com um medo de mim mesmo que é pior do que qualquer medo do escuro.

– Não sou humano o suficiente, eu imagino. – O Doutor olha para mim com algo parecido com pena. – Entendo não querer se lembrar de todas as coisas terríveis que você fez. Entendo que queira bloquear todas essas lembranças, mas às vezes é fundamental lembrar.

Ele está falando de si mesmo, mas é impossível acreditar que entende o que eu sinto. Um peso horrível se instala em meus ombros e afundo com ele, porque já não posso mais discutir.

– Se estou fazendo isso, você tem que me deter! Não quero machucar ninguém.

– Eu acredito – diz o Doutor.

– Os outros não são como eu. Somos todos diferentes. Eles não são monstros.

– Acredito nisso também – diz ele. – Agora, Cinquenta e um, vamos conversar. Vamos nos conhecer melhor.

Ele estende a mão, aperta uma tecla no console e mergulhamos na escuridão.

5

Abro os olhos esperando estar cego, mas tudo está brilhando com uma luz suave. Os instintos de predador tomam conta de mim – impulsos de fome e violência. As lembranças também invadem minha mente: todas as coisas que meu eu mais fraco não quer recordar, a dor e a fúria de agulhas e bisturis, o cheiro forte de água sanitária e putrefação. Eu me curvo para a frente; meu corpo cresceu ainda mais, minhas costas se abriram para revelar espinhos de cima abaixo. A bifurcação da minha língua tornou-se pontiaguda e afiada como agulha, perfeita para perfurar a pele. Tenho um segundo par de olhos também, que acabo de abrir. É com esses olhos que estou vendo no escuro. É com esses olhos que vejo o Doutor.

Um instinto me pressiona para que eu deixe minha consciência – a parte de mim que está no controle – se afastar. Luto contra isso. Se eu não me mantiver concentrado, vou tentar machucá-lo. E ele vai me machucar.

Agora me lembro de me esgueirar pela EITC nas primeiras horas desta manhã e entrar na sala de controle. É com alguma satisfação que penso nos rostos apavorados dos engenheiros quando os encontrei, pouco antes de eu...

Antes de eu matá-los. Antes de me alimentar da sua energia.

Ouvi os cientistas falarem sobre isso uma vez, sobre a partir do que eu tinha sido feito, antes que soubessem que eu podia entendê-los. Antes que eu percebesse o que as palavras significavam: um pouco de axon, um pouco de ogron, um pouco de pyrovile.

– Todos temos coisas dentro de nós que não podemos matar – digo, sem saber direito que parte de mim seria melhor que morresse: o eu monstro ou o normal, que não queria nada além de um lugarzinho em um pequeno planeta para morar com os amigos, aquele que teria de viver com o fato de ser um assassino.

– Sim – diz ele, e posso ouvir em sua voz que, mais uma vez, não está falando apenas de mim. – É por isso que tenho medo de que alguns de nós não possam ser salvos. Que alguns de nós *não devam* ser salvos.

– Lá na creche nos diziam que as coisas que faziam no escuro não importavam, porque ninguém podia vê-los – conto ao Doutor. Até minha voz soa diferente, mais grave.

– E você acreditou. Uma parte de você deve ter acreditado, porque você se escondeu em si mesmo, se conteve até que explodiu – diz o Doutor. – Pensei em mandá-lo para Boukan. Fica em um sistema planetário que tem três sóis artificiais. Lá está sempre claro e você poderia ter uma vida boa. Mas...

– Mas um dia as estrelas vão morrer e ficarei no escuro outra vez? – pergunto. Tendo pyrovile em minha composição genética, quem sabe quanto tempo eu poderia viver?

– Essa é uma maneira de colocar as coisas – diz o Doutor. – Então eu pensei...

– Você pensou que teria de me matar – termino por ele.

– Você sabia que, quando os meninos humanos entram na puberdade, suas vozes mudam?

A voz do Doutor soa leve de novo, como se não estivéssemos falando de viver e morrer. Como se eu não fosse um assassino. Como se ele não estivesse desejando não ter me salvado lá no início. Como se, em alguns instantes, não fôssemos lutar e um de nós não fosse morrer.

– O que isso tem a ver? – pergunto.

Ele se move pela sala, passando os dedos pelo meu painel de controle. Eu o observo com cautela.

– Suas vozes mudam, mas não de uma vez. A mudança vai e volta... grave em um momento e aguda no outro. É embaraçoso. Tentar paquerar uma garota e de repente sua voz ficar toda esganiçada, os novos hormônios dando as caras e humilhando você. Mas isso não é tudo o que a puberdade faz. Ela o deixa agressivo e temperamental. Todo esse ódio pelas coisas que aconteceram com você... todo o medo.

Penso em 78342 e sua conversa sobre os meninos. Temos mais ou menos a mesma idade; talvez nós dois estejamos mudando porque esta é a época em que isso acontece. Mas, nesse caso, a puberdade não me parece muito justa – ela tem antenas e eu tenho isso.

– Não estou com medo – digo. – É o outro eu. Ele é que está com medo.

O Doutor levanta as mãos, os dedos pressionando os dois lados da cabeça.

– É incrível como nos escondemos disso, não é? Quanto da violência do universo vem da relutância em dizer essas três pequenas palavras: "Estou com medo." Todo mundo fica com medo. Todos nós mesmo. Mas você já admitiu isso, já disse em voz alta? Vá em frente. Diga: "Estou com medo."

– Estou com medo – digo através dos dentes cerrados.

– Ótimo – diz o Doutor. – Você devia estar. Esse é o primeiro passo. Você está passando por um surto de crescimento, Cinquenta e um, uma transformação. E isso não se estabilizou ainda. A questão é: o que você vai fazer para deixar de matar as pessoas até que isso se estabilize?

– Você quer dizer que, quando eu tiver completado essa transformação, serei capaz de me controlar? – pergunto.

O Doutor dá de ombros.

– Depende de que tipo de adulto você vai se tornar.

As luzes por toda a cabine se acendem, fazendo-me cambalear para trás e cobrir o rosto, porque as luzes brilhantes irritam meu segundo par de olhos. O Doutor deve tê-las acendido enquanto conversávamos. Lembro-me de vê-lo tocar o painel de controle, mas eu não estava prestando muita atenção.

Quando consigo descobrir como fechar os olhos noturnos e abrir os normais, ele está parado bem perto de mim.

– Hora de decidir.

Pisco os olhos tentando vê-lo melhor, depois olho para mim mesmo. Minhas mãos são enormes garras malhadas de cinza. Vou até o painel de controle e me vejo, meu eu quase adulto – se o Doutor estiver certo –, pela primeira vez, refletido no vidro.

Sou enorme, o corpo curvado sobre duas pernas sólidas, cristas ósseas e espinhos descendo pelas costas, dentes afiados combinando com as pontas afiadas da língua.

– Quando isso vai estabilizar? – pergunto.

– Você acabou de matar quatro pessoas em pouco tempo e sugou a energia delas. Deve ter o suficiente para completar a transformação agora. Seu corpo ainda está processando o que ingeriu – diz o Doutor.

Insiro algumas coordenadas no computador.

– Vá até a cápsula de fuga – digo. – Ela vai levá-lo de volta para a EITC. Sei o que tenho que fazer. Sei onde posso obter a energia de que preciso.

Ele olha para a escuridão do espaço e depois para as minhas coordenadas.

– Mas isso é um sol.

– O calor não me machuca – digo a ele. – Tenho um compartimento de carga cheio de café. Isso pode me fornecer um último suprimento de energia... e talvez me estabilize o suficiente para assumir o controle.

– E se isso não acontecer? Você vai ser reduzido a cinzas e espalhado pelos ventos solares. Torrado como um grão de café.

– Então, pelo menos, as pessoas estarão a salvo. Isso é o que você faria, não é? Manteria as pessoas seguras, mesmo que significasse ser torrado pelo sol. Você entrou em uma nave espacial com um monstro, não foi?

– Se foi isso o que lhe ensinei, então foi uma lição terrível. – A expressão no rosto do Doutor é uma que eu nunca tinha visto nele antes. Parece muito sério e muito triste.

– Você faria uma coisa por mim? – pergunto.

– Se eu puder – ele me diz.

– Eu tenho uma... amiga. Da creche. Você deve se lembrar dela de quando era pequena. Ela tem duas bocas e fala muito.

– A pequenina – diz o Doutor, parecendo um pouco nervoso. Às vezes, 78342 causa esse efeito nas pessoas. – Quem poderia esquecê-la?

Eu sorrio.

– Ela é linda, não é? E eu nunca cheguei a lhe dizer isso. Você disse que estava comprando café para uma garota. Compre um para a minha garota também. Diga a ela que eu pensei... não, diga apenas que eu a acho bonita.

Ele balança a cabeça solenemente, e acredito que vai atender ao meu pedido. Eu o vejo seguir até a cápsula de fuga. Ele me lança um último olhar, como se esperasse que eu fosse voltar atrás, perder a coragem. Mas eu não desisto e, alguns instantes depois, ele está voltando para a Estação Intergaláctica da Torra de Café e para sua caixa azul.

Então está na hora de eu seguir em minha própria jornada.

Travo todas as telas para não ter chance de mudar de ideia.

Vou até a cama e puxo minhas fotos, observando todos os pequenos lugares que imaginava comprar. Morarmos todos juntos de novo parece um sonho de criança, mas não um sonho ruim. Quando eu estiver permanentemente mudado, espero me lembrar de sonhos como esse. Espero ser o tipo de adulto que não perde a parte boa de ser criança, mesmo sendo um monstro adulto.

Espero conseguir ser um pouco como o Doutor.

À medida que sigo rapidamente em direção ao sol, tudo é destruído pelo calor. A cama arde, a fita de fibra pega fogo. As fotos escurecem na minha mão. Uma energia fundida e quente me preenche, tocando minha pele, queimando os grãos de café no compartimento de carga e transformando-os em uma nuvem de energia. Sou a criatura que sempre fui destinado a ser. Asas se libertam das minhas costas. Um grito brota da minha garganta.

Ao meu redor, tudo é claro e brilhante. E, pela primeira vez que eu me lembre, nenhuma parte de mim está com medo.

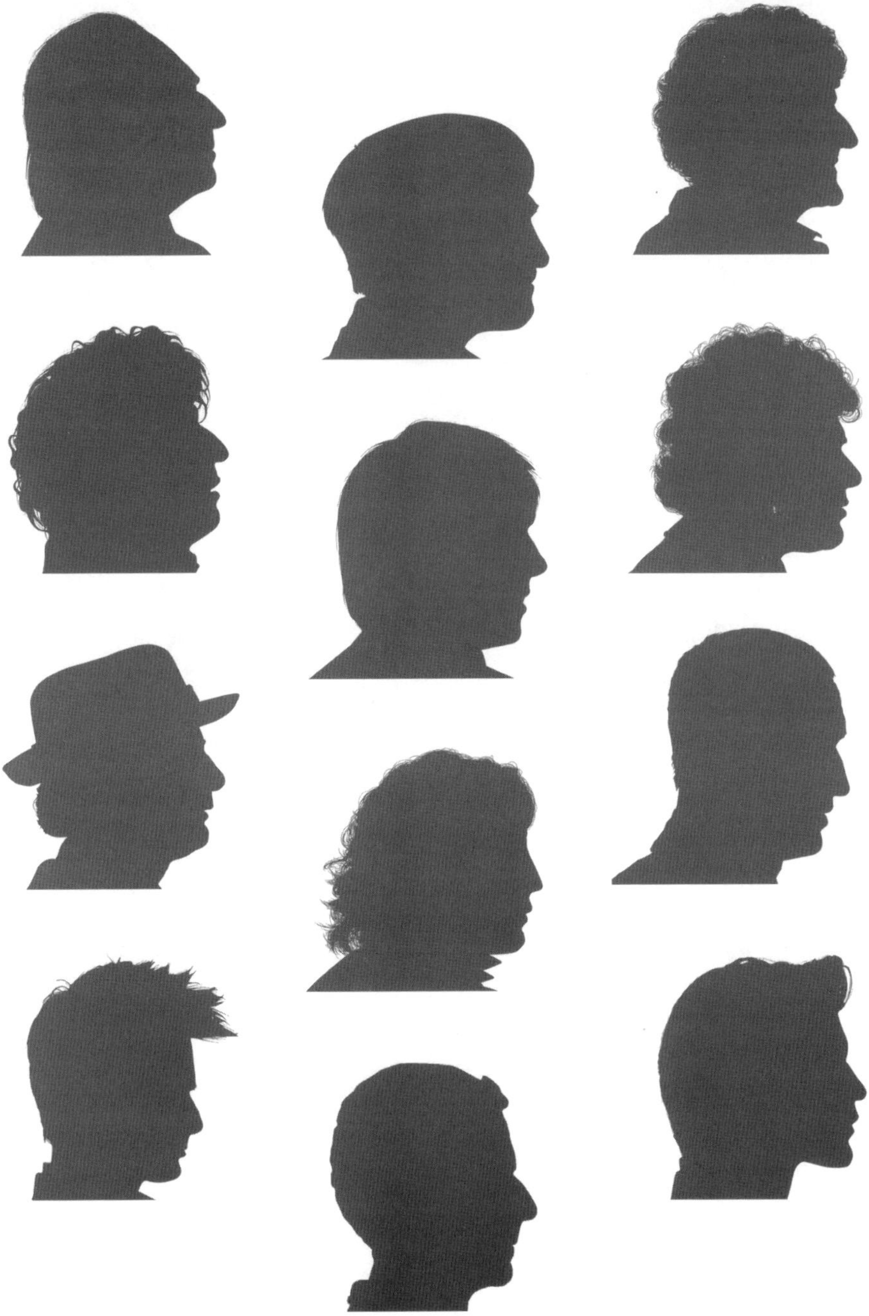

Sobre os Autores:

O Primeiro Doutor: Uma Mãozinha para o Doutor

Eoin Colfer nasceu e cresceu no sudeste da Irlanda. *Artemis Fowl: o menino prodígio do crime*, seu primeiro livro sobre o jovem anti-herói, foi sucesso internacional imediato e ganhou vários prêmios importantes. Ele escreveu vários outros livros de sucesso, tanto para adultos quanto para crianças. O autor mora com a família na Irlanda. Descubra mais sobre Eoin em: www.eoincolfer.com

O Segundo Doutor: A Cidade Sem Nome

Michael Scott (@flamelauthor) é um dos autores de maior sucesso da Irlanda, tanto para o público juvenil quanto para o adulto. Michael já escreveu mais de cem livros nos mais variados gêneros, incluindo fantasia, ficção científica e terror. É considerado uma autoridade em mitologia e folclore. Em 2007, seu livro *O alquimista: os segredos de Nicolau Flamel*, o primeiro de uma série de livros infantojuvenis de fantasia, foi direto para a lista de mais vendidos ao ser lançado nos Estados Unidos, passando dezesseis semanas na lista do *The New York Times*. Todos os seis livros da série figuraram na lista de mais vendidos do jornal. A série já foi publicada em 37 países, e no Brasil foi lançada pela Rocco. Ele mora em Dublin. Descubra mais sobre Michael Scott em www.dillonscott.com

O Terceiro Doutor: A Lança do Destino

Marcus Sedgwick nasceu e foi criado no leste do condado de Kent, no sudeste da Inglaterra. Além de atuar como editor há dezesseis anos, Marcus é um autor de ficção juvenil amplamente admirado e já ganhou diversos prêmios. Alguns de seus livros foram ilustrados pelo próprio escritor. Hoje, trabalha em roteiros e romances gráficos com seu irmão, Julian, e com Thomas Taylor. Foi jurado de numerosos prêmios literários, incluindo o Guardian Children's Fiction e o Costa Book. Para mais informações, visite: www.marcussedgwick.com

O Quarto Doutor: As Raízes do Mal

Philip Reeve nasceu em Brighton e trabalhou em uma livraria por muitos anos antes de se tornar ilustrador em tempo integral e mais tarde se dedicar à escrita. Seu primeiro romance, *Mortal engines*, assim como suas outras obras recebeu diversas premiações e honrarias. Ele mora em Dartmoor, Inglaterra, com a esposa e o filho, Sam. Para mais informações e para explorar o curioso mundo do autor, visite: www.philip-reeve.com

O Quinto Doutor: Na Ponta da Língua

Patrick Ness nasceu em Virgínia, nos Estados Unidos, e cresceu no Havaí, em Washington e na Califórnia antes de se mudar permanentemente para o Reino Unido. É considerado um dos autores mais originais e empolgantes da atualidade pela crítica especializada. Ganhou muitos prêmios por suas obras e assinou um contrato com o estúdio de cinema Lionsgate (responsável por *Jogos Vorazes*) para a adaptação de sua trilogia Chaos Walking. O roteiro está sendo desenvolvido por Charlie Kaufman, ganhador do Oscar pelo filme *Brilho eterno de uma mente sem lembranças*.

O Sexto Doutor: Algo Emprestado

Richelle Mead é autora das premiadas séries Academia de Vampiros, Laços de Sangue e Age of X. Seu amor por fantasia e ficção científica começou na infância, quando seu pai lia mitologia grega e ela assistia a Flash Gordon com os irmãos. Estudou folclore e religião na Universidade de Michigan e, quando não está escrevendo, bebe muito café, assiste à TV e coleciona camisetas dos anos 1980. Ela mora com a família em Seattle, nos Estados Unidos. Para mais informações sobre Richelle, visite: www.richellemead.com

O Sétimo Doutor: O Efeito de Propagação

Malorie Blackman escreveu mais de sessenta livros e é reconhecida como uma grande escritora de literatura infantojuvenil. Ganhou vários prêmios e também foi indicada para receber a Carnegie Medal. Em 2008, recebeu uma OBE (Ordem do Império Britânico) pelos serviços prestados à literatura infantil. Foi descrita pelo *The Times* como um tesouro nacional.

O Oitavo Doutor: Esporo

Alex Scarrow era artista gráfico, até que decidiu ser designer de jogos de computador. Com o tempo, ele resolveu se tornar escritor. Já produziu alguns *thrillers* de sucesso e vários roteiros, mas foi por meio da ficção infantojuvenil que ele encontrou diversão com as ideias e os conceitos com os quais brincava quando criava jogos. O autor mora em Norwich com o filho, Jacob, a esposa, Frances, e o cachorro, Max, um Jack Russell. Saiba mais sobre Alex Scarrow em: www.alexscarrow.co.uk

O Nono Doutor: A Besta da Babilônia

Charlie Higson começou a escrever aos dez anos, mas só passou a ganhar por isso muito tempo depois. Ao final da faculdade, era vocalista de uma banda pop chamada "Os Higsons", até que a abandonou para se tornar pintor e decorador. Foi nessa época que começou a escrever para o programa de TV *Saturday Night Live*. E ganhou destaque ao criar a série de comédia *The Fast Show*, de enorme sucesso, da qual ele também participou. Higson não está no Facebook, mas você pode encontrá-lo no Twitter: @monstroso

O Décimo Doutor: O Mistério da Cabana Assombrada

Derek Landy é modesto demais para falar das honrarias que seus livros podem ter recebido. Ele não vai, por exemplo, mencionar o fato de que seu primeiro livro, *Sr. Ardiloso Cortês*, ganhou dois prêmios, assim como nunca vai dizer qual de seus livros é o favorito da mãe dele. Ele poderia mencionar muitas coisas, mas é, acima de tudo, um homem modesto. Derek mora na Irlanda com diversos gatos, um pastor-alemão e um Staffordshire Bull Terrier geriátrico que tem mania de fazer xixi no chão da cozinha só porque acha isso engraçado. Visite o blog de Derek para ler as novidades: www.dereklandy.blogspot.co.uk

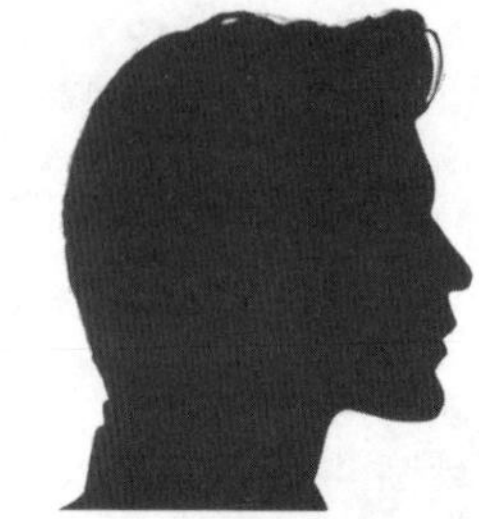

O Décimo Primeiro Doutor: Hora Nenhuma

Neil Gaiman é o autor de mais de vinte livros para adultos e crianças, todos bestsellers, entre eles *O mistério da estrela: Stardust*, *Coraline* e *O livro do cemitério* – publicados no Brasil pela editora Rocco –, e de dois episódios da série Doctor Who ("A esposa do Doutor" e "Pesadelo prateado"). Ele já recebeu vários prêmios literários e tem quase dois milhões de seguidores no Twitter: @neilhimself. Nascido e criado na Inglaterra, ele mora nos Estados Unidos com sua mulher, a estrela do rock Amanda Palmer. É professor do Centro de Letras e Artes do Bard College. O cabelo dele é ridículo.

O Décimo Segundo Doutor: Luzes Apagadas

Holly Black é autora de bestsellers contemporâneos de fantasia para adolescentes e crianças, entre eles os livros *Gata branca*, *Luva vermelha* e *Alma negra*, da trilogia Mestres da Maldição. É coautora da série de enorme sucesso As Crônicas de Spiderwick, que lhe garantiu várias vezes o topo na lista de bestsellers do *The New York Times* e foi adaptada para o cinema em 2008. Holly mora em Massachusetts com o marido, Theo, em uma casa com uma biblioteca secreta. Para saber de todas as novidades, visite o site www.blackholly.com. Você também pode segui-la no Twitter: @hollyblack

Prol Editora Gráfica